westermann

Rahmenthema 1: Literatur und Sprache um 1800

Wahlpflichtmodul 6: Heinrich von Kleist

Heinrich von Kleist:

Der zerbrochne Krug / Die Marquise von O... / Über das Marionettentheater

Rahmenthema 3: Literatur und Sprache um 1900 – neue Ausdrucksformen der Epik

Wahlpflichtmodul 4: Die Großstadt als literarisches Thema

Irmgard Keun:

Das kunstseidene Mädchen

Joachim Ringelnatz:

...liner Roma...

schroedel **Abitur**

Arbeitsbuch für Schülerinnen und Schüler

ABITUR 2026 — ERGÄNZUNGSBAND I

DEUTSCH • NIEDERSACHSEN

Der **Ergänzungsband I Niedersachsen Deutsch** wurde erarbeitet von Klaus-Michael Guse, Karin Cohrs und Christiane Weber-Güldner. Herausgegeben von Karin Cohrs.

Dieses Heft ist Teil des Schülerpakets mit der ISBN 978-3-14-169100-9.

westermann GRUPPE

Druck A[1] / Jahr 2024
Alle Drucke der Serie A sind im Unterricht parallel verwendbar.

Redaktion: Melanie Horn
Umschlaggestaltung: LIO Design GmbH, Braunschweig
Druck und Bindung: Westermann Druck GmbH, Georg-Westermann-Allee 66, 38104 Braunschweig

ISBN 978-3-14-**169101**-6

www.westermann.de/schroedel-abitur
www.westermann.de/schroedel-lektueren
www.westermann.de/schroedel-interpretationen

Das erwartet Sie ...

Liebe Schülerinnen und Schüler,

im vorliegenden Ergänzungsband I werden die beiden für Sie prüfungsrelevanten **WPM 6: „Heinrich von Kleist"** (Rahmenthema 1: „Literatur und Sprache um 1800") und **WPM 4: „Die Großstadt als literarisches Thema"** (Rahmenthema 3: Literatur und Sprache um 1900 – neue Ausdrucksformen in der Epik") erarbeitet. Das Modul orientiert sich an den fachlichen und konzeptionellen Anforderungen des Kerncurriculums an den Unterricht und an die Unterrichtsgestaltung in der Qualifikationsphase.

Als verpflichtende Lektüre für das grundlegende und das erhöhte Anforderungsniveau sind das Theaterstück **„Der zerbrochne Krug"** (1808/1811) von **Heinrich von Kleist** und der Roman **„Das kunstseidene Mädchen"** (1932) von **Irmgard Keun** vorgegeben. Der Leistungskurs liest zusätzlich die Novelle **„Die Marquise von O..."** (1808) und die essayistische Erzählung **„Über das Marionettentheater"**, ebenfalls von **Heinrich von Kleist**, sowie den Kurzroman **„...liner Roma..."** (1924) von **Joachim Ringelnatz**.

Heinrich von Kleist (1777–1811) gilt als genialer und visionärer Schriftsteller, dessen Werk literaturgeschichtlich schwer einzuordnen ist. Zeitlebens leidet er als Künstler nicht nur unter den gesellschaftlichen Verhältnissen, sondern auch unter den Anschauungen und Urteilen seiner Zeitgenossen. Die Module zu Heinrich von Kleist behandeln u. a. folgende im Kerncurriculum für das Abitur 2026 in der Jahrgangsstufe 12 genannten **verbindlichen Unterrichtsaspekte**:
- Figuren- und Konfliktgestaltung
- Kleists Welt- und Menschenbild
- Das Individuum in der Gesellschaft zwischen Autonomie und Determination (**erhöhtes Niveau**)
- Die Gesellschaftsordnung und ihre Bedrohung durch das Irrationale (**erhöhtes Niveau**)
- Kleists Skepsis gegenüber der Aufklärung und der Idealisierung des Weimarer Kunstprogramms (**erhöhtes Niveau**)

Mit dem neusachlichen Roman „Das kunstseidene Mädchen", der mit hintergründigem Humor die Faszination, Widersprüche und Abgründe des Großstadtlebens zur Zeit der Weimarer Republik aus der Sicht einer „Neuen Frau" erzählt, hätte **Irmgard Keun** (1905–1937) der literarische Durchbruch gelingen können. Der Bestseller fällt jedoch 1933 der Bücherverbrennung der Nationalsozialisten zum Opfer. Das Modul zum Roman beinhaltet folgende verbindliche Unterrichtsaspekte:
- Figuren- und Konfliktgestaltung
- Stadt als Ort der Entfremdung, aber auch Entfaltung
- Ich-Suche und Emanzipation von gesellschaftlichen Rollenerwartungen

Auch Joachim Ringelnatz wird 1933 Opfer nationalsozialistischer Zensurmaßnahmen. Sein eindrücklicher, wenn auch wenig bekannter Kurzroman „...liner Roma..." spiegelt die Wirren des Großstadtlebens durch die ausgiebige Nutzung der Montagetechnik auch auf formaler Ebene wieder. Das zugehörige Modul **für das erhöhte Anforderungsniveau** bildet die **verbindlichen Unterrichtsaspekte** ab:
- Stadt als Moloch und Spiegel sozialer Gegensätze
- Vergleich der Großstadterfahrungen in Keuns Roman „Das kunstseidene Mädchen" und in Ringelnatz' Roman „...liner Roma...": Figurengestaltung, Erzählweise, Bewertung des Großstadtlebens

Inhalte für den Unterricht auf erhöhtem Niveau sind mit einem E und einem blauen Streifen am Seitenrand als solche ausgewiesen. Die Unterrichtseinheiten sind methodisch so konzipiert, dass Sie die unterschiedlichen Themenbereiche variabel erarbeiten. Methoden des kooperierenden Lernens, kognitiv-analytische Verfahrensweisen sowie handlungs- und produktionsorientierte Verfahren werden zur Festigung und Vertiefung der Kompetenzen eingesetzt. Geeignete Präsentationformen werden immanent eingeübt.

Die Textausgaben, auf die sich die Textverweise innerhalb der Kapitel beziehen, werden am Anfang der jeweiligen Kapitel in der Marginalspalte aufgeführt.

Im gesamten Kapitel zu Heinrich von Kleist wird auf **folgende Textausgabe** (= TA) Bezug genommen:

Heinrich von Kleist: Der zerbrochne Krug / Die Marquise von O… / Über das Marionettentheater. Hrsg. und kommentiert von Hans-Georg Schede. Paderborn: Westermann Bildungsmedien Verlag 2024

Heinrich von Kleist: „Der zerbrochne Krug" (1808/1811)

Heinrich von Kleist und seine Zeit

Die Zeit um 1800 kennenlernen

Joachim Weidner: Frankfurt a. d. O. um 1788 von den Haakwiesen aus gesehen, Gouache 1977, nach dem Original von J. F. Nagel

Bauernhof in der Mark Brandenburg, Kupferstich von Friedrich Reclam, 1785

Spießrutenlauf bei der preußischen Armee um 1800

Tanz um den Freiheitsbaum, unbekannter Künstler, Deutschland um 1792–1795, Öl auf Holz; das Bild stellt eine Szene während der Jakobinerherrschaft in Mainz dar.

„Die Zeit scheint eine neue Ordnung der Dinge herbeiführen zu wollen, und wir werden davon nichts, als bloß den Umsturz der alten erleben.“
(Heinrich von Kleist)

„[...] nur was nicht aufhört, *weh zu tun,* bleibt im Gedächtnis.“
(Friedrich Nietzsche)

Beschießung der Stadt Mainz, Kupferstich 1792/93; an diesem Gefecht war Kleist im Alter von 15 Jahren als Offizier beteiligt.

Charles Meynier: Einzug Napoleons in Berlin, 27. Oktober 1806

1 ***Lernarrangement***

Setzen Sie sich arbeitsteilig mit den Bilddarstellungen auseinander.

a) Wählen Sie je ein Bild aus. Beschreiben Sie, wie dort die Lebenswirklichkeit um 1800 zum Ausdruck gebracht wird. Recherchieren Sie zu der von Ihnen ausgesuchten Darstellung und stellen Sie den historischen Kontext des Bildes dar.
b) Präsentieren Sie Ihre Ergebnisse im Plenum.
c) Tauschen Sie sich über Ihre ersten Eindrücke zu der Zeit, in der Kleist gelebt und die ihn geprägt hat, aus. Beziehen Sie dabei auch die beiden Zitate ein.
d) Beurteilen Sie, inwieweit es sich um eine Zeit der Krise oder des Umsturzes (oder beides) handelt.

Heinrich von Kleist, Reproduktion einer Illustration von Peter Friedel, 1801

„Zum Straucheln braucht's doch nichts, als Füße" – Kleists Biografie erschließen

Günter Blamberger

Heinrich von Kleist. Biographie (Auszug, 2011)

Kleists Bilanz fällt ernüchternd aus: 23 Jahre alt ist er im Sommer 1801, ein im Grunde ziellos Reisender ohne festen Wohnsitz, ohne Beruf, ohne finanziellen Rückhalt, ein Projektemacher, der gerade im Aufbruch nach Paris ist, um das in seiner Geburtsstadt Frankfurt/Oder abgebrochene Studium der Naturwissenschaft fortzusetzen. Es ist eines von vielen Projekten in seinem Leben, von denen sich bisher keines nach Plan erfüllt hat. Eigentlich weiß er nicht, wie es weitergehen wird [...]. Das ist schlecht auszuhalten für einen, der von Jugend an von Figuren der Steuerung fasziniert ist und die Kontrolle über seine Lebensreise so fest in der Hand halten will wie die Zügel der Kutschenpferde. [...]
Wenn aber das Leben aus Experimenten besteht, deren Verlauf nicht mehr berechenbar ist, wie kommt einer wie Kleist damit zurecht? Wie, dass sein Leben sich nicht, wie geplant, zu einem kohärenten[1] und zielgenauen Projekt entwickelt, sondern verworrenes Flickwerk bleibt, ohne vorgefertigtes Schnittmuster, eine patchwork-identity, wie es die Soziologie gegenwärtig nennen würde? [...] Kleist mag als Dichter, wie Thomas Mann einmal schrieb, „sondergleichen" sein, „völlig einmalig, aus aller Hergebrachtheit und Ordnung fallend", seine Schwierigkeiten mit der Erstellung und Durchführung eines Lebensplans sind nichts ihm Eigentümliches, es handelt sich eher um ein Generationsproblem der nach 1770 Geborenen, die mit den Mündigkeits- und Selbstbestimmungsmodellen der Aufklärung erzogen worden sind und dann in die Wirren der Befreiungskriege gegen Napoleon geraten, in der die deutschen Staaten politisch instabil und in allen sozialen Bereichen reformbedürftig sind und die ständische Gesellschaft allmählich entsichert wird. Gerade die Lebensläufe von Aristokraten entwickeln sich so ins gefährlich Offene, die Verbindlichkeit des eigenen Standesmodells wird brüchig, der soziale Handlungsraum vergrößert sich, der Zugewinn an Freiheit kann zugleich aber als Beliebigkeit empfunden werden, als Orientierungsverlust. [...]
Auf Kleist, mit 34 Jahren gestorben, trifft das zu. Fast jeder Biograph schreibt seine Geschichte von ihrem monströsen Ende her und versucht in den Brandzeichen des Körpers die der Seele zu lesen. Der Selbstmord am Wannsee 1811 gilt nur als die finale Katastrophe einer Lebensgeschichte, die sich als permanente Krisengeschichte darstellt und damit als letzte Konsequenz eines Nonkonformisten, der – einer staatstragenden Familie entstammend – den Militärdienst quittiert, das Studium abbricht, die standesgemäße Verlobung mit der Generalstochter Wilhelmine von Zenge beendet, den Versuch einer Beamtenlaufbahn rasch aufgibt, erfolglos ist bei den Zeitgenossen als Dichter und gescheitert mit dem großen journalistischen Projekt der Berliner Abendblätter. Eine einzige Kette von Enttäuschungen und Versagen [...].

[1] **kohärent:** zusammenhängend, einheitlich

Das Familienwappen Kleists, mit (roten) Wölfen

Peter Michalzik

Kleist. Dichter, Krieger, Seelensucher. Biografie (Auszug, 2011)

Wer das Leben Heinrich von Kleists verfolgt, findet im Wesentlichen zwei Geschichten. Sie scheinen kaum etwas miteinander zu tun zu haben. Es ist zum einen die Geschichte eines schwer zugänglichen, merkwürdig verstockten Menschen, der lange als einer der großen Einsamen der deutschen Literatur galt. Zum anderen ist es die Geschichte eines agilen jungen Mannes in einer Zeit der Umbrüche, Kriege

und Neuerungen. Selten fielen die innere und die äußere Geschichte so weit auseinander wie im Fall Kleists.
Er war unternehmungslustig, tourte ausdauernd durch Europa und war gut vernetzt. Gleichzeitig hatte er eine extreme Sehnsucht, von seinem Innersten zu reden, und verzweifelte immer wieder an der Sprache. Ein solcher Mensch muss wohl letztendlich einsam bleiben. Selten hat jemand heftiger geliebt und war gleichzeitig unfähiger zur Liebe als Kleist.
In dieser Situation begann er zu dichten und versuchte, beide Geschichten, die innere und die äußere, zusammenzubringen. Er legte seine Verzweiflung, seinen Hass, seine Hoffnung, seine Liebe und seine Seele erst in Tragödien, dann in Komödien und dann in Erzählungen. So entfaltete sich ein eigenartiges Wesen, mit befremdlichen Gebärden, eigenartigen Figuren, ungekannten Gefühlen. Es sind wahre Ungeheuer, die Kleist erfand, und man liebt sie trotzdem, wie ‚Kohlhaas' und ‚Penthesilea'. Er schrieb, im ‚Amphitryon' und im ‚Käthchen von Heilbronn', von göttlicher und menschlicher Liebe, so zart, dass man zergeht. Im ‚Zerbrochnen Krug' ist der erste Mensch ein Teufel und die Welt ein Bauernschwank. Er träumte den Traum von der neuen, schöneren Geburt der Menschengesellschaft nach dem Weltuntergang. Er erfand so etwas wie die unschuldige Vergewaltigung und die mörderische Liebe.
Es half nichts. Am Ende begrüßte er emphatisch[1] seinen eigenen Tod. Die Lage fühlte sich für ihn so aussichtslos an, dass er sich selbst glauben machen wollte, dass es ein glücklicher Tod sei, mit dem er aus der Welt ging. Seitdem kommt die Welt nicht von ihm los.

[1] **emphatisch:** *hier:* entschieden, begeistert

1 ***Lernarrangement***

Führen Sie im Plenum des Kurses ein Quiz zum Leben von Heinrich von Kleist durch. Bilden Sie Kleingruppen und gehen Sie folgendermaßen vor:

a) Erarbeiten Sie zunächst in Einzelarbeit die beiden Auszüge aus den Biografien, indem Sie die aus Ihrer Sicht wichtigsten Informationen notieren. Tauschen Sie sich anschließend über Ihre Notizen aus.
b) Recherchieren Sie zu biografischen Details Heinrich von Kleists. Nehmen Sie die Textmarkierungen als Ausgangspunkt.
c) Halten Sie Ihre Rechercheergebnisse schriftlich fest und entwickeln Sie dazu Quizfragen. Formulieren Sie zu acht verschiedenen Themenbereichen jeweils eine Frage.
d) Führen Sie anschließend das Quiz durch.
e) Stellen Sie abschließend Ihre Erkenntnisse unter Nennung Ihrer Quellen Ihren Mitschülerinnen und Mitschülern zur Verfügung.

In ihrer Erzählung „Kein Ort. Nirgends", die 1979 in der DDR erschienen ist, schildert Christa Wolf die fiktive Begegnung Heinrich von Kleists mit der Schriftstellerin Karoline von Günderode (11.02.1780 – 26.07.1806).

Christa Wolf (1929–2011)

Christa Wolf

Kein Ort. Nirgends (Auszug, 1979)

Wedekind, froh sicherlich, von dem anstrengenden Alleinsein mit seinem Schützling erlöst zu werden, gibt mit Kleists Erlaubnis eine originelle Beobachtung zum besten, die Kleist an seinem, Wedekinds, Hund gemacht haben will: Bello, ein harmlos-treues Tier, das sich gleich die ersten Tage, als Kleist in Hause war, mit dem Gast angefreundet, ihn später auch auf seinen weiten Spaziergängen begleitet hat. Einmal nun habe Kleist den Hund, der immer Freude am Gehorchen gezeigt, zwischen zwei Befehle gestellt gesehn, deren jeder ihm zwingend erscheinen mußte: Erstens habe Wedekinds Frau ihn aus dem Küchenfenster gerufen, damit er, wie so oft, des

Hofrats jüngstes Töchterchen bewache; zum andern habe Kleist ihm von der Straße her gepfiffen, mit ihm spazierenzugehn. Da sei der Hund, entsetzlich unschlüssig, zwischen Küchenfenster und Hoftor hin- und hergelaufen, und sein Gesicht habe, das versicherte Kleist, einen unglücklichen Ausdruck gehabt. Weder Kleist noch des Hofrats Frau hätten ihn, des Experiments halber, von ihrem Befehl entbunden. Der Hund sei offenbar von dem Konflikt überwältigt worden. Seine Augen hätten sich mit jenem Häutchen überzogen, das bei Hunden Müdigkeit anzeigt, und, von unwiderstehlicher Schlafsucht bezwungen, habe er sich genau in die Mitte zwischen des Hofrats Frau und Kleist gelegt und sei auf der Stelle eingeschlafen.

Man staunt, lacht, applaudiert. Kleist, auf den alle Augen sich richten, fügt hinzu: Ja, auch die Frau Hofrätin und ich mußten herzlich über das kuriose Benehmen des Tieres lachen. Erst später, als ich darüber nachgedacht, sagte ich zu mir: Der arme Hund. – Und während die Herren den Vorfall erörtern, denkt er: Wer sein Leben lang schlafen könnte.

Wedekind, leider, muß eine unpassende Bemerkung machen. Herr von Kleist, sagt er lächelnd, scheine sich bis zu einem gewissen Grad in der Lage seines guten Bello zu fühlen.

In welchem Sinne, will man nun wissen.

Kleist wünscht dringlich, er hätte geschwiegen. Es rächt sich immer, aus sich herauszugehn. So knapp wie möglich sagt er: Nun, der Vergleich mit dem Tier sei ein Scherz, wenn auch die Ähnlichkeit seiner Lage mit gewissen unlösbaren Situationen des menschlichen Lebens unverkennbar sei.

Zum Beispiel? – Merten, der Gastgeber. Es schmeichelt ihm, daß in seinem Haus derart tiefsinnige Gespräche geführt werden.

Wer fragt, soll Antwort haben. Zum Beispiel, sagt Kleist, folgender Fall: Jemand fühle, ob nun zu Recht oder zu Unrecht, den Zwang in sich, einer Bestimmung zu folgen; seine Vermögensverhältnisse gestatten es ihm nicht, im Ausland zu leben und frei seinen Intentionen nachzugehn, noch auch in seinem Vaterland zu existieren, ohne ein Amt anzunehmen. Dieses Amt aber, zu dessen Erlangung er sich unerträglich erniedrigen müßte, würde in jedem Sinn seiner Bestimmung zuwiderlaufen. Voilà. Da hätten Sie Ihr Beispiel.

Man schweigt. Merten endlich, der frei heraus bekennt, Kleists Drama ‚Die Familie Schroffenstein', gelesen zu haben, und nicht glauben würde, wie er den Autor dadurch peinigt, Merten fragt an, ob der Herr von Kleist nicht vielleicht aus dem Verkauf seiner literarischen Produktion einen bescheidenen Lebensunterhalt würde bestreiten können?

Bücher schreiben für Geld? O nichts davon! ruft da der Kleist mit einer unerwarteten Heftigkeit. Soll ich auf einem mir entfernten, gleichgültigen Gebiet, dem Militärwesen, fremden Zwecken widerstanden haben, um mich ihnen dann auf meinem eigentlichsten Gebiet zu unterwerfen?

(Die Rechtschreibung folgt dem Original.)

1 Stellen Sie dar, wie Christa Wolf den Charakter Heinrich von Kleists in ihrer Erzählung ausgestaltet und diskutieren Sie, inwieweit diese Charakterzeichnung Ihrer Meinung nach zutreffend ist. Arbeiten Sie mit Textbelegen.

2 Gescheitert, zerrissen, genial – begründen Sie, welches dieser Adjektive auf Heinrich von Kleist nach Ihrer bisherigen Kenntnis am ehesten zutrifft. Wählen Sie ggf. ein anderes Adjektiv und begründen Sie Ihre Auswahl.

„Der zerbrochne Krug“ – Annäherung an das Stück

Sich mit dem Entstehungskontext der Komödie auseinandersetzen

Kleist schreibt das Lustspiel „Der zerbrochne Krug“ nicht ‚in einem Rutsch‘ herunter. Vermutlich beginnt er mit ersten Arbeiten dazu bereits 1802 während eines Aufenthaltes in der Schweiz. 1806 in Königsberg nimmt er die Arbeit daran wieder auf und beendet sie sehr wahrscheinlich erst 1807, als er sich wegen einer Spionageanklage in französischer Kriegsgefangenschaft befindet.

Da im Zentrum des Theaterstücks eine Gerichtsverhandlung steht und die Hauptfigur ein Richter ist, stellt sich die Frage, inwieweit Kleist mit den juristischen Belangen seiner Zeit vertraut war. Kleist ist zwar kein ausgebildeter Jurist, belegt aber während seines dreisemestrigen (und dann abgebrochenen) Studiums in Frankfurt a. D. Oder (1799/1800) u. a. auch Vorlesungen in Rechtswissenschaften. Die juristischen Diskurse an der Universität haben durchaus einen Einfluss auf sein literarisches Schaffen; neben dem Lustspiel „Der zerbrochne Krug“ ist hier insbesondere auch die Novelle „Michael Kohlhaas“ zu nennen.

Die Erstaufführung von „Der zerbrochne Krug“ durch Johann Wolfgang von Goethe

1808 wird „Der zerbrochne Krug“ am Hof von Weimar unter der Regie Johann Wolfgang von Goethes uraufgeführt. Die Aufführung ist ein grandioser Misserfolg, was vermutlich daran liegt, dass Goethe das Lustspiel in einen Dreiakter umschreibt. Zudem wird es im Anschluss an eine Oper vor einem bereits ermüdeten Publikum aufgeführt. Die Pausen zwischen den Akten der Komödie tun ihr Übriges, um das Stück bei den Zuschauerinnen und Zuschauern durchfallen zu lassen. Kleist ist darüber sehr erbost. Dennoch beugt er sich der Kritik seiner Zeitgenossen und kürzt seinen Text erheblich: Den 12. Auftritt beispielsweise streicht er – von ursprünglich ca. 520 Versen – auf 57 Verse zusammen. Die Komödie gewinnt durch die Bearbeitung deutlich an Schwung. Dennoch ist Kleist die ursprüngliche Fassung so wichtig, dass er sie in der ersten Buchausgabe 1811 als „Variant“ zusätzlich abdruckt.

Heinrich von Kleist

Vorrede zur handschriftlichen Fassung des „zerbrochnen Krugs“ (1808)

„Le Juge ou la Cruche cassée“. Kupferstich von Jean Jacques Le Veau (1729–1786) nach einem Ölgemälde des französischen Malers Philibert-Louis Debucourt (1755–1832)

Diesem Lustspiel liegt wahrscheinlich ein historisches Faktum, worüber ich jedoch keine nähere Auskunft habe auffinden können, zum Grunde. Ich nahm die Veranlassung dazu aus einem Kupferstich, den ich vor mehreren Jahren in der Schweiz sah. Man bemerkte darauf – zuerst einen Richter, der gravitätisch auf dem Richterstuhl saß: vor ihm stand eine alte Frau, die einen zerbrochenen Krug hielt, sie schien das Unrecht, das ihm widerfahren war, zu demonstriren: Beklagter, ein junger Bauerkerl, den der Richter, als überwiesen, andonnerte, verteidigte sich noch, aber schwach: ein Mädchen, das wahrscheinlich in dieser Sache gezeugt hatte (denn wer weiß, bei welcher Gelegenheit das Deliktum geschehen war) spielte sich, in der Mitte zwischen Mutter und Bräutigam, an der Schürze; wer ein falsches Zeugniß abgelegt hätte, könnte nicht zerknirschter dastehn: und der Gerichtsschreiber sah (er hatte vielleicht vorher das Mädchen angesehen) jetzt den Richter misstrauisch zur Seite an, wie Kreon[1], bei einer ähnlichen Gelegenheit, den Ödip[2]. Darunter stand: der zerbrochene Krug. – Das Original war, wenn ich nicht irre, von einem niederländischen Meister[3].

[1,2] **Kreon, Ödip:** Figuren aus dem Theaterstück „König Ödipus“ von Sophokles, siehe S. 19 ff.

[3] **Niederländischer Meister:** Ob Kleist hier irrte oder bewusst eine falsche Fährte legte, ist umstritten.

1 Beschreiben Sie den Kupferstich von Jean Jaques Le Veau.

2 Vergleichen Sie die Darstellung auf dem Kupferstich mit der Darstellung der Gerichtsverhandlung in Kleists Theaterstück. Halten Sie Gemeinsamkeiten und Unterschiede fest. Gibt es eine Szene im Stück, die der bildlichen Darstellung nahekommt?

3 Recherchieren Sie, was in der gestrichenen Passage der 12. Szene (‚Variant') geschieht oder nutzen Sie den QR-Code. Stellen Sie Vermutungen dazu an, warum diese Szene in der überarbeiteten Fassung entfallen ist.

Den Inhalt der Dramenhandlung nachvollziehen

Szenenbild aus der Aufführung „Der zerbrochne Krug" bei den Heppenheimer Festspielen, 2023

1 Beschreiben Sie das Szenenbild. Erläutern Sie, wie es auf Sie wirkt und ordnen Sie das Bild der passenden Szene aus dem Theaterstück zu.

2 ***Lernarrangement***
Bilden Sie Kleingruppen.

a) Legen Sie eine Tabelle entsprechend der Abbildung an. Füllen Sie diese gemeinsam aus.

Szene	Figuren	Stichworte zur Handlung	Notizen
1	Richter Adam, Gerichtsschreiber Licht		
2			

b) Entscheiden Sie sich für eine Szene und entwickeln Sie dazu ein Standbild. Proben Sie das Standbild.

c) Stellen Sie sich die Standbilder im Plenum gegenseitig vor und lassen Sie die Zuschauenden ermitteln, welche Szene Sie ausgewählt haben. Erläutern und begründen Sie anschließend Ihre Darstellung.

Die Figurenkonstellation und die Konfliktgestaltung erfassen

Szenenbild der Aufführung „Der zerbrochne Krug“ durch das Anhaltinische Theater in Dessau, 2019

1 a) Stellen Sie mithilfe einer Mindmap oder einer anderen, frei wählbaren Darstellungsform die Beziehungen und Konflikte der Figuren aus dem Theaterstück dar.

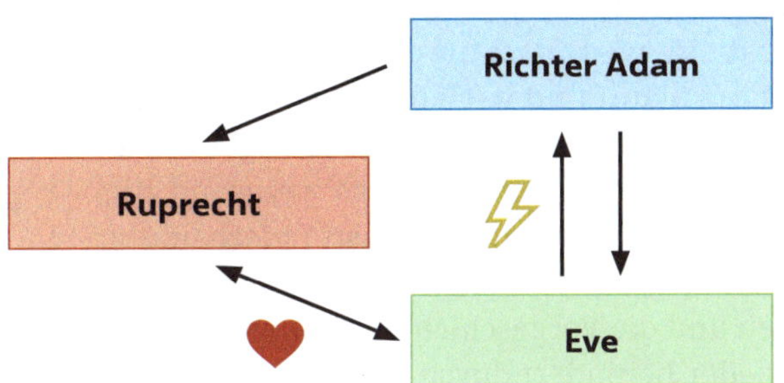

b) Präsentieren Sie Ihre Ergebnisse und diskutieren Sie mögliche Unterschiede in Ihrer Wahrnehmung.

Rollenbiografie

Eine Rollenbiografie ist ein Text, in dem die Figur aus der Ich-Perspektive über sich selbst Auskunft gibt, d.h. sie spricht über sich selbst, als stelle sie sich einem Fremden vor. Neben allgemeinen Fakten gibt sie Auskunft über ihren Charakter, ihre Einstellungen und ihre Beziehung zu anderen. Rollenbiografien werden im Präsens formuliert.

2 ***Lernarrangement***

a) Teilen Sie die zentralen Figuren im Theaterstück (Richter Adam, Gerichtsschreiber Licht, Walter, Eve, Frau Marthe, Ruprecht) in der Lerngruppe untereinander auf, sodass einzelne Figuren mehrfach besetzt sind.

b) Entwerfen Sie in Einzelarbeit jeweils eine Rollenbiografie. Suchen Sie anschließend im Internet ein passendes Foto für Ihre Figur und fügen Sie es in die Rollenbiografie ein.

c) Stellen die Rollenbiografien im Plenum vor.

d) Beurteilen Sie die Rollenbiografien danach, ob Sie dem allgemeinen Leseverständnis der Lerngruppe entsprechen. Gehen Sie dabei vor allem auf mögliche Unterschiede in den Darstellungen ein.

3 Im Lustspiel „Der zerbrochne Krug“ tragen die Figuren sogenannte sprechende Namen. Recherchieren Sie gemeinsam zu allen Figuren, welche Bedeutung die Namen haben könnten und setzen Sie Ihre Rechercheergebnisse mit Ihren bisherigen Kenntnissen zu den Figuren und ihren Konflikten in Beziehung.

TIPP zu Aufg. 3: Hinweise zu den Bedeutungen der Namen finden Sie in der Textausgabe auf S. 98 oder im Grimm'schen Wörterbuch:

Sprechende Namen

Unter einem „sprechenden Namen“ versteht man in der Literaturwissenschaft einen Namen für eine literarische Figur, der – beispielsweise durch direkte Nennung oder eine literarische Anspielung – von vornherein auf bestimmte Charaktermerkmale dieser Figur verweist: „Nomen est omen“. Bei Richter Adam z.B. ist der biblische Bezug augenscheinlich. Die Anspielung bedeutet allerdings nicht, dass die Figur nur Ähnlichkeiten zu der Referenzfigur haben muss. Gerade auch Unterschiede können für eine Interpretation bedeutsam sein.

Den Fall rekonstruieren

Hans-Georg Schede

Der Handlungsaufbau im „zerbrochnen Krug“ (Auszug, 2018)

Der zerbrochene Krug, ja der bloße Umstand einer Gerichtsverhandlung setzten eine Vorgeschichte voraus, ohne die es ja zu keiner Beschuldigung und Klage kommen konnte. [...] Jeder, der als Kinogänger oder Fernsehzuschauer mit dem Genre des Gerichtsfilms auch nur flüchtig vertraut ist, weiß, dass die Gerichtsverhandlung der Tag der Entscheidung ist, auf den alles zuläuft und nach dem die Spannung so stark abfällt, dass nicht mehr viel folgen kann. Diese dramaturgische Regel war zu Kleists Zeiten nicht weniger zwingend als heute. [...] Keineswegs zwingend hingegen, aber nichtsdestoweniger künstlerisch einleuchtend, ist Kleists Entscheidung, das Stück fast ausschließlich auf die Gerichtsszene zu konzentrieren, seine Handlung nur knapp davor beginnen zu lassen und die Vorgeschichte erst allmählich im Verlauf der Verhandlung, und immer wieder behindert durch die Verschleierungsmanöver des Richters, zum Vorschein zu bringen. Die gespannte Aufmerksamkeit des Zuschauers gilt dadurch nicht nur der Frage, ob am Ende die Gerechtigkeit siegt – diese Frage ist ja durch die gattungsgemäße Erwartung, dass alles gut ausgehen wird, schon vorentschieden –, sondern noch viel stärker der grundlegenden Frage, was denn überhaupt vorgefallen ist. Dabei wird recht schnell deutlich, dass der Richter selbst der Täter ist – denn nur so erschließt sich dem Zuschauer die Komik der wenig regelgerecht verlaufenden Verhandlung. Die genauen Zusammenhänge von Adams Intrige, durch die er Eve in der Hand hatte, werden hingegen erst in der vorletzten Szene aufgeklärt, sodass die auf die Vorgeschichte bezogene Spannung bis zum Schluss erhalten bleibt.

1 Geben Sie mit eigenen Worten wieder, welche Besonderheiten im Handlungsaufbau von „Der zerbrochne Krug“ Hans-Georg Schede benennt.

2 a) Erläutern Sie, wie sich der Spannungsaufbau durch die von Hans-Georg Schede beschriebene besondere Bauweise des Theaterstücks gestaltet.

b) Formulieren Sie eine oder mehrere Fragen, die sich die Zuschauerinnen und Zuschauer des Stücks bis zuletzt stellen.

Szenenbild aus der Aufführung „Der zerbrochne Krug“ am Düsseldorfer Schauspielhaus, 2018

Da Richter Adam bis zum Schluss versucht, seine Täterschaft zu verbergen, müssen sowohl die Figuren des Theaterstücks als auch die Zuschauerinnen und Zuschauer den Tathergang aus den Zeugenaussagen in der Gerichtsverhandlung rekonstruieren.

3 ***Lernarrangement***

Bilden Sie Lerngruppen und verfassen Sie eine Anklageschrift des Gerichtsschreibers Licht gegen Richter Adam. Gehen Sie folgendermaßen vor:

a) Bearbeiten Sie in Einzelarbeit den 11. Auftritt (Textausgabe, S. 70–82), indem Sie sich Notizen zu den Ereignissen des Vorabends der Tat machen.

b) Vergleichen Sie Ihre Notizen in der Gruppe.

c) Verfassen Sie gemeinsam die Anklageschrift. Klären Sie dabei folgende Fragen:
- Welches Delikt wird dem Richter vorgeworfen?
- Welche Ereignisse finden am Vorabend der Tat in welcher Reihenfolge statt?
- Welches Ziel verfolgt Richter Adam bei Eve?
- Welche Mittel setzt er zur Erreichung seines Ziels ein?
- Warum lässt sich Eve auf das Gespräch und das Treffen mit Richter Adam ein?
- Was vermutet der Verlobte Eves, Ruprecht, und welche Rolle spielt er an besagtem Abend?
- Was vermutet die Mutter von Eve, Frau Marthe, und wie kommt sie zu der Vermutung?

Beachten Sie bei der Ausformulierung die Hinweise im grünen Kasten.

d) Stellen Sie sich im Plenum die Anklageschriften gegenseitig vor und prüfen Sie, ob die Ereignisse korrekt dargestellt worden sind.

Anklageschrift

Eine Anklageschrift ist ein juristischer Text mit vielen genau festgelegt formalen Elementen. Diese müssen Sie für Ihre Arbeit nicht präzise beachten. Beginnen Sie in etwa so:

„Angeklagt wird der Richter Adam.

Ihm werden folgende Taten zur Last gelegt: ...

Richter Adam ist Dorfrichter in Huisum, einem Dorf nahe Utrecht.

Am Abend des ... ist er um ... hat er das Haus von Marthe Rull und ihrer Tochter Eve aufgesucht. ...“

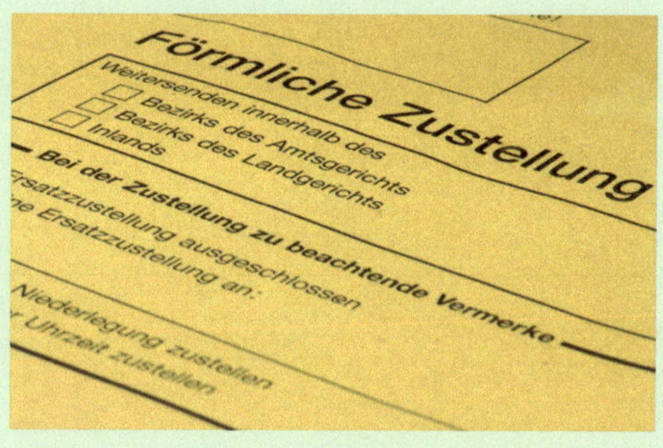

4 ***Lernarrangement***

a) Stellen Sie sich vor, Eve muss sich vor Gericht für ihr Verhalten verantworten (beispielsweise wegen Justizbehinderung). Um sich zu verteidigen, muss sie einen Anwalt mit dem Fall betrauen. Verfassen Sie ein Schreiben Eves an ihren Anwalt, in dem sie ihr Verhalten schildert und rechtfertigt.

b) Präsentieren Sie die Schreiben im Plenum und beurteilen Sie, ob die darin geschilderten Motive Eves zu dem im Theaterstück gezeichneten Charakter der Figur passen.

Kleists Lustspiel im Kontext der Theatergeschichte

Den Unterschied zwischen analytischem und synthetischem Theater kennenlernen

1 a) Vergleichen Sie die beiden folgenden Schaubilder, indem Sie die wesentlichen Unterschiede im Handlungsverlauf herausarbeiten. Nutzen Sie die Schreiblinien neben den Schaubildern für Notizen. Lassen Sie die erste Zeile frei.

b) Ordnen Sie die beiden Begriffe „Enthüllungsdrama" und „Zieldrama" dem jeweils passenden Schaubild zu und notieren Sie die Begriffe auf die erste Zeile neben dem Schaubild.

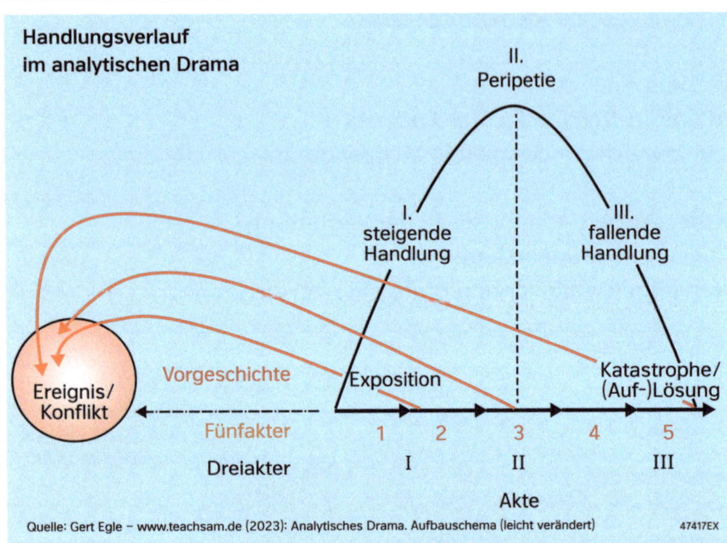

Schaubild A: analytischer Aufbau eines Theaterstücks

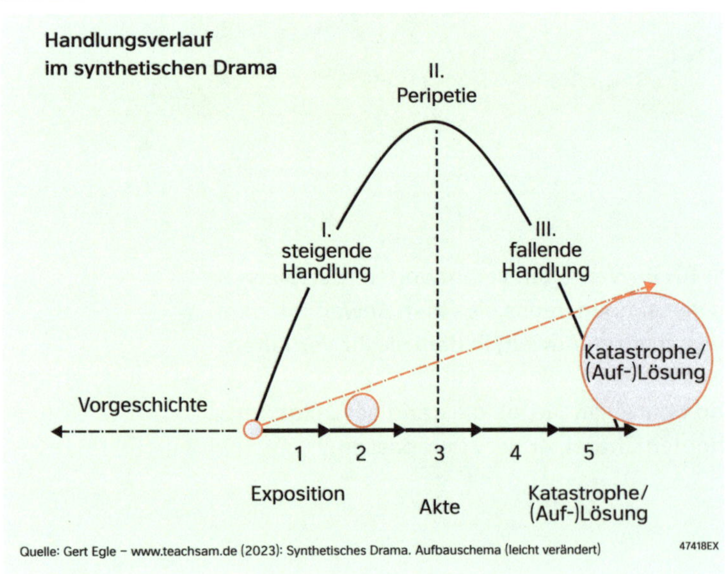

Schaubild B. synthetischer Aufbau eines Theaterstücks

2 a) Ordnen Sie das Drama „Der zerbrochne Krug" einem der beiden Schaubilder zu: Handelt es sich Ihrer Einschätzung nach um ein synthetisches oder um ein analytisches Theaterstück? Begründen Sie Ihre Zuordnung, indem Sie einzelne Begriffe aus dem Schaubild konkreten Handlungselementen aus dem Lustspiel zuordnen.

b) Beurteilen Sie, ob der Aufbau von „Der zerbrochne Krug“ dem klassischen Aufbau eines Theaterstücks folgt oder die Bauweise eher ungewöhnlich ist. Ziehen Sie Ihnen bekannte Theaterstücke als Beispiele heran, um Ihre Einschätzung zu stützen.

3 ***Lernarrangement***

a) Entwerfen Sie in Lerntandems eine Handlungsskizze des Lustspiels „Der zerbrochne Krug“ nach dem Modell des synthetischen Theaters.
b) Stellen Sie sich Ihre Handlungsskizzen gegenseitig im Plenum vor.
c) Diskutieren Sie, welche Vorteile der analytische Aufbau des Theaterstücks gegenüber der synthetischen Variante hat. Auf welche Elemente des Stücks wird die Aufmerksamkeit der Zuschauerinnen und Zuschauer durch die besondere Bauweise gelegt?

„König Ödipus“ als Grundform des analytischen Theaters untersuchen

Der Urtyp des analytischen Dramas ist die Tragödie „König Ödipus“ von Sophokles. Daher ist „Der zerbrochne Krug“ häufig mit diesem Theaterstück verglichen worden. Kleist selbst verweist in seiner ungedruckten Vorrede bei der Beschreibung des Bildes, das den Ausgangspunkt seines Schaffensprozesses bildet, auf „König Ödipus“ (siehe EB, S. 13). Wie Adam untersucht auch Ödipus ein Verbrechen, das er selbst begangen hat. Noch eine weitere Einzelheit legt nahe, dass Kleist sein Theaterstück ganz bewusst an Sophokles anlehnt. Der Name des Königs von Theben, Ödipus, bedeutet Schwellfuß. Und der Richter Adam hat einen Klumpfuß, durch den er am Ende der Verhandlung überführt werden kann.

Sophokles (497/496 v. Chr. – 406/405 v. Chr.), bedeutender griechischer Schriftsteller

In Sophokles‘ Tragödie wird Theben, dessen König Ödipus ist, von einer schweren Seuche heimgesucht. Das Orakel des Gottes Apollo in Delphi, das angerufen wird, verspricht die Rettung der Stadt, wenn der Mörder von König Laios, des Vorgängers von Ödipus, gefunden und bestraft wird. Dass Ödipus der Mörder ist, weiß er nicht. Er ist der Sohn von Laios und seiner Frau Iokaste. Da den beiden geweissagt wird, dass ihr Sohn seinen Vater ermorden und seine Mutter heiraten wird, setzen sie das Kind aus und halten es für tot. Doch der Hirte, der mit der Aussetzung beauftragt wird, hat Mitleid mit dem Säugling und gibt ihn in die Obhut einer Pflegefamilie. So wächst Ödipus in Korinth als angenommener Sohn des Königs Polybos auf. Ödipus weiß nicht, dass er von Polybos adoptiert worden ist. Als junger Mann tötet er im Streit Laios, ohne zu wissen, um wen es sich handelt. Später gelangt er nach Theben, heiratet die Witwe von Laios (seine Mutter) und wird König.

Sophokles

König Ödipus (ca. 429–425 v. Chr.)

Ödipus: O der du alles begreifst, Teiresias[1], Sagbares,
Unsagbares, Himmlisches und auf Erden Wandelndes,
die Stadt – erblickst du sie auch nicht, so weißt du doch,
wie sehr mit Krankheit sie behaftet ist, vor der wir nur
in dir, Herr, den Beschützer und den Retter finden.
Denn Phoibos[2] – wenn du's nicht schon hörtest von den Boten –
sandte, da wir zu ihm gesandt, als Antwort uns zurück, es könne
Erlösung von dieser Krankheit kommen nur,
wenn wir des Laios Mörder klar aufspürten,
sie dann töteten oder als Flüchtlinge aus dem Lande jagten.
Verweigre du nun nicht der Vögel Spruch[3]
noch was du sonst an Wegen kennst der Seherkunst,
errette du dich selber und die Stadt, errette mich,
errette uns von all der Befleckung durch den Toten!

[1] **Teiresias:** blinder Seher, den Ödipus um Rat gefragt hat

[2] **Phoibos:** Anderer Name für den Gott Apollo; der Name betont, dass Apollo u. a. der Gott des Lichtes (auch im übertragenen Sinne) ist.

[3] **der Vögel Spruch:** Die Deutung des Vogelfluges gilt in der griechischen Mythologie als eine Form der Weissagung.

In deiner Hand sind wir. Dass helfe ein Mann,
mit allem, was er hat und kann, ist schönste Müh.
Teiresias: Weh, wehe, Klarsehn: Wie furchtbar, wo es nicht
nützt dem Klarsehenden! Das war mir wohl bewusst,
doch habe ich's vergessen, sonst wär ich nicht hierher gekommen.
Ödipus: Was ist? Wie mutlos du zu uns getreten bist!
Teiresias: Lass mich nach Hause! Am leichtesten wirst du das Deine
und ich das Meine zu Ende tragen, wenn du mir gehorchst.
Ödipus: Nicht nach Recht und Brauch sprachst du und nicht gewogen dieser
Stadt, die dich genährt, dass du ihr verweigerst diesen Spruch.
Teiresias: Seh ich doch, wie auch dir dein Wort nicht zum Heil ausschlägt!
Dass dasselbe nicht auch mir geschehe ...
Ödipus: Nein, bei den Göttern, wenn du klarsiehst, so wende dich nicht ab,
denn alle liegen flehend wir dir hier zu Füßen!
Teiresias: Ihr alle seht ja nicht ... Doch ich, nein, nie
enthüll ich meine – nicht zu sagen deine – Übel!
Ödipus: Was sagst du? Du weißt und willst nicht reden, hast vor,
uns preiszugeben und die Stadt zugrund zu richten?
Teiresias: Ich will mich selbst und dich nicht quälen. Wozu dein
vergebliches Verhör? Du erfährst es nicht von mir.
Ödipus: Wirst du nicht, Schlechtester der Schlechten – denn eines Steins
Natur selbst brächtest du zum Kochen – endlich reden?
So unerweichlich, unerbittlich zeigst du dich?
Teiresias: Du geißelst meine Art, doch deine, die mit dir
zusammenwohnt, die hast du nicht erkannt, und tadelst mich!
Ödipus: Wer geriete nicht in Zorn, wenn er solche Reden
hört, mit denen jetzt du diese Stadt entehrst?
Teiresias: Kommen wird es von allein, deck ich's auch mit Schweigen zu.
Ödipus: So musst du mir, was kommen wird, auch sagen!
Teiresias: Ich möchte nichts mehr sagen. Tobe, wenn du willst,
darob im Zorn, und sei er noch so grimmig!
Ödipus: O ja! Und auslassen werd ich nichts in meinem Zorn von dem,
was mir da dämmert. Wisse denn, mir scheint,
du hast die Tat mit ausgeheckt, sie mit verübt, nur dass
du nicht mit Händen mordetest – doch hättest du das Augenlicht,
die Tat auch, sagt' ich, stammt von dir allein!
Teiresias: Wirklich? Ich fordere dich auf, bei dem Gebot,
das vorhin du verkündet hast, zu bleiben und vom
heutigen Tage an nicht diese hier mehr anzureden noch auch mich:
Denn dieses Landes heilloser Besudler bist du!
Ödipus: So schamlos schleuderst du heraus dies Wort? Und wie glaubst du, der
Strafe dafür zu entrinnen?
Teiresias: Ich bin entronnen! Nähr ich doch in mir die Kraft der Wahrheit.
Ödipus: Von wem belehrt? Sicher nicht von deiner Kunst!
Teiresias: Von dir! Du zwangst mich, wider Willen ja zu reden.
Ödipus: Welch Wort? Sag's nochmals, damit ich's besser fasse!
Teiresias: Hast du's denn vorher nicht begriffen? Oder suchst du
mich mit deinen Worten herauszufordern?
Ödipus: Nicht so, dass ich sagen könnte: Ich verstand's. So wiederhol es denn!
Teiresias: Des Mannes Mörder, den du suchst, sag ich, bist du!
Ödipus: Nicht dir zur Freude sagst du diesen Gräuel ein zweites Mal!
Teiresias: Soll ich noch andres sagen, dass du dich noch mehr erzürnst?
Ödipus: So viel du willst! In den Wind wird es gesprochen sein!
Teiresias: Ahnungslos, sag ich, verkehrst mit deinen Nächsten du
in Schimpf und Schande und siehst nicht, wie tief du steckst im Übel!

Ödipus: Du meinst, du könntest fröhlich stets so weiterreden?
Teiresias: Ja, sofern es noch eine Kraft der Wahrheit gibt.
Ödipus: Sie gibt's, nur nicht in dir! In dir ist diese nicht, da
blind du bist an Ohren, Geist und Augen.
Teiresias: Und du unselig! Denn du verhöhnst an mir, was
jeder unter diesen an dir verhöhnen wird – und nur zu bald!
Ödipus: Aus einer einzigen Nacht nur nährst du dich, so dass du weder mir
noch einem andern, der das Licht sieht, jemals schaden kannst.
Teiresias: Es ist auch nicht dein Los, durch mich zu fallen, denn
Apollon ist genug, dem daran liegt, dies auszuführen.
Ödipus: Sind das des Kreon oder deine Erfindungen?
Teiresias: Kreon ist dir kein Unheil, sondern du dir selbst.
Ödipus: O Reichtum, Königsmacht und Können, alles Können
weit überragend im eiferreichen Leben!
Welch großer Neid wird nicht bei euch gehegt,
wenn dieser Herrschaft wegen, die die Stadt
als Gabe, nicht gefordert, in die Hand mir gab –
wenn ihretwegen Kreon, der Getreue, der Freund seit Anbeginn,
heimlich mich beschleicht und hinauszuwerfen trachtet,
und heimtückisch solch einen Scharlatan vorschiebt und Ränkeschmied,
den listigen Bettelpriester, der für den Gewinn
nur Augen hat, doch blind ist in der Kunst!

1 ***Lernarrangement***
Arbeiten Sie im Lerntandem.

a) Fassen Sie den obigen Auszug aus dem Drama „König Ödipus" inhaltlich zusammen.
b) Benennen Sie die Gemeinsamkeiten zwischen den Theaterstücken „König Ödipus" und „Der zerbrochne Krug" und stellen Sie die Unterschiede zwischen den beiden Hauptfiguren dar. Konzentrieren Sie sich dabei auf die moralische Haltung der Hauptfiguren.
c) Wählen Sie eine Passage aus „Der zerbrochne Krug" aus, an der Sie die Unterschiede verdeutlichen können. Legen Sie dabei den Schwerpunkt auf die Art der Prozessführung und das Interesse an der Aufklärung der Tat.
d) Stellen Sie sich im Plenum anschließend Ihre Analyseergebnisse in einem kurzen Vortrag vor.

2 „König Ödipus" ist im Gegensatz zu „Der zerbrochne Krug" ein Trauerspiel.

a) Vergleichen Sie die beiden Theaterstücke hinsichtlich Ihrer Wirkung auf die Zuschauerinnen und Zuschauer.
b) Erläutern Sie anhand Ihres Vorwissens, worin der Unterschied zwischen einem Trauerspiel und einem Lustspiel besteht.

Aufführung des „König Ödipus" am ‚Deutschen Theater Berlin', 2019

Die Grundlagen der Dramentheorie vertiefen

Martin Esslin

Was ist ein Drama? (Auszug, 1976)

Im täglichen Leben sind die Situationen, mit denen wir konfrontiert werden, real; im Theater – oder bei anderen Formen des Dramas, im Hörfunk, Fernsehen und Film – sind sie vorgetäuscht, Schein, Spiel.

Der Unterschied zwischen Wirklichkeit und Spiel liegt darin, dass das, was in Wirklichkeit geschieht, unwiederbringlich vorbei, unwiederholbar ist, während man im Spiel immer wieder neu beginnen, den Vorgang variiert wiederholen kann. Spiel ist Nachahmung der Wirklichkeit. Doch das heißt keineswegs, dass Spiel nicht mehr ist als leichtfertiger Zeitvertreib. Im Gegenteil: Gerade in der Wiederholbarkeit liegt die immense Wichtigkeit des Spielens für das Wohl und die Entwicklung des Menschen.

Kinder spielen, um die Verhaltensweisen einzuüben, mit denen sie in ihrem Leben der Wirklichkeit begegnen werden, die sie meistern müssen. [...] Alle diese Spiele sind im Grunde dramatisch, denn sie beruhen auf Mimesis, Nachahmung wirklicher Situationen und Verhaltensweisen. Der Spieltrieb ist einer der Grundinstinkte des Menschen, ohne ihn könnte weder der Einzelne noch die Gesellschaft überleben. Drama ist daher mehr als bloßer Zeitvertreib. Es ist eine zutiefst mit der Natur des Menschen verbundene Erscheinung. [...] Die dramatische Darstellungsform ist eine der wichtigsten Methoden, derer sich die Gesellschaft bedient, um ihren Mitgliedern die Grundregeln ihres Verhaltens zu vermitteln. [...] Durch in der Fantasie nacherlebtes Spiel (denn das ist ja Drama für Erwachsene) werden positive oder negative Verhaltensweisen erlernt. [...] Drama ist nicht nur die konkreteste – das heißt die am wenigsten abstrakte – künstlerische Nachahmung menschlichen Verhaltens, es ist auch die konkreteste Art, in welcher wir über die Lage des Menschen in der Welt denken können. Je höher die Ebene der Abstraktion, desto weiter entfernt sich das Denken von der Wirklichkeit. Um nur ein Beispiel zu geben: Man kann darüber debattieren, ob die Todesstrafe zu rechtfertigen ist oder nicht. Weit schwieriger ist es jedoch, diesen abstrakten Gedankengang, auch wenn er durch Statistiken untermauert ist, auf die konkrete Wirklichkeit zu beziehen, auf die Auswirkung auf das einzelne Individuum. Das können wir nur tun, indem wir uns einen einzelnen Menschen vorstellen, der von der Todesstrafe betroffen ist, und die beste Art, das zu erreichen, ist, einen Fall zu dramatisieren und ihn so konkret nachzuerleben. Es ist kein Zufall, dass die entsprechenden Regierungsstellen Pläne für mögliche Ernstfälle, wie Epidemien oder Atomkriege, ausarbeiten, indem sie die verschiedenen Eventualitäten mittels eines Szenarios, also dramatisierter konkreter Situationen, durchexerzieren. Sie setzen so ihre abstrakten Statistiken, ihre Computer-Analysen in dramatische, konkrete Realität um, die es möglich macht, alle statistisch nicht erfassbaren Faktoren, wie die individuellen psychischen Reaktionen der Beteiligten, mit einzukalkulieren.

Und gerade das ist auch das eigentliche Anliegen aller bedeutenden dramatischen Weltliteratur [...]. Drama auf diesem Niveau ist eine Art des Philosophierens, nicht in abstrakter, sondern in konkreter Form – um es in der heutigen Terminologie auszudrücken: eine existenzielle Denkmethode.

1 Erläutern Sie, welche Bedeutung nach Esslin das Spiel für die menschliche Entwicklung hat.

2 Erörtern Sie auf dieser Grundlage, welche Funktion das Drama für die Gesellschaft hat. Erklären Sie dazu auch die Beispiele, die Esslin nennt.

Elke Reinhardt-Becker

Einladung zur Literaturwissenschaft: Tragödie (Auszug, 2009)

Im Drama werden uns „handelnde Menschen“ (Aristoteles’ *Poetik*) auf der Bühne vorgestellt. Wer handelt, muss sich stets entscheiden („Tue ich dies oder jenes, was wird passieren, ist meine Entscheidung richtig?“). In diesem Zwang zur Entscheidung steckt eine grundsätzliche Spannung, denn die Entscheidungen können tragische Folgen haben und genau hierin liegt das Wesen der Tragödie: Der Protagonist der Tragödie befindet sich in einem Konflikt, in einer Grenzsituation, er ist zwischen Extremen gefangen und seine Gefangenschaft ist ohne Ausweg. Egal wie er sich verhalten wird, er wird scheitern.

Diese faktische Unterlegenheit unter das Schicksal wird in der Tragödie kombiniert mit dem Wissen um diese Unterlegenheit. Der Held weiß, dass er scheitern muss, sein Aufbegehren gegen das Schicksal, denn er versucht ja zumindest, das Unglück abzuwenden, wird so besonders tragisch. Goethe schreibt dazu: „Alles Tragische beruht auf einem unausgleichbaren Gegensatz. Sowie Ausgleichung eintritt oder möglich wird, schwindet das Tragische.“ Die Tragödie ist in der griechischen Antike modellhaft ausgebildet worden und wurde über Jahrtausende hinweg variiert. Oft galt sie als „höchste“ Gattung im poetischen Spektrum [...].

Auslöser für tragische Konflikte kann a) eine tragische Schuld sein, die oft nicht durch eigene Handlungen des Protagonisten erworben wurde, aber trotzdem objektiv vorhanden ist (z. B. *Ödipus*), b) eine persönliche Schuld, die auf die Eigenverantwortlichkeit des Protagonisten zurückgeht (z. B. Schillers *Die Räuber*, 1781), c) das – wie immer auch geartete – Schicksal (z. B. Kleists *Die Familie Schroffenstein*, 1803) und d) Missverständnisse, Irrtümer und Lügen (z. B. Shakespeares *Othello*, 1603). Etwas konkreter formuliert: Die Protagonisten können in einen Konflikt geraten zu Göttern, anonymen Mächten oder der Gesellschaft mit ihren Beschränkungen (z. B. Standesschranken, die Liebesehen verhindern, ökonomische Einschränkungen, kulturelle Grenzen etc.). Durch Darstellung von Menschen in tragischen Konflikten, in Extremsituationen vermag die Tragödie, die Möglichkeiten des Menschseins zu zeigen.

Elke Reinhardt-Becker

Einladung zur Literaturwissenschaft: Komödie (Auszug, 2009)

Werden in der Tragödie „handelnde Menschen“ (Aristoteles’ Poetik zum Drama) in tragischen, unlösbaren Konflikten gezeigt, die in jeder Sekunde ihres Handelns um dessen Aussichtslosigkeit wissen, so werden in der Komödie Menschen gezeigt, die sich in einem lösbaren Konflikt befinden, aber nicht unbedingt von dieser Lösbarkeit wissen. Sie sind faktisch dem Schicksal überlegen, obwohl die dargestellten Konflikte ebenso aussichtslos erscheinen wie in der Tragödie. Wie gelingt die Lösung der Konflikte? a) durch Zufall, b) durch persönliche Schläue oder Dummheit des „Helden“ oder c) durch persönliche Schläue oder Dummheit des Gegners des „Helden“.

Warum ist die Komödie aber „komisch“, wenn sie doch ähnlich ernste Konflikte zeigt wie die Tragödie? Einerseits natürlich durch die Zeichnung der Charaktere, denn weder „Schläue“ noch „Dummheit“ sprechen für einen besonders edlen Charakter, andererseits wird die Komödie komisch durch eine übertriebene, geradezu groteske Darstellung des Konflikts.

TIPP:
Ein Auszug aus Aristoteles' „Poetik“ (335 v. Chr.) findet sich im Grundband I auf S. 93 f. Aristoteles führt darin die Wirkungsweise des Drama und insbesondere der Tragödie aus.

Bis in die Mitte des 18. Jahrhunderts informierte schon die Liste der [A]uftretenden [...] den Zuschauer darüber, ob er lachen oder weinen sollte. War das Drama mit bürgerlichen Figuren oder gar Bauern und Dienern bestückt, konnte es sich nur um eine Komödie handeln, war es mit adeligen Helden versehen, konnte es nur eine Tragödie sein. Diese sogenannte „Ständeklausel" geht zurück auf die Poetik Aristoteles', der die Darstellung der schlechteren Menschen der Komödie überließ, die Tragödie hingegen für die besseren Menschen reservierte. [...] Noch der Aufklärer Gottsched[1] steht 1730 in dieser Tradition und erst Lessing lehnte die Ständeklausel endgültig ab und schuf das Bürgerliche Trauerspiel.

[1] **Johann Christoph Gottsched** (1700–1766): deutscher Schriftsteller und Literaturtheoretiker

1 ***Lernarrangement***

Teilen Sie den Kurs in zwei Gruppen auf.

a) Bearbeiten Sie die beiden Texte (Ergänzungsband, S. 23 und S. 23f.) wie folgt:
- Gruppe A: Wenden Sie die Definition der Tragödie nach Elke Reinhardt-Becker (S. 23) auf „König Ödipus" an und konkretisieren Sie die zentralen Begriffe (*Konflikt, Grenzsituation, Aufbegehren gegen das Schicksal, tragische Schuld*).
- Gruppe B: Wenden Sie die Definition der Komödie nach Elke Reinhardt-Becker (S. 23f.) auf „Der zerbrochne Krug" an und konkretisieren Sie die zentralen Begriffe (*lösbarer Konflikt, Komik, Zeichnung der Charaktere*).

b) Stellen Sie sich die Ergebnisse gegenseitig vor und führen Sie diese zusammen, indem Sie beide Dramenformen in einer Tabelle gegenüberstellen.

Gotthold Ephraim Lessing (1729–1781): bedeutender Dichter der Aufklärung und wichtiger Dramentheoretiker

Gotthold Ephraim Lessing

Über das Trauer- und das Lustspiel (Auszug, November 1756)

Wenn es also wahr ist, dass die ganze Kunst des tragischen Dichters auf die sichere Erregung und Dauer des einzigen Mitleidens geht, so sage ich nunmehr, die Bestimmung der Tragödie ist diese: sie soll unsre Fähigkeit, Mitleid zu fühlen, erweitern. Sie soll uns nicht bloß lehren, gegen diesen oder jenen Unglücklichen Mitleid zu fühlen, sondern sie soll uns weit fühlbar machen, dass uns der Unglückliche zu allen Zeiten, und unter allen Gestalten, rühren und für sich einnehmen muss. [...] Der mitleidigste Mensch ist der beste Mensch, zu allen gesellschaftlichen Tugenden, zu allen Arten der Großmut der aufgelegteste. Wer uns also mitleidig macht, macht uns besser und tugendhafter, und das Trauerspiel, das jenes tut, tut auch dieses, oder – es tut jenes, um dieses tun zu können. [...]

Auf gleiche Weise verfahre ich mit der Komödie. Sie soll uns zur Fertigkeit verhelfen, alle Arten des Lächerlichen leicht wahrzunehmen. Wer diese Fertigkeit besitzt, wird in seinem Betragen alle Arten des Lächerlichen zu vermeiden suchen, und eben dadurch der wohlgezogenste und gesittetste Mensch werden. Und so ist auch die Nützlichkeit der Komödie gerettet.

Beider Nutzen, des Trauerspiels sowohl als des Lustspiels, ist von dem Vergnügen unzertrennlich; denn die ganze Hälfte des Mitleids und des Lachens ist Vergnügen, und es ist großer Vorteil für den dramatischen Dichter, dass er weder nützlich, noch angenehm, eines ohne das andere sein kann.

1 Geben Sie wieder, welche erzieherische Wirkabsicht nach Lessing mit der Tragödie einerseits und der Komödie andererseits verbunden ist.

2 Erläutern Sie, welchen Vorteil des dramatischen Dichters Lessing im letzten Abschnitt des Textauszugs (Z. 16–19) beschreibt.

Günter Blamberger

Warum ist „Der zerbrochne Krug“ ein Lustspiel? (Auszug, 2011)

Der tragische Held leidet am Widerspruch seines Ideals mit der Norm, und der Zuschauer einer Tragödie leidet mit ihm mit. Der komische Held mag sich selbst nicht komisch, sondern tragisch vorkommen, der Zuschauer lacht nicht gemeinsam mit ihm, sondern über ihn. Er lacht über ein ihm unangemessen erscheinendes Verhalten, von dem er sich durch das Lachen gerade distanziert. *Der zerbrochne Krug* handelt nicht von persönlichen Idealen des Richter Adam, mit denen sich ein Zuschauer identifizieren könnte, sondern von dessen Regelwidrigkeiten. Der Richter mag insgeheim ein verzweifelter Liebhaber sein, gezeigt wird er uns von außen, als Lügenbaron. Sein Verhalten mag verständlich sein, es verletzt aber die Rechtsordnung, die der Gerichtsrat Walter am Ende wiederherzustellen scheint, ohne dass Adam „ernsthaften Schaden“ an Leib und Seele nimmt.

1 ***Lernarrangement***

Bilden Sie Lerntandems.

a) Erläutern Sie, warum der Richter Adam Blamberger zufolge ein komischer Held ist.

b) Suchen Sie Textpassagen, an denen man die Komik Adams verdeutlichen kann und zeigen Sie auf, worin die Komik besteht. Halten Sie Ihre Ergebnisse in Stichworten fest.

c) Stellen Sie sich Ihre Beispiele gegenseitig vor und diskutieren Sie, ob Sie die Ergebnisse überzeugend finden.

Zentrale Gestaltungsmittel des Theaterstücks

Dem Krugsymbol auf die Spur kommen

Heinrich von Kleists Theaterstück heißt nicht etwa „Der Richter Adam“ oder „Die Vergehen des Dorfrichters Adam“, sondern „Der zerbrochne Krug“. Der Krug scheint also von großer symbolischer Bedeutung für das Stück zu sein.

Nichts seht ihr, mit Verlaub, die Scherben seht ihr;
Der Krüge schönster ist entzweigeschlagen. (Textausgabe, S. 32)

So beginnt die lange Beschreibung des zerbrochenen Krugs durch Frau Marthe, die Mutter Eves. Ihr geht es darum, dass derjenige bestraft wird, der ihren Krug zerbrochen hat. Als sie vor Gericht aufgerufen wird, um ihren Verdacht zu schildern, beschreibt sie den Krug zunächst ausführlich. Zwar handelt es sich bei Frau Marthes Krug um eine literarische Erfindung Kleists; als Vorlage diente ihm aber vermutlich folgender Kupferstich von Simon Fokke, auf den er bei seinen Recherchen zu dem Stück in der Dresdner Bibliothek gestoßen sein dürfte.

Simon Fokke: Übertragung der Niederlande durch Kaiser Karl V. an seinen Sohn Philipp im Jahr 1555 (Kupferstich von 1751).
Unter dem Baldachin steht der Kaiser, mit der einen Hand auf sein Schwert gestützt, mit der anderen auf der Schulter Wilhelms von Oranien. Vor ihm steht sein Sohn im Königsmantel, zentral steht der Bischof von Arras.

1 ***Lernarrangement***

Arbeiten Sie in Kleingruppen.

a) Notieren Sie in Einzelarbeit zu den Versen 647 – 729 (Textausgabe, 7. Auftritt, S. 32 – 35) stichwortartig die wichtigsten Informationen, die Frau Marthe über den Krug referiert.

b) Vergleichen Sie Ihre Notizen innerhalb Ihrer Arbeitsgruppe und tragen Sie sie in einer Übersichtsdarstellung zusammen. Unterteilen Sie Ihre Übersicht in „Darstellung auf dem Krug“ und „Geschichte des Krugs“.

c) Vergleichen Sie die Darstellung auf Fokkes Kupferstich mit der Darstellung auf dem Krug Frau Marthes im Drama. Stellen Sie Vermutungen darüber an, warum Kleist von der Bildvorlage abweicht. Beziehen Sie auch die Informationen zur Gründung der Niederlande (S. 27) in Ihre Überlegungen ein.

d) Analysieren Sie nun zusätzlich die Verse 440 – 444 und 490 f. (Textausgabe, 6. Auftritt, S. 24, S. 26) im Hinblick auf die Bedeutung des Krugsymbols. Ziehen Sie ggf. weitere aussagekräftige Textstellen Ihrer Wahl hinzu.

Digitale Rekonstruktion des Kruges auf der Basis von Fokkes Kupferstich.

e) Stellen Sie abschließend auf der Basis Ihrer Vorarbeiten eine Deutungshypothese zur Bedeutung des Kruges im Drama auf.

f) Stellen Sie sich Ihre Deutungshypothesen gegenseitig im Plenum vor und diskutieren Sie ihre Schlüssigkeit.

Zur Gründungsgeschichte der Niederlande

Bis zur Gründung der niederländischen Republik 1648 gehörten die Niederlande zu Spanien, das von dem Habsburger Könighaus beherrscht wurde. Unter der Herrschaft Philipp II., Sohn Karl V., seit 1556 spanischer König, begann ein 80-jähriger Kampf um die Unabhängigkeit, der auch Bestandteil des 30-jährigen Kriegs wurde. 1648 im Rahmen des Westfälischen Friedens kam es zur Trennung der Niederlande (siehe Karte): Der katholische Süden mit dem reichen Flandern blieb spanisch; im Norden entstand eine unabhängige, protestantische (calvinistische) Republik.

1602 wurde die Vereinigte Oost-Indische Compagnie (VOC) gegründet, die den Handel mit Gewürzen im Südostasiatischen Raum monopolisiert und den Reichtum der Niederlande begründet. Man spricht vom „goldenen Jahrhundert" der Niederlande. Um 1800 zerfiel das Monopol und der niederländische Staat übernahm die Kolonien (vor allem das heutige Indonesien mit der damaligen Hauptstadt Batavia [= heute Jakarta]).

Helmut J. Schneider

Frau Marthes Beschreibung des zerbrochenen Krugs (Auszug, 2013)

Der nun zertrümmerte Krug verkörperte seit Generationen Kontinuität und Bestand der Gemeinschaft, die über das Dörfliche hinaus ins Nationale ausgreift. Abgebildet war auf ihm eine historische Szene, die als nationaler Ursprungsakt der Niederlande gelten kann, bevor sie ihre Unabhängigkeit erkämpften, nämlich die Belehnung Philipps von Spanien mit den Niederlanden durch seinen Vater Kaiser Karl V. im Jahre 1555. In der Schilderung Marthes erscheint nun das zerstörte, nur noch in Bruchstücken sichtbare Bild als Zerstörung des historischen Ereignisses selbst.[1] [...]
Insofern die Klage sich ebenso auf die (möglicherweise) verlorene Unschuld der Tochter bezieht („Dein guter Name lag in diesem Topfe"; ebd., 305[2]), ergibt sich ein weiterer Aspekt von Marthes Schilderung: Krug und Eve erscheinen als Opfer männlicher Gewalt, die sie mit ihrer Häufung von Figuren beschädigter Männlichkeit gewissermaßen zurückgibt. „Seht ihr den Krug, ihr wertgeschätzten Herren? / Seht ihr den Krug?" so hatte sie begonnen, um auf die Versicherung Adams „O ja, wir sehen ihn", zu replizieren: „Nichts seht ihr, mit Verlaub, die Scherben seht ihr" (ebd., 311[3]) – und daraufhin dem patriarchalen Regime mit „unten weggeschlagenen Schwertern", dem fehlenden Rumpf des Kaisers und dem allein übrig gebliebenen Hinterteil seines Sohns seine Nichtigkeit zu weisen. Der perückenlose und zerschundene Richter findet sein Spiegelbild in dem aus der Bildmitte verschwundenen, dem dynastischen Akt vorstehenden geistlichen Oberhaupt, dem Erzbischof „mit der heilgen Mütze": „Den hat der Teufel ganz und gar geholt" (ebd., 311[4]). [...]

Szenenbild der Aufführung „Der zerbrochne Krug" durch das Anhaltinische Theater in Dessau, 2019

[1] **Zerstörung:** gemeint ist hier die Zerstörung der Gründungsgeschichte der Niederlande

[2,3,4] Textausgabe, S. 26, S. 32, S. 33

[1] **Signum:** Zeichen

Signifikanterweise hatte er in besagter nächtlicher Situation das Signum[1] seiner Autorität, die Perücke, auf dem Krug abgelegt und ihn dann bei seiner Flucht zu Boden gerissen, bevor nahezu gleichzeitig ein ähnliches Schicksal seinen Schädel ereilte: Loch im Krug und Loch im Kopf – der Text betont die Parallele zwischen der Gemeinschaftsikone und dem Dorfpatriarchen, die aus einer gemeinsamen Vergangenheit in die Gegenwart hineinragen und einen gemeinsamen Untergang finden.

1 Fassen Sie Schneiders Interpretation des Krugsymbols zusammen.

2 a) Vergleichen Sie Schneiders Deutung(en) mit Ihren Deutungsansätzen aus der Gruppenarbeitsphase (S. 26, Aufgabe 1).
b) Nehmen Sie vor dem Hintergrund möglicher Deutungsunterschiede kritisch Stellung zu Schneiders Interpretationsansatz.

Sprache und Komik untersuchen

1 ***Lernarrangement***
Gestalten Sie in Lerntandems den 1. Auftritt szenisch. Unterstützen Sie Ihre Darstellung mit sinnvoll gewählten Requisiten.
a) Rezitieren Sie den 1. Auftritt (Textausgabe, S. 5 – 11) im Plenum.
b) Beurteilen Sie Unterschiede und Gemeinsamkeiten in den Darbietungen Ihrer Mitschülerinnen und Mitschüler.

2 Analysieren und interpretieren Sie den 1. Auftritt unter Einbeziehung der sprachlichen Gestaltungsmittel und der Regieanweisungen. Legen Sie dafür eine Tabelle nach folgendem Muster an, die Sie um weitere sprachliche Mittel ergänzen:

	Beispiel mit Textbeleg	**Funktion**
biblische Anspielungen		
Doppeldeutigkeiten		
Anspielung auf Sprichworte		
…		

3 Erläutern Sie, wie die Exposition des Lustspiels auf die Zuschauerinnen und Zuschauer wirkt.

4 Deuten Sie, warum bestimmte Informationen in der Exposition nicht gegeben werden.

Komik

Im Sachwörterbuch der Literatur von Gero von Wilpert findet sich folgende Definition von Komik: „(griech. *Komos* = nächtlicher Umzug fröhlicher Zecher unter Musikbegleitung; Gelage), die der Tragik entgegengesetzte Weise des Welterlebens, ein zum Lachen reizende, harmlose Ungereimtheit, beruhend auf einem lächerlichen Missverständnis von erstrebtem, erhabenem Schein und wirklichem, niedrigem Sein von Personen, Gegenständen, Worten, Ereignissen und Situationen, also ein Missverhältnis von Stil und Inhalt. Der innere Widerspruch kann von vornherein offensichtlich sein oder plötzlich verblüffend zutage treten und ruft leichtes Unlustgefühl hervor, das im Lachen abgewehrt und im Überlegenheitsgefühl verbunden mit selbstkritischer Erkenntnis gelöst wird." (Gero von Wilpert: Sachwörterbuch der Literatur. Stuttgart: Kröner 1969, S. 396) Die Zuschauer/-innen, Leser/-innen oder Hörer/-innen distanzieren sich lachend von der komisch anmutenden Differenz von Sein und Schein. Man unterscheidet gemeinhin drei Formen von Komik: die Situationskomik, die Figurenkomik und die Sprachkomik. Die Übergänge sind dabei fließend.

Heinrich von Kleist

Der zerbrochne Krug (Auszug, Erster Auftritt, 1811)

LICHT: Ei, was zum Henker, sagt, Gevatter Adam!
Was ist mit euch geschehn? Wie seht ihr aus?
ADAM: Ja, seht. Zum Straucheln braucht's doch nichts, als Füße.
Auf diesem glatten Boden, ist ein Strauch hier?
Gestrauchelt bin ich hier; denn jeder trägt
Den leidgen Stein zum Anstoß in sich selbst.
LICHT: Nein, sagt mir, Freund! Den Stein trüg jeglicher –?
ADAM: Ja, in sich selbst!
LICHT: Verflucht das!
ADAM: Was beliebt?
LICHT: Ihr stammt von einem lockern Ältervater,
Der so beim Anbeginn der Dinge fiel,
Und wegen seines Falls berühmt geworden;
Ihr seid doch nicht –?
ADAM: Nun?
LICHT: Gleichfalls –?
ADAM: Ob ich –? Ich glaube –?
Hier bin ich hingefallen, sag ich Euch.
LICHT: Unbildlich hingeschlagen?

5 ***Lernarrangement***

Bilden Sie Arbeitsgruppen. Analysieren Sie den ersten Auftritt hinsichtlich des Einsatzes von Komik.

a) Fassen Sie die Definition von Komik aus dem obenstehenden Informationskasten zusammen und tauschen Sie sich darüber aus, ob diese Definition Ihrem Begriffsverständnis entspricht.

b) Setzen Sie sich mit den gelb markierten Stellen in der Exposition des Dramas auseinander, indem Sie herausarbeiten, mit welchen Mitteln hier eine komische Wirkung erzielt wird und worin diese Wirkung besteht. Nehmen Sie die Tabelle von Seite 28 sowie Ihre Ergebnisse aus Aufgabe 5 a) zu Hilfe.

c) Finden Sie weitere Textstellen, denen Sie eine komische Wirkungsabsicht zuschreiben. Erläutern Sie, worin die Komik jeweils besteht und um welche Form der Komik (Situationskomik, Figurenkomik, Sprachkomik ...) es sich handelt.

d) Beurteilen Sie, ob sich die Komik des Textes den heutigen Leserinnen und Lesern noch erschließt und diskutieren Sie mögliche Gründe für Ihre Einschätzung.

TIPP:
Nutzen Sie auch den Informationskasten zu „Komik, Humor, Ironie, Satire" von S. 119 in diesem Ergänzungsband.

Einen Szenenauszug analysieren

1 a) Beschreiben Sie die Illustration von Adolf Menzel und identifizieren Sie die einzelnen Figuren.
b) Erläutern Sie, welchen Eindruck Ihnen die Bilddarstellung vermittelt.

Illustration von Adolf Menzel zum Beginn des 11. Auftritts, 1877

2 Fassen Sie die Handlung des 11. Auftritts (Textausgabe, S. 70 – 82) zusammen.

3 ***Lernarrangement***
Verfassen Sie in Vierergruppen arbeitsteilig je einen inneren Monolog zu einer der folgenden Figuren: Richter Adam, Gerichtsrat Walter, Gerichtsschreiber Licht und Eve. Sie sollen sich auf die Situation des Verses 1839 beziehen und jeweils verdeutlichen, was die Figuren zu diesem Zeitpunkt wissen, welche Absichten sie haben, was sie ggf. befürchten und was sie auf jeden Fall vermeiden wollen.
• Verfassen Sie die inneren Monologe in Einzelarbeit.
• Stellen Sie sich Ihre Schreibprodukte gegenseitig vor und diskutieren Sie, ob sie der Situation der jeweiligen Figur entsprechen. Bearbeiten Sie Ihre Entwürfe gegebenenfalls.
• Präsentieren Sie die Monologe im Plenum. Diskutieren Sie, welche Konsequenzen die unterschiedlichen Motive und Konflikte der Figuren für den weiteren Handlungsverlauf haben.

4 Analysieren und interpretieren Sie unter Berücksichtigung der gestalterischen Mittel in funktionaler Anbindung den Textauszug, S. 78 – 82 (Textausgabe, V. 1808 – V. 1908).
a) Benennen Sie kurz, an welchem Punkt der Handlung des 11. Auftritts der Textauszug einsetzt.
b) Analysieren Sie den Inhalt und die Sprachgestaltung des Textauszugs. Beziehen Sie dabei die Auswertung der inneren Monologe ein. Berücksichtigen Sie folgende Aspekte und Arbeitsschritte:
• Beschreibung des situativen und kommunikativen Kontextes,
• Vorstellung der an der Verhandlung beteiligten Figuren und ihrer Beziehung zueinander,
• Darstellung des Gesprächsverlaufs,
• Erläuterung der Zielsetzung der Gesprächspartner und Deutung ihrer Handlungsmotive,
• Eingehen auf Störungen, Unterbrechungen, Missverständnisse,
• Berücksichtigung der Gesprächsanteile,
• Betonung des Wendepunktes/Höhepunktes oder der Wendepunkte/Höhepunkte,
• Erläuterung und Deutung der Sprachverwendung in funktionaler Anwendung: Wortwahl, Syntax, rhetorische Stilmittel, Interpunktion,
• Deutung der Regieanweisungen.
c) Beurteilen Sie die Funktion des Textauszugs für das Gesamtwerk mit Ausblick auf den weiteren Handlungsverlauf.

5 Präsentieren Sie Ihre Ergebnisse im Plenum.

Kleist in seiner Zeit

Preußens Geschichte zur Zeit Kleists erkunden

Rudolf Vierhaus

Heinrich von Kleist und die Krise des Preußischen Staates um 1800 (Auszug, 1980)

Während der Regierung Friedrichs d. Gr. und vor allem durch ihn hatte dieser Staat seit 1740 die Aufmerksamkeit Europas zunehmend auf sich gezogen. Auf Grund seiner militärischen Stärke war er zu einer Großmacht geworden; sein Herrschafts- und Verwaltungssystem galt als Beispiel für staatliche Effizienz und Rationalität. Retablissement[1], Wirtschaftsförderung und Justizreformen nach dem Ende des Siebenjährigen Krieges hatten seinem Ruf, ein aufgeklärt regiertes Land zu sein, in dem religiöse Toleranz und relative Meinungsfreiheit herrschten, gerechte Justiz geübt werde und die Beamten unter strenger Aufsicht stünden, weiter gefestigt. Der Stolz auf kriegerischen Erfolg, auf den Ruhm des Königs und die Achtung des Auslandes, aber auch das Bedürfnis nach Ausgleich für die permanent übersteigerten Anforderungen an die Bevölkerung hatten einen preußischen Staatspatriotismus entstehen lassen, der [...] tief ins Volk hineinreichen konnte. Für die Gebildeten trat bestätigend die Überzeugung hinzu, in einem Lande zu leben, in dem Aufklärung allgemeiner verbreitet sei und größere Förderung erfahre als andernorts. Wenn Kant 1784 in seiner berühmten ‚Beantwortung der Frage: Was ist Aufklärung?‘ seine Zeit, die noch nicht aufgeklärt, aber doch auf dem Wege dahin sei, das „Jahrhundert Friedrichs“ nannte, so durfte er breiter Zustimmung sicher sein.

Nun allerdings schon vermengt mit Ungeduld. Machten sich doch in den letzten Regierungsjahren Friedrichs zunehmende Starrheit, Menschenverachtung und rechthaberisches Festhalten am persönlichen Regiment „aus dem Kabinett“ lähmend bemerkbar. [...] Die Aufklärungsdiskussion ging weiter und erreichte nun erst volle publizistische Breite und Intensität. Zugleich aber verlor die praktische Reformarbeit Glanz und Verve. Außenpolitisch hatte Preußen seine Isolierung am Ende des Siebenjährigen Kriegs durch die mehr aufgenötigte als erwünschte Zusammenarbeit mit Russland partiell überwinden können und – unter Beteiligung Österreichs – durch die erste polnische Teilung[2] beträchtlichen und strategisch wichtigen Ländergewinn erzielt, dabei jedoch alle Grundsätze aufgeklärter Politik diskreditiert. [...]

Als der König 1786 starb, war sein Herrschaftssystem bereits alt geworden und erstarrt. Je mehr der Elan der ersten Regierungsjahrzehnte in den Nöten des Siebenjährigen Kriegs untergegangen, der Ruhm der militärischen Erfolge verblasst und die Reputation Preußens, der am modernsten verwaltete Staat Europas zu sein, staubig geworden war, umso stärker trat die harte Machtstruktur dieses Staates wieder in den Blick. [...] 1786 war das friderizianische Regierungssystem, gemessen an den Erwartungen, die es geweckt hatte, bereits überholt, während andererseits die preußische Gesellschaft Struktur und politische Mentalität einer Staatsbürgergesellschaft, wie die aufgeklärte Bürokratie sie anstrebte, noch gar nicht erreicht hatte.

Die folgenden zwei Jahrzehnte bis zum ebenso blamablen wie vollständigen militärischen und politischen Zusammenbruch von 1806 gehören zu den verwirrendsten und am schwersten zu deutenden der preußischen Geschichte. Trotz der erfolgreichen Intervention in Holland 1787, trotz des Anfalls Ansbach-Bayreuths (1791), trotz des Friedens von Basel (1795) und der Erreichung der Neutralisierung Norddeutschlands, trotz der riesigen kampflosen Gebietserwerbungen durch die zweite und dritte Teilung Polens und trotz der Gewinne aus der Säkularisation war Preußen in dieser Zeit ein weitgehend passives Element in der großen europäischen Politik: zunehmend mehr reagierend als selbständig handelnd, sich über die Handlungsfreiheit seiner Politik täuschend und seine tatsächlichen Stärken falsch ein-

[1] **Retablissement:** Wiederaufbau

[2] **polnische Teilung:** die Teilung Polens

schätzend. Auch seine militärische Stärke, die doch noch immer die wesentliche Voraussetzung seiner Großmachtrolle war! [...] Zugleich wurden bei der Einverleibung der polnischen Teilungsgebiete bedenkliche Korruption und Habgier der Beamten sichtbar. Es wirkte sich aus, dass das „persönliche Regiment" des Königs festgehalten wurde, obwohl der Nachfolger Friedrichs zu träge, unstet und indolent[3] war, dieser Aufgabe gerecht zu werden. In seiner Umgebung breiteten sich Mätressen- und Günstlingswirtschaft, rosenkreuzlerischer Irrationalismus[4] und administrativer Immobilismus aus. Der frische Wind, der zu Beginn der Regierung Friedrich Wilhelms II. zu wehen und das erstarrte friderizianische System wieder in Bewegung zu bringen schien, war bald abgeflaut; nun aber wurden deutliche Desintegrationserscheinungen sichtbar. Der völlig auf die Leitung von oben eingestellte preußische Staat trat in die allgemeine politische Krise, die in der Französischen Revolution ihren bedeutendsten, aber nicht den einzigen Ausdruck fand, ohne entschlossene Führung und ohne die sozialen Kräfte ein, die in der Lage waren, Reformen gegen eine passive und richtungslose Regierung durchzudrücken. Dazu waren auch die hohe Bürokratie und die militärische Führung unfähig, deren Stellung sich infolge der Schwäche des Königs damals noch verstärkte.

[3] **indolent:** gleichgültig, geistig träge

[4] **rosenkreuzlerischer Irrationalismus:** Die Rosenkreuzer waren eine spirituelle Gemeinschaft innerhalb des Protestantismus.

Als das lange vorbereitete ‚Allgemeine Landrecht der preußischen Staaten', eine großartige Leistung aufgeklärter Rechtswissenschaft 1794 in Kraft gesetzt wurde, nahm ihm die Beibehaltung des königlichen Machtspruchs ein ganz wesentliches Element seiner politischen Bedeutung; ein Jahrzehnt später wurde es durch den ‚Code Napoléon', der in ehemaligen preußischen Westgebieten eingeführt wurde, ideell und politisch überholt. [...]

Bei der sozialgeschichtlichen Analyse muss jedoch weiter ausgegriffen [...] und auf den wachsenden Bevölkerungsdruck, das Knappwerden anbaufähigen Bodens [...] [sowie] die steigenden Agrarpreise [hingewiesen werden]. Im ostdeutschen Gutswirtschaftsbereich profitierten davon die Grundherren, während sich die bäuerliche Bevölkerung höheren Lebensmittelpreisen und strengeren herrschaftlichen Dienstleistungsforderungen ausgesetzt sahen. In den Städten stieg die Not derart, dass Ende des Jahres 1800 in Berlin an die ärmere Bevölkerung Bezugskarten für billiges Brot ausgegeben werden mussten. [...] Wie reagierte das politische System auf diese Krise? Da in der absoluten Monarchie der Herrscherwechsel die praktisch größte Chance für einen Wandel des Regierungssystems oder doch des Regierungsstils bietet, setzte man in Preußen große Hoffnungen auf den Regierungsantritt Friedrich Wilhelms III. 1798.

Dabei aber täuschte man sich sowohl in der Person des Königs als auch in der Veränderungsfähigkeit des damaligen Preußen aus eigenen Voraussetzungen heraus. Der neue Monarch war sparsam, sittenstreng, friedliebend, ein Mann eher bürgerlichen Geschmacks, aber voll überzeugt von seiner Herrscherwürde, dazu entscheidungsschwach, unselbstständig, gleichwohl zunehmend rechthaberisch und störrisch, ohne Phantasie, prosaisch und pedantisch. Änderte sich der Stil der Regierung tatsächlich in vielem, so doch nicht ihr System: dazu besaß Friedrich Wilhelm nicht den Willen und das Format [...].

Kurz vor Kriegsausbruch 1806 fügte der Minister Karl Reichsfreiherr vom Stein seiner ersten großen Reformdenkschrift die hellsichtige, tief pessimistische Nachschrift hinzu: „Sollten des Königs Majestät die vorgeschlagene Veränderung der Regierungsverfassung nicht beschließen, sollten sie fortfahren, unter dem Einfluss

Darstellung der Schlacht bei Jena, 1806

des Kabinetts zu handeln, so ist es zu erwarten, dass der Staat (den er regiert) entweder sich auflöst, oder seine Unabhängigkeit verliert, und dass die Liebe und Achtung seiner Untertanen ganz verschwinden.“ Stein hatte dabei nicht einmal den Krieg und die mögliche Niederlage vor Augen, sondern den inneren Zustand des Staates – allerdings unter den Bedingungen der äußeren Situation. Die Katastrophe von der Doppelschlacht bei Jena und Auerstedt bis zum Diktatfrieden von Tilsit hat dann die innere Schwäche Preußens schockierend deutlich gemacht. Dass es in seinem Restbestand überhaupt bestehen blieb, verdankte es den Interessen Russlands. Jedoch – dafür ist die Denkschrift Steins selber das beste Zeugnis – als Preußen zusammenbrach, standen in Verwaltung, Heer und unter den Gebildeten die Männer und Ideen für eine umfassende Reform schon bereit. Es kennzeichnet die Lage Preußens um 1800 als eine echte Krise, dass es in ihr Alternativen gab, die allerdings erst nach der Katastrophe als solche zur Wirkung kommen konnten.

1 Stellen Sie die zentralen politischen und gesellschaftlichen Entwicklung Preußens um 1800 dar.

2 Erläutern Sie, welche dieser gesellschaftspolitischen Verhältnisse Kleist besonders betrafen.

3 Prüfen Sie, ob und ggf. welche zeitgeschichlichen Entwicklungen sich im Theaterstück finden lassen und wie sie dargestellt sind.

Kleist in seiner Zeit verstehen

Im März 1799 verlässt Heinrich von Kleist nach sieben Jahren auf eigenen Wunsch das Militär. Seinem ehemaligen Lehrer Christian Ernst Martini gegenüber begründet er seinen Schritt. Warum er anschließend keine Beamtenlaufbahn einschlagen kann, legt er in einem Brief an seine Verlobte Wilhelmine von Zenge dar.

Heinrich von Kleist

Brief Kleists an Christian Ernst Martini (Auszug, 9. März 1799)

[...] Denn eben durch diese Betrachtungen wurde mir der Soldatenstand, dem ich nie von Herzen zugetan gewesen bin, weil er etwas durchaus Ungleichartiges mit meinem ganzen Wesen in sich trägt, so verhasst, dass es mir nach und nach lästig wurde, zu seinem Zwecke mitwirken zu müssen. Die größten Wunder militärischer Disziplin, die der Gegenstand des Erstaunens aller Kenner waren, wurden der Gegenstand meiner herzlichsten Verachtung; die Offiziere hielt ich für so viele Exerziermeister, die Soldaten für so viele Sklaven, und wenn das ganze Regiment seine Künste machte, schien es mir als ein lebendiges Monument der Tyrannei. Dazu kam noch, dass ich den übeln Eindruck, den meine Lage auf meinen Charakter machte, lebhaft zu fühlen anfing. Ich war oft gezwungen, zu strafen, wo ich gern verziehen hätte, oder verzieh, wo ich hätte strafen sollen; und in beiden Fällen hielt ich mich selbst für strafbar. In solchen Augenblicken musste natürlich der Wunsch in mir entstehen, einen Stand zu verlassen, in welchem ich von zwei durchaus entgegengesetzten Prinzipien unaufhörlich gemartert wurde, immer zweifelhaft war, ob ich als Mensch oder als Offizier handeln musste; denn die Pflichten beider zu vereinen, halte ich bei dem jetzigen Zustande der Armeen für unmöglich.
Und doch hielt ich meine moralische Ausbildung für eine meiner heiligsten Pflichten, eben weil sie, wie ich eben gezeigt habe, mein Glück gründen sollte, und so knüpft sich an meine natürliche Abneigung gegen den Soldatenstand noch die Pflicht, ihn zu verlassen. [...]

Preußische Soldaten um 1786

Heinrich von Kleist

Brief Kleists an Wilhelmine von Zenge (Auszug, 13. November 1800)

Bildnis von Wilhelmine von Zenge, der Verlobten Heinrich von Kleists, 1800

[...] Ich will kein Amt nehmen. Warum will ich es nicht? – O wie viele Antworten liegen mir auf der Seele! Ich kann nicht eingreifen in ein Interesse, das ich mit meiner Vernunft nicht prüfen darf. Ich soll tun, was der Staat von mir verlangt, und doch soll ich nicht untersuchen, ob das, was er von mir verlangt, gut ist. Zu seinen unbekannten Zwecken soll ich bloßes Werkzeug sein – ich kann es nicht. Ein eigner Zweck steht mir vor Augen, nach ihm würde ich handeln müssen, und wenn der Staat es anders will, dem Staate nicht gehorchen dürfen. Meinen Stolz würde ich darin suchen, die Aussprüche meiner Vernunft geltend zu machen gegen den Willen meiner Obern – nein, Wilhelmine, es geht nicht, ich passe mich für kein Amt. Ich bin auch wirklich zu ungeschickt, um es zu führen. Ordnung, Genauigkeit, Geduld, Unverdrossenheit, das sind Eigenschaften die bei einem Amte unentbehrlich sind, und die mir doch ganz fehlen. Ich arbeite nur für meine Bildung gern und da bin ich unüberwindlich geduldig und unverdrossen. Aber für die Amtsbesoldung Listen zu schreiben und Rechnungen zu führen – ach, ich würde eilen, eilen, dass sie nur fertig würden, und zu meinen geliebten Wissenschaften zurückkehren. [...]

Aber kann ich jedes Amt ausschlagen? das heißt, ist es möglich? – Ach, Wilhelmine, wie gehe ich mit klopfendem Herzen an die Beantwortung dieser Frage! Weißt Du wohl noch am letzten Abend den Erfolg unsrer Berechnungen? – Aber ich glaube doch immer noch – ich habe doch noch nicht alle Hoffnung verloren – Sieh, Mädchen, ich will Dir sagen, wie ich zuerst auf den Gedanken kam, dass es wohl möglich sein müsse. Ich dachte, Du lebst in Frankfurt, ich in Berlin, warum könnten wir denn nicht, ohne mehr zu verlangen, zusammen leben? Aber das Herkommen will, dass wir ein Haus bilden sollen, und unsere Geburt, dass wir mit Anstand leben sollen – o über die unglückseligen Vorurteile! Wie viele Menschen genießen mit wenigem, vielleicht mit einem paar hundert Talern das Glück der Liebe – und wir sollten es entbehren, weil wir von Adel sind? Da dachte ich, weg mit allen Vorurteilen, weg mit dem Adel, weg mit dem Stande – gute Menschen wollen wir sein und uns mit der Freude begnügen, die die Natur uns schenkt. Lieben wollen wir uns, und bilden, und dazu gehört nicht viel Geld – aber doch etwas, doch etwas – und ist das, was wir haben, wohl hinreichend? Ja, das ist eben die große Frage. [...]

Ich bilde mir ein, dass ich Fähigkeiten habe, seltenere Fähigkeiten, meine ich – Ich glaube es, weil mir keine Wissenschaft zu schwer wird; weil ich rasch darin vorrücke, weil ich manches schon aus eigener Erfahrung hinzugetan habe – und am Ende glaube ich es auch darum, weil alle Leute es mir sagen. Also kurz, ich glaube es. Da stünde mir nun für die Zukunft das ganze schriftstellerische Fach offen. Darin fühle ich, dass ich sehr gern arbeiten würde. – O da ist die Aussicht auf Erwerb äußerst vielseitig. Ich könnte nach Paris gehen und die neueste Philosophie in dieses neugierige Land verpflanzen [...].

1 Erläutern Sie anhand der beiden Briefauszüge (Ergänzungsband, S. 33 und 34), wie sich Kleist persönlich zu den Zwängen und Anforderungen seiner Zeit positioniert.

2 Setzen Sie sich auf der Grundlage Ihrer Ergebnisse mit der Lebensrealität des Dichters auseinander und stellen Sie dar, in welcher Konfliktsituation er sich befindet. Beziehen Sie Ihre Ergebnisse aus der Erarbeitung des Textauszugs aus dem Roman „Kein Ort. Nirgends“ (EB, S. 12) und Ihre Rechercheergebnisse zur Biografie Kleists (EB, S. 11) ein.

Deutungen des Krugbildes

Die politischen und gesellschaftlichen Bezüge erschließen

Gunther Wenz

Der Fall des Dorfrichters (Auszug, 2016)

Mit der Darstellung der Inthronisation des spanischen Prinzen durch seinen kaiserlichen Vater bringt das [...] Frontispiz[1] des Kruges [...] „die Gründungsszene des niederländischen Staats, den Moment der vertraglichen Stiftung seiner politischen Institution" repräsentativ in Erinnerung. [...] Die edle Szene ist dahin, der Gründungsmythos liegt in Scherben, der die niederländische Freiheitsgeschichte in Gang setzen und [...] bis auf weiteres mitbestimmen sollte, wovon die Geschichte des zu Bruch gegangenen Prunkstücks ebenfalls Zeugnis gibt. [...] Der Krug ist zerbrochen, das Bild vom Gründungsmythos der Vereinigten Niederlande, das ihn zierte, liegt in Scherben. Man hat das Bruchgeschehen auf „die Erfahrung einer krisenhaften Dissoziation der gesellschaftlichen Ordnung und ihrer Wertsysteme"[2] bezogen, wie sie für Kleists poetisches Werk kennzeichnend sei. So werde zum einen „das Vollkommenheitsideal einer harmonischen Ständegesellschaft – welches ein Bild auf dem Krug veranschaulichte – der folgenden Zerstörung und der gegenwärtigen Anarchie kontrastiert. [...]"[3]

[1] **Frontispiz:** Stirnseite

[2,3] Zitate aus: E. Ribbat: Die Romantik: Wirkungen der Revolution und neue Formen literarischer Autonomie. In: V. Žmegač: Geschichte der deutschen Literatur vom 18. Jahrhundert bis zur Gegenwart, Band 1/2. Königstein 1984, S. 92 – 215; *hier*: 142 und 145 f.

Jacques-Louis David (1748–1825): „Die (Selbst-)Krönung Napoleons" (Originaltitel: „Le Sacre de Napoléon"), 1805–1807. Das Gemälde ist von monumentale Größe, es misst ca 10 m x 6 m.

Michael Diers

Weltgeschichte in Kleists Lustspiel (Auszug, 2016)

In erster Linie handelt das Stück vom moralischen Sündenfall des Dorfrichters Adam, dessen Fehltritt im Rahmen einer Gerichtsszene auf vertrackte Weise aufgedeckt wird. In zweiter Linie jedoch wird die Weltgeschichte von ihren mythischen Anfängen bis zur Jetztzeit der Stückentstehung im ersten Jahrzehnt des 19. Jahrhunderts in Preußen, Europa und Übersee verhandelt. Entlang der Erzählung von der nächtlichen Eskapade eines Huisumer Justizvertreters, welcher der jungen Eve,

Tochter der Witwe Marthe Rull, nachgestiegen ist und dabei durch Tollpatschigkeit ein Trinkgefäß zu Bruch hat gehen lassen, wird die eigene Epoche im historischen Rückspiegel betrachtet und ihr dadurch vom Autor als kritischem Zeitgenossen im selben Zuge coram publico der Prozess gemacht. Dabei spielen im Verlauf der doppelbödigen Geschichtsverhandlung Werke der bildenden Kunst – ein bemalter oder reliefverzierter Tonkrug zu Beginn sowie eine Anzahl geprägter Goldmünzen[1] mit dem Porträt des spanischen Königs gegen Ende des Stückes – nicht nur als Requisiten, sondern als erkenntnisstiftende Denkbilder – eine entscheidende Rolle. Neben der dramaturgischen Funktion nutzt der Autor sie zu historischen, geschichtsphilosophischen und kunsttheoretischen Reflexionen. [...]

[1] **Goldmünzen:** Gerichtsrat Walter bietet Goldmünzen als Pfand für sein Wort an (nur im „Variant").

Vor dem Hintergrund des Verlustes eines geschätzten historischen Gegenstandes wird mit Kritik am Hof und seinen Repräsentanten nicht gespart. Der Klage um den Krug und seine Zerstörung ist die Klage um die Geschichte und ihren Verlauf, der juristischen Privatklage ist die politische Anklage verbunden. Marthe nimmt, indem sie sich dumm stellt, kein Blatt vor den Mund und rechnet mit dem dargestellten Zeremoniell der Inthronisation Philipps II., das Schiller in seiner Studie über die Geschichte des Abfalls der Niederlande von der spanischen Regierung bereits als „rührendes Gaukelspiel" apostrophiert hatte, sowie mit den verheerenden Folgen, die er gezeitigt hat, ab. Verwundert könnte man fragen, wie sie denn bei ihrer kritischen Haltung die bildliche Gegenwart all dieser Potentaten, die während des Staatsaktes zugegen waren, über die Jahre hin in ihrer Nähe geduldet und verkraftet hat, und warum sie jetzt über den Verlust des Kruges, der ihr die Gegenwart dieses politischen Vis-à-vis erspart, eigentlich klagt. [...]

Marthes Beschreibungskunst, durch die sie den Rang und Glanz des Kruges wieder auferstehen lässt, hat darin ihren Witz und ihre Pointe, dass sie zwei Darstellungs- und Realitätsebenen vergleichend miteinander ins Spiel bringt – die Gesamtszene, wie sie sich vor der Zerstörung des Kruges dargeboten hat, sowie die durch den Bruch des Gefäßes fragmentierte Darstellung und schließlich das historische Ereignis selber. Indem sie auch das Fragment in seiner Disparatheit als autonomes Bild auffasst, gerät ihr die nobilitierte Szene zur politischen Karikatur: Wo zuvor der heroische Ton des Staatsaktes in einem Historienbild vorherrschte, walten jetzt Hohn und Spott. Plötzlich isoliert, das heißt ohne Kontext des Hofstaates dastehend, macht die Königin eine traurige, bedauernswerte Figur; eben noch in Ehrerbietung auf den Stufen vor Karl V. vor der Weltöffentlichkeit gegenwärtig, weilt Philipp inzwischen, das Hinterteil ausgenommen, im Bauch des Kruges; den stolzen Kaiser müssen fürderhin seine Beine stellvertreten, und der mächtige Bischof hat sich bis auf den Schatten vollständig verflüchtigt. Von den beiden Körpern des Königs und seiner Anhänger ist im Bild keiner unversehrt geblieben, der physische wie der amtliche Körper ist beschädigt und dadurch entsetzt. Die mutilierte[2] Hofgesellschaft hat ihre Wirkung und ihr Ansehen verloren und ist im Restbild wie in einer Karikatur radikaler Lächerlichkeit preisgegeben. [...]

[2] **mutiliert:** schwer verletzt; meist unter Verlust von Körperteilen

Das Jahrfünft von 1802 bis 1806, in dem Kleist an seinem Lustspiel arbeitet, fällt mit dem definitiven Aufstieg Napoleons zum führenden Herrscher Europas zusammen. Mit Fug und Recht kann man es als den zentralen Abschnitt der napoleonischen Ära ansprechen: 1801 hatte sich Napoleon zum Konsul auf Lebenszeit ernannt, am 2. Dezember 1804 krönte er sich in der Kathedrale Notre Dame in Paris zum erblichen Kaiser der Franzosen, woraufhin ihn der Papst weihte; am 26. Mai ließ sich Napoleon in Mailand zum König von (Ober-)Italien erheben; nach der Niederschlagung Österreichs 1805 und Preußens 1806 stand er durch das Bündnis mit Alexander I. von Russland 1807 auf dem Gipfel seiner Macht. Was Kleist von diesem Aufstieg hielt und welche Gefahren er damit verbunden sah, lässt sich unter anderem einem Brief aus Königsberg entnehmen, der Ende Dezember 1805 verfasst wurde: „Die Zeit scheint eine neue Ordnung der Dinge herbeiführen zu wollen, und wir werden davon nichts, als bloß den Umsturz der alten erleben. Es wird sich aus dem ganzen kultivierten Teil von Europa ein einziges, großes System von Reichen bilden, und die Throne mit neuen, von Frankreich abhängigen, Fürstendynastien besetzt werden. [...] Warum sich nur nicht einer findet, der diesem bösen Geist der Welt die Kugel durch den Kopf jagt."[3] Das unter dem Aspekt symbolischer Politik markanteste Ereignis unter den referierten Geschichtsdaten ist zweifellos die feierliche Selbstinthronisation Napoleons. Das in zahlreichen Darstellungen Bild gewordene Spektakel des Sacre de Napoleon I. lässt sich als pompöse politische Inszenierung mit der Brüsseler Erhebung Philipps II. in Analogie setzen. Wiederum wird ein Zeremoniell als „Gaukelspiel" vor den Augen der Weltöffentlichkeit vollzogen. Gegen dieses Schlagbild der eigenen Epoche setzt Kleist das Historienbild des 16. Jahrhunderts, das er zur Zertrümmerung frei- und dadurch der Lächerlichkeit preisgegeben hat. Die Karikatur, die daraus durch den Bruch des Gefäßes wie in einer Metamorphose erwachsen ist, wirft einen langen Schatten auch in die Jetztzeit und bleibt am Krönungsornat Napoleons I. haften. Die politische Satire, die Marthes Ekphrasis[4] auszeichnet, lässt sich auf die aktuelle Politik übertragen.

[3] Zitat: aus einem Brief Heinrich von Kleists an Otto August Rühle von Lilienstern

[4] **Ekphrasis:** *griech.*: Detaillierte, anschauliche Beschreibung, die den Rezipienten und Rezipientinnen das Beschriebene bildlich vor Augen führt.

1 Beschreiben Sie das Gemälde von Jacques-Louis David (Ergänzungsband, S. 35) und vergleichen Sie es mit dem Kupferstich von Simon Fokke (EB, S. 26).

2 Geben Sie in eigenen Worten zentrale Aussagen aus den Textauszügen von a) Gunther Wenz (EB, S. 35) und b) Michael Diers (EB, S. 35 ff.) wieder.

3 Vergleichen Sie die Ausführungen der Verfasser miteinander, indem Sie auf Gemeinsamkeiten und Unterschiede ihrer Positionen hinweisen.

4 Nehmen Sie Stellung zu den Ausführungen beider Autoren und prüfen Sie, ob bzw. inwiefern Sie ihre Interpretationsansätze unterstützen.

Die psychologische Dimension der Krugbeschreibung reflektieren

Jochen Schmidt

Das Symbol der verlorenen Ehre Eves (Auszug, 2013)

Frau Marthes Krug-Rede hat eine psychologische Dimension jenseits des Komischen. Die übermäßig ausführliche Beschreibung des Kruges ist ein verdecktes Reden über Evchens Mädchenehre, die durch das nächtliche Spektakel in ihrer Kammer ebenso gelitten hat wie der Krug, der dabei zerbrochen wurde. Zwar sieht es zunächst so aus, als verliere sich Frau Marthe an die Merkmale und die Geschichte des Kruges. Aber das ist nur der äußere Anschein, der in diesem doppelbödigen Spiel der komischen Wirkung dient. Ihre wahren Motive kommen schon vor der Krugbeschreibung zum Vorschein, als Evchen sie von dem öffentlichen Engagement für den Krug abhalten will. Darauf antwortet Frau Marthe (V. 487–497):

Du sprichst, wie du's verstehst. Willst du etwa
Die Fiedel tragen, Evchen, in der Kirche
Am nächsten Sonntag reuig Buße tun?
Dein guter Name lag in diesem Topfe,
Und vor der Welt mit ihm ward er zerstoßen,
Wenn auch vor Gott nicht, und vor mir und dir.
Der Richter ist mein Handwerksmann, der Schergen,
Der Block ist's, Peitschenhiebe, die es braucht,
Und auf den Scheiterhaufen das Gesindel,
Wenn's unsre Ehre weiß zu brennen gilt,
Und diesen Krug hier wieder zu glasieren.

Szenenbild der Aufführung „Der zerbrochne Krug" im Theater am Schiffbauer Damm, Berlin, 2008

Es geht für Marthe also gerade nicht um den Krug als solchen, sondern um Evchens guten Namen und die Wiederherstellung ihrer Ehre. Nur weil sich Eves Ehre und das Schicksal des Kruges so eng verbinden, beschäftigt sie sich mit ihm so einlässlich und hartnäckig. Die Beschreibung des Krugs erhält geradezu metonymische[1] Qualität. Die weltgeschichtliche Totalität der bildlichen Darstellung auf dem Kruge deutet auf Marthes Ein und Alles: auf Evchen und ihren guten Namen. In ähnlicher Weise aufschlussreich ist es, dass sie so ausführlich darstellt, wie der Krug durch alle Fährnisse[2] gerettet wurde, bis er schließlich in der unglückseligen Nacht das Opfer eines Rüpels wurde. Die Rede ist im Ganzen eine uneigentliche Rede, in der Terminologie der literarischen Rhetorik: eine oratio figurata. Frau Marthe wählt die Ebene des Uneigentlichen, weil sie sich scheut, über die Ehre ihrer Tochter in offener Gerichtssitzung zu sprechen.

[1] **metonymisch:** Die Metonymie ist eine Stilfigur, in der ein Wort durch ein anderes ersetzt wird.

[2] **Fährnis:** Gefahr, Bedrohung

1 Analysieren Sie den Textauszug, indem Sie herausarbeiten, welche „psychologische Dimension" (S. 37, Z. 1) der Verfasser der Krugbeschreibung Marthes zuschreibt.

2 Erläutern Sie, worin der Verlust der Ehre Eves besteht, den Frau Marthe Jochen Schmidt zufolge beklagt. Prüfen Sie, inwiefern dieser Ehrbegriff sich mit unserem heutigen Begriffsverständnis deckt.

3 Diskutieren Sie, ob Sie den Deutungsansatz Jochen Schmidts für plausibel halten.

Die gebrechliche Einrichtung der Welt

Die Justizkritik im Theaterstück „Der zerbrochne Krug" untersuchen

Hans-Peter Schneider

Justizkritik im „Zerbrochnen Krug" (Auszug, 1988/89)

[Es ist wahrscheinlich], dass Kleists Gerichtsspektakel Missstände angeprangert hat, wie sie im Justizwesen Preußens, aber auch anderer Staaten, bereits während des 17. und 18. Jahrhunderts aufgetreten waren. Denn die damaligen Verhältnisse waren bisweilen so verheerend, dass sie noch Jahrzehnte später Anlass zum Kopfschütteln geben konnten, zumal ihre Änderung auch noch besonders unkonventionelle Maßnahmen verlangt hatte, die jedem politisch interessierten Menschen zweifellos im Gedächtnis geblieben sein mussten.

Infolge zu weniger Richterstellen, äußerst unbestimmter, dunkler und zweifelhafter Rechtsquellen, eines umständlichen Verfahrens der Aktenversendung und nicht zuletzt fehlender Gerichtskontrolle hatten die Prozesse im 18. Jahrhundert einen Umfang und eine Dauer angenommen, die nicht selten das Lebensalter der Parteien überstieg. Stötzel berichtet: „Niemand fand etwas Befremdliches dabei, dass die Prozessschriften allmählich zu Bänden anwuchsen, dass Prozesse Jahrzehnte, ja Jahrhunderte sich fortspannen, dass Richter wegen anderer ihnen aufgebürdeter Nebengeschäfte kaum je vollzählig am Platze waren und, wenn sie einmal für das Gericht arbeiteten, auf die einzelne Sache mindestens die doppelte oder dreifache Zahl der Monate oder Jahre verwendeten [...]."[1]

Wer einen kürzeren Prozess wollte, musste extra in die Tasche greifen. Das Sportel[3]- und Korruptionsunwesen erlebte eine Blütezeit wie nie zuvor im preußischen Staat. Unter diesen Umständen erhielt im Jahre 1747 der damalige Kanzler Samuel von Cocceji von Friedrich dem Großen einen ungewöhnlichen Auftrag: Er wurde zu einer höchstpersönlichen Bereisung der Untergerichte in der preußischen Provinz Pommern gebeten und nahm zusammen mit einigen Räten viele der schwebenden Prozesse selbst in die Hand. [...] Stötzel schreibt: „Kein Wunder also, dass mit dem Kundwerden seiner Absicht, er wolle die Provinzen durchziehen und sich bald hier, bald dort im Verein mit einigen seiner ihn begleitenden Getreuen als rechtsprechendes Gericht niederlassen, um überall den alten Sauerteig auszukehren, rings bei den Justizkollegien nichts als Schrecken sich verbreitet."[2]

Waren auch die Zustände in den brandenburg-preußischen Landen kaum verrotteter als anderswo in Deutschland, so führte doch der unermüdliche Einsatz Cocceiis und seiner Nachfolger allmählich zu spürbaren Fortschritten, die schließlich auch Eingang in die Gesetzgebung fanden. Auf der Grundlage der Cabinetts-Ordre vom 14. April 1780 über die Verbesserung des Justizwesens wurde bereits ein Jahr später als erstes Buch des Corpus Juris Fridericianum die ‚Prozeß-Ordnung' geschaffen, welche ihre endgültige Fassung schließlich in der ‚Allgemeinen Gerichtsordnung für die Preußischen Staaten' von 1793 fand. Darin war unter anderem eine ständige Visitation der Untergerichte durch Justizkommissare vorgeschrieben, um die genannten Missstände nicht einreißen zu lassen. Kleist hat sich an der juristischen Fachterminologie dieser Gerichtsordnung nachweislich orientiert, die er bereits während seines Studiums in Frankfurt an der Oder kennengelernt haben mag. Warum sollte er nicht auch, Coccejis prominentes Beispiel vor Augen, die für den ‚Krug' essentielle Idee der Justizbereisung durch Walter den Regeln nachgebildet haben?

[1,2] Zitate: Adolf Stötzel, Brandenburg-Preußische Rechtsverwaltung und Rechtsverfassung. Berlin 1888, Bd. 2. S. 181 f.

[3] **Sportel:** Der Sportel war ein Entgelt, das man bei Gericht für einen Prozess zahlen musste und das in der Regel der Richter behalten durfte.

1 ***Lernarrangement***

Arbeiten Sie in Dreiergruppen.

a) Fassen Sie die zentrale Aussage des Textes in Stichworten zusammen.

b) Wählen Sie jeweils eine juristisch relevante Figur aus dem Theaterstück aus (Adam, Walter, Licht) und beschreiben Sie deren charakteristisches Verhalten während des Prozesses. Gehen Sie dabei vom 11. Auftritt (Textausgabe, S. 70 – 82) aus. Ziehen Sie weitere Textstellen hinzu, die das Verhalten der von Ihnen gewählten Figur verdeutlichen.
c) Überprüfen Sie auf der Grundlage Ihrer Gruppenergebnisse, ob bzw. inwiefern Sie die Einschätzung Hans-Peter Schneiders, dass „Kleists Gerichtsspektakel Missstände angeprangert" (S. 39, Z. 1) habe, unterstützen.
d) Stellen Sie Ihre Ergebnisse im Plenum vor und diskutieren Sie mögliche Deutungsunterschiede.

Die Bedeutung von Vertrauen im Theaterstück reflektieren

Anne Fleig

Das Gefühl des Vertrauens in Kleists Dramen (Auszug, 2008/09)

Im Jahrhundert der Aufklärung gewinnen die Gefühle vor allem in Hinblick auf die Bildung des Menschen an Bedeutung, denn der Entwurf eines mündigen Subjekts schließt die Aufklärung über die eigenen Gemütsbewegungen mit ein. [...]
Auch das Verständnis von Vertrauen unterliegt durch die Aufklärung einem grundlegenden Wandel. Das personale Vertrauen – das Vertrauen in andere Menschen – und das soziale Vertrauen – das Vertrauen ins Recht bzw. eine rechtsstaatliche Ordnung – lösen allmählich das seit dem Mittelalter vorherrschende Vertrauen auf Gott ab. [...]
Die Aufwertung des personalen Vertrauens seit der Aufklärung schlägt sich auch im Werk Heinrich von Kleists nieder. Allerdings kann hier kaum von einer Kultur des Vertrauens die Rede sein. Die Möglichkeit von Vertrauen steht vielmehr in Frage. [...]
Vertrauen kann als Haltung zur Welt, mithin als eine Form der Welterfassung verstanden werden. Als Form der Welterfassung ist Vertrauen zugleich an Annahmen über den Normalfall dieser Welt gebunden. Funktion und Bedeutung von Vertrauen hängen unmittelbar mit den jeweiligen gesellschaftlichen Rahmenbedingungen zusammen und unterliegen dadurch historischem Wandel. Bis weit ins 18. Jahrhundert hinein galt Gott als wichtigster Adressat menschlichen Vertrauens. Der mit ihm verbundene Glaube an die Vorsehung bildete die Grundlage ruhigen und zuversichtlichen Lebens. Mit der Herausbildung der bürgerlichen Gesellschaft und der Auflösung der ständisch geprägten Ordnung erfuhr Vertrauen vor allem als Grundlage persönlicher Beziehungen einen Aufschwung. Diese Entwicklung kann als Individualisierung von Vertrauen gedeutet werden. [...]
Mit der Aufklärung rückte in der zweiten Hälfte des 18. Jahrhunderts der vernunftbegabte Mensch ins Zentrum des Vertrauensdiskurses. Die christliche Tradition und der Vorsehungsglaube mussten sich den Ansprüchen der Vernunft stellen. Gleichzeitig verloren ständische Zugehörigkeiten an Bindungskraft. Selbstgewählte persönliche Beziehungen wie Freundschaften gewannen an Bedeutung und trugen zur Aufwertung des Vertrauens bei. Der bürgerlichen Kultur des Vertrauens lag die Vorstellung von der Gleichheit aller Menschen und gleichberechtigtem Umgang miteinander zugrunde. [...]
Vor dem Hintergrund des skizzierten Wandels von Vertrauen seit der Aufklärung lässt sich das Vertrauen bei Kleist genauer bestimmen. Zunächst tritt Vertrauen vor allem in Krisensituationen auf den Plan. Die Frage nach dem Vertrauen beinhaltet die Frage nach der Wahrheit im Rahmen einer verbindlichen Ordnung, die bei Kleist von Anfang an der Vergangenheit angehört. [...] Ins Zentrum der Vertrauenshandlung rückt daher das Vertrauen in den Anderen, konkret in das geliebte Gegenüber. Die Probe des Vertrauens zielt auf das Gefühl des Vertrauens, das sich in der unbe-

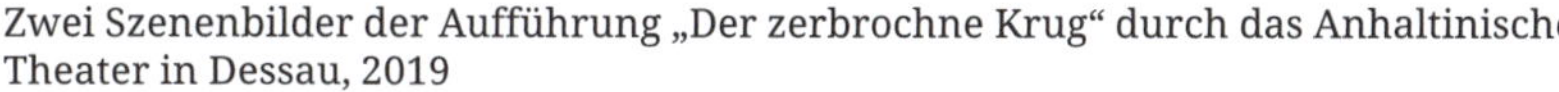

Zwei Szenenbilder der Aufführung „Der zerbrochne Krug“ durch das Anhaltinische Theater in Dessau, 2019

dingten Liebe zum Anderen manifestiert und dem sprachlich vermittelten Misstrauen voraus geht. Hier liegt auch einer der Unterschiede zu Kant, der personales Vertrauen nicht mit Liebe, sondern mit Freundschaft verbindet.
Kleist spitzt die aufklärerische Individualisierung des Vertrauens zu, indem er das Vertrauen als Gefühl mit der Identität und Selbstgewissheit seiner Figuren verknüpft. Diese Gewissheit ist an die bedingungslose Treueforderung gebunden, die gleichzeitig jene Zuversicht stiften soll, die Glück und Freude vorausgeht.

1 Stellen Sie dar, welchen Bedeutungswandel der Begriff ‚Vertrauen‘ Anne Fleig zufolge während der Zeit der Aufklärung durchlaufen hat.

2 Erläutern Sie, welches Konzept von ‚Vertrauen‘ und ‚Vertrauensverhältnissen‘ die Autorin in Heinrich von Kleists Werk angelegt sieht.

3 ***Lernarrangement***

a) Untersuchen Sie in Vierergruppen die folgenden Personenkonstellationen im Theaterstück „Der zerbrochne Krug“ und klären Sie, wie das Vertrauensverhältnis der Figuren untereinander ausgestaltet ist:
   - Eve und ihre Mutter (Frau Marthe)
   - Eve und ihr Verlobter Ruprecht
   - Eve und Richter Adam
   - Gerichtsschreiber Licht und Adam

b) Wählen Sie eine Textstelle, die Sie zum Ausgangspunkt Ihrer Analyse machen. Ziehen Sie weitere Textstellen hinzu, um Ihre Ergebnisse zu stützen.

c) Führen Sie Ihre Untersuchungsergebnisse in der Gruppe zusammen und stellen Sie sie anschließend im Plenum vor.

d) Nehmen Sie auf der Basis Ihrer Untersuchungen kritisch Stellung zu Fleigs These, Kleist würde in seinen literarischen Texten die „aufklärerische Individualisierung des Vertrauens“ (Z. 42) zuspitzen.

4 a) Fertigen Sie eine Mindmap zum Begriff ‚Vertrauen‘ an, in der Sie visualisieren, was der Begriff für Sie persönlich bedeutet.

b) Stellen Sie im Kurs Ihre Auffassungen vor und belegen Sie sie mit Beispielen.

c) Diskutieren Sie, ob oder inwiefern sich die heutige Bedeutung des Begriffs ‚Vertrauen‘ vom Vertrauensbegriff bei Kleist unterscheidet.

Frauen zwischen Determination und Autonomie

Die Situation der weiblichen Figuren im Lustspiel „Der zerbrochne Krug“ einordnen

Mechthilde Vahsen

Wie alles begann – Frauen um 1800 (Auszug, 2008)

Freiheit – Gleichheit – Brüderlichkeit hatte die Französische Revolution versprochen. Allerdings nicht für Frauen, wie diese recht schnell erkennen mussten. Es blieb ihnen also nichts anderes übrig, als sich selber aufzumachen und um ihre Bürgerinnenrechte zu kämpfen. [...]

Die Situation von (bürgerlichen) Frauen in Deutschland um 1800

Im Verlauf des 18. Jahrhunderts, das allgemein als das „Zeitalter der Aufklärung“ gilt, veränderte sich einiges: Noch in der ersten Hälfte des Jahrhunderts propagierten die Moralischen Wochenschriften das Bild der gelehrten Frau. Dieses Rollenmodell sah eine Frau vor, die gebildet und intellektuell sein sollte – obwohl es zu dieser Zeit keine systematische Mädchenbildung gab. Zum Ende des Jahrhunderts wurde dieses Rollenmodell durch den sogenannten „natürlichen Geschlechtscharakter“ der Frau abgelöst, der in Philosophie, Theologie, Medizin und anderen Bereichen ausführlich beschrieben wurde. Demnach hatten Frauen keinen Subjekt-Status, waren keine mündigen, autonomen Menschen, sondern benötigten eine Geschlechtsvormundschaft, ausgeübt durch den Vater, den Bruder oder den Ehemann. Aufgrund der ihnen zugewiesenen „natürlichen Geschlechtseigenschaften“ wie Tugend, Sittsamkeit und Fleiß war die ihnen nun zugedachte Rolle die der Ehefrau und Mutter. Dieses neue Rollenkonzept sorgte für eine Trennung der gesellschaftlichen Räume: Der Ort von Frauen war das Haus, der Ort von Männern war die Öffentlichkeit. Dass die Ideologie des „natürlichen Geschlechtscharakters“ sich vor allem auf die Frauen des Bürgertums richtete – nicht zuletzt in Abgrenzung zum Adel –, wird vor allem daran deutlich, dass für Frauen der Arbeiterschicht diese Ideologie nicht funktionierte. Ihre Erwerbsarbeit wurde für den Unterhalt der Familie gebraucht, sodass das Konzept der nicht erwerbstätigen (bürgerlichen) Hausfrau und Mutter dieser Realität drastisch entgegenstand.

Das Modell der gesellschaftlich getrennten Geschlechterrollen blieb nicht unwidersprochen. Unter dem Einfluss der Französischen Revolution und den rasanten politischen Veränderungen gerieten seine Vertreterinnen und Vertreter in Erklärungsnöte. Alternative Konzepte wurden entwickelt, wie beispielsweise das so genannte Egalitätskonzept. Es ging davon aus, dass Frauen ebenso wie Männer autonome Subjekte sind. Mit anderen Worten: Frauen und Männer sind gleich. Ein Vertreter dieser Richtung in Deutschland war Theodor Gottlieb von Hippel, der 1792 seine Schrift „Über die bürgerliche Verbesserung der Weiber“ publizierte. [...]

Wilfried Barner und Gunter E. Grimm

Die bürgerliche Familie im 18. Jahrhundert (Auszug, 1987)

Die politischen Machtverhältnisse und eine erstarrte ständische Gesellschaftsordnung – beides nicht mehr adäquater Ausdruck der ökonomischen Rolle des Bürgertums – verhinderten eine politische Emanzipation des Dritten Standes. Literatur und Familie waren Freiräume, in denen die bürgerlichen Ideale artikuliert bzw. praktiziert wurden, deren Realisierung im politischen Bereich vorerst noch Utopie bleiben musste, ‚Empfindsamkeit‘ und ‚Moralität‘ bestimmten das Ethos des Bürgerlichen Trauerspiels, und spezifisch bürgerliche Tugenden wie Fleiß, Sparsamkeit, Ordnungsliebe, Bescheidenheit, Zurückgezogenheit usw. wurden als allgemein-

Junge bürgerliche Familie, Gemälde von Joseph-Marcellin Combette (1770–1840), 1800/1801

menschlich proklamiert. Wie die Familie zum Bild des ‚tugendhaften‘ und ‚natürlichen‘ Zusammenlebens wurde, so der Hof zum Ort des ‚Unnatürlichen‘ und ‚Lasterhaften‘, wo Intrige und Verstellungen herrschten. So wird die ‚große Welt‘ in Miss Sara Sampson als „nichtswürdigste Gesellschaft von Spielern und Landstreichern“ hingestellt und in Verbindung mit adliger ‚Lebensart‘ genannt [...].

Das Bürgerliche Trauerspiel beschränkte sich zwar weitgehend auf die Privatsphäre, deshalb darf aber nicht kurzgeschlossen werden, es sei literarischer Ausdruck eines Rückzugs in die Idylle und die Familie sei in ihm privates Refugium eines sich dem öffentlichen Bereich entziehenden Bürgertums. Der das Gesellschaftsbild des 18. Jahrhunderts bestimmende Gegensatz zwischen einem politisch-öffentlichen und einem moralisch-privaten Bereich wird im Bürgerlichen Trauerspiel in die Familie hineingetragen und begründet dort den dramatischen Konflikt. Allein schon, dass man die Gesellschaft in zwei polarisierte Sphären separiert, diesen Antagonismus thematisiert und die Familie zum „poetischen Medium der Konfliktdarstellung“[1] wählt, beinhaltet Kritik an einer Gesellschaftsordnung, die das postulierte Zusammenleben auf der Grundlage eines ständeübergreifenden Wertsystems verhindert. Die unter moralischen Gesichtspunkten vorgebrachte Kritik war immer auch politisch motiviert bzw. hatte politische Konsequenzen [...].

[1] Zitat aus: Hinrich C. Seeba: „Das Bild der Familie bei Lessing. Zur sozialen Integration im bürgerlichen Trauerspiel“, in: Lessing in heutiger Sicht. Hrsg. v. Richard T. Gray. Jacobi 1977, S. 307–322; S. 317.

1 Erläutern Sie auf der Grundlage der Informationen aus den Texten von S. 42 und 42 f. die Entwicklung der Familie und der Rolle der Frau im 18. Jahrhundert. Unterscheiden Sie zwischen den realen Lebensverhältnissen und der Darstellung in der Literatur.

2 Stellen Sie dar, wie die gesellschaftliche Rolle der Frau und der Familie im Lustspiel „Der zerbrochne Krug“ dargestellt wird.

3 Beurteilen Sie, ob das Handeln Eves durch ihre gesellschaftliche Rolle determiniert ist oder ob man es als selbstbestimmt, ggf. sogar als emanzipiert bewerten kann.

Zur Rezeptionsgeschichte des Lustspiels „Der zerbrochne Krug“

Sich mit Rezensionen zu einem der meistgespielten Theaterstücke Deutschlands auseinandersetzen

Zeitung für die elegante Welt

Die Kritik der Uraufführung (14. März 1808)

Aus Weimar. Neulich wurde hier zur Fastnacht ein neues burleskes Lustspiel von Herrn v. Kleist gegeben: ‚der zerbrochene Krug‘. Die Geschichte des Stücks ist wirklich komisch, und es würde gewiss sehr gefallen haben, wenn es auf einen Akt zusammengedrängt und alles gehörig in lebhafte Handlung gesetzt wäre. Stattdessen ist es aber in drei lange Akte abgeteilt, und besonders wird im letzten Akte so entsetzlich viel und alles so breit erzählt, dass dem sonst sehr geduldigen Publikum der Geduldfaden endlich ganz riss, und gegen den Schluss ein solcher Lärm sich erhob, dass keiner imstande war, von den ellenlangen Reden auch nur eine Silbe zu verstehn. Unsre neuesten Poeten von Talent sind so stolz, dass sie glauben, dem Publikum alles bieten zu können, und dass sie meinen, es müsse sich schon geehrt fühlen, wenn man sich nur herablasse, ihm etwas zum Besten zu geben.

Weimar,
Mittwoch, den 2. März 1808,
Der Gefangene.
Oper in einem Aufzuge, Musik von Della Maria.
[illegible]
Hierauf:
Zum Erstenmahle:
Der zerbrochene Krug.
Ein Lustspiel in drei Aufzügen.
Die Handlung spielt in einem niederländischen Dorfe bei Utrecht.
Eilfte Vorstellung im sechsten Abonnement.
Numerirte Plätze im Parterre und numerirte Stühle auf dem Balkon sind belegt und können nur von Abonnenten eingenommen werden.

Balkon	.	16 Gr.
Parket	.	12 Gr.
Parterre	.	8 Gr.
Gallerie	.	4 Gr.

Anfang um halb 6 Uhr.

Theaterzettel zu Goethes Uraufführung von „Der zerbrochne Krug“, Hoftheater Weimar, 2. März 1808

Gerhart Hauptmann inszenierte das Theaterstück 1913 für das Berliner „Deutsche Künstlertheater“. Eine Rezension aus der Schaubühne:

Siegfried Jacobsohn

Kleists Lustspiel zeigt das volle Leben (1913)

Seit Dörings Tode hat sich die Komödie auf keiner Bühne behauptet. Schuld sind die Bühnen. „Kleists Arbeiten starren von Leben“, hat Hebbel[1] gesagt. Dann ist dieses Leben wohl immer erstickt worden. Dann musste als Regisseur für Kleist wohl einmal ein Dichter kommen, dessen Arbeiten auch von Leben starren. Es sucht der Bruder seine Brüder, und kann er helfen, hilft er gern.

Bruder Hauptmanns nützlichste Hilfe ist: dass er sieht. Er ist ganz Auge. Er sieht Marthe Rulls Garten; er sieht den Klumpfuß seinen Sündenweg stampfen; er sieht, vor allem, was wir selber sehen sollen. ‚Die Gerichtsstube.‘ Aber was für eine! Eine mit Bett, vergittertem Fenster, Wäschekorb und ausgespannter und behängter Wäscheleine; mit Vogelbauer, Spiegelscherbe und Tonpfeifenständer; eng, schmuddlig, niegelüftet; von einer Poesie der Unordnung, die man riecht. Dieses Stübchen wird vollgestopft mit bäurischen und städtischen Niederländern, die so echt und dabei so komisch hergerichtet sind, dass sicherlich der Versuch glücken würde, von ihnen allen eine Posse ohne Worte spielen zu lassen. Aber es ist doch gut, dass Kleists Komödie ihre Worte hat. Deren sind so viel, dass allerlei gestrichen werden muss; aber es muss höchst behutsam gestrichen werden, weil das Stück

[1] **Friedrich Hebbel** (1813 - 1863): deutscher Schriftsteller

Gerhart Hauptmann (1862 – 1946): Schriftsteller; bedeutendster deutscher Dichter des Naturalismus

mächtig konzentriert, weil es wahrhaft ge- und verdichtet ist. Jeder wird jedem Strich einen andern vorziehen. Das spricht für Kleist, nicht gegen Hauptmann, der, nach zahllosen Experimenten erheblich bühnenerfahrenerer Regisseure, endlich erreicht hat, dass mehr als zehn Kenner über eine menschliche Begebenheit sich, je nachdem, krank oder gesund lachen. Er hat einfach den vollen Mut zu der Komik dieser Komödie gehabt, die man bisher entweder, um ihrer klassischen Verse willen, zu sehr respektiert, oder für die man keine Schauspieler gehabt hat. Hauptmann hat sie.

Gerhard Stadelmaier (F.A.Z.)

Der Teufel und der leere Gott (Auszug, 15.09.2008)

Wenn der eisern gewellte Vorhang hochfährt, sieht man auf Ferdinand Wögerbauers Bühne exakt diesen groß gewinkelten Raum mit exakt dem Tisch samt Brokatdecke, exakt dem Richterstuhl aus dem alten Stich[1], nur dass die Tür neben dem Richterstuhl an der Wand durch ein großes Sprossenfenster in gleißendem Morgenschimmer ersetzt ist, durch das kaltes Winterlicht fällt und durch das hinaus der Richter sich im Verlauf der Verhandlung schon mal erbricht und am Ende fliehend hinausstürzt aufs Schnee- und Eisfeld. Der Regisseur Peter Stein hat keine Angst vor alten Bildern. Er liebt sie geradezu. Denn seine Inszenierungen können sich die historische Verkleidung auch leisten. Sie sind nicht aufs Gegenwartskostüm angewiesen, um von heute zu sein.

Wenn die vielen lebenden Hühner, die auf der Bühne über Tisch und Aktenordner und Stühle flattern und gackern, von zwei lachkreischenden Mägden verjagt sind zu Arturo Annecchinos rascher, heller, lustig-federnder Buffa-Musik (Klavier und Streicher), landet hier unendlich langsam humpelnd im langen weißen Gewand sogar ein Mann von morgen. Mit blutigen Kopfwunden, die er sich gestern Nacht zuzog [...], tritt Klaus Maria Brandauer als Dorfrichter Adam auf. Ein abgerissener, in heillose Fernen wie in leere Himmel hineinstarrender Seinskomiker. Kein Teufelskerl. Eher der zum Kerl gewordene Teufel, der ja nichts anderes als der von Gott (dem Guten) abgefallene Engel ist.

Brandauer hat schon auch was vom Strizzi-Dorfrichter: Er brüllt die Zeugen an, mault mimisch-höhnisch ihre Aussagen nach, bramarbasiert, schmiert, scharwenzelt, fällt plötzlich rollenden „Rrrrrrs" in den allerübertriebensten satirisch aufgebrezelten Burgtheaterton – aber er macht aus seiner Technik keine Brandauer-Grube. Sondern einen herrlichen Abgrund. Es wirkt, als schwänzele, heule, grinse, lüge er in alle Eiseshimmel hinauf, aus denen ihm nicht einmal mehr die Gnade angähnt. Ein Amoralist, der mit keinem Urteil mehr rechnet, weil niemand mehr da ist, der eines sprechen könnte.

Es gibt keine höhere Instanz. Es gibt nur lachbar höllisches Elend. So machen Peter Stein und Klaus Maria Brandauer aus der klassischen Komödie der Suche nach Gerechtigkeit eine Tragödie der komisch-unendlichen Ungerechtigkeit. Es gibt viel zu lachen: vor allem über die kurzen Beine der Lügen, über die der Dorfrichter dauernd stolpert. Aber man amüsiert sich auf himmlischem Inferno-Niveau. Kleists, des verzweifelten Wahrheitssuchers zerrissene Welt-Schöpfung, wird hier im letzten Aufflugsversuch eines stürzenden Engels zur hinreißend komischen Volte.

Adams schmuddeliges Nachtgewand sieht aus, als bestehe es aus glattgebügelten Flügel- und Federnfetzen. Sein Ton ist herrisch, aber hilflos; hochfahrend, aber verloren. Brandauer spielt das längst vergeigte Spiel noch einmal: wütend, wahnsinnig, unnachgiebig, lustvoll verzweifelt – den Sündenfall in einem Paradies, in dem jeder jedem nur noch zur Hölle werden kann. Ob das in Pluderhosen oder in Kaufhausanzügen geschieht, ist gleichgültig. In Pluderhosen aber ist es komischer. Die Komödie eines Richters, der über seine eigene Untat zu Gericht sitzen muss, wird hier zum Weltendspiel einer Ego-Groteske. [...]

[1] **Stich:** Der Kupferstich von Jean Jacques Le Veaus, „Le juge, ou la cruche cassée", der Kleist zu seinem Lustspiel angeregt hatte, war vor der Aufführung auf den Vorhang projiziert worden.

Klaus-Maria Brandauer als Richter Adam

Als des Richters Umtriebe zutage liegen, als er flieht, als der Gerichtsrat die Geschichte von den Rekruten, die nach Batavia müssen, als Lüge des Richters denunzieren will, da stürzt das Mädchen, das genau weiß, dass der Staat hier lügt, in eine abgrundtiefe Verzweiflung. Ihren Verlobten hatte sie fast durch das nächtliche Abenteuer mit dem Richter verloren, jetzt wird sie ihn in den Kolonien verlieren. Am Ende vertraut sie allein auf das Wort des Beelzebub Walter. Ohne dass dieses heikle Ehrenwort hier kritisch von der Regie denunziert würde. Stein lässt es generös stehen. So wird der Teufel doch noch zum lieben Gott. Und auch das ist sehr komisch.

Adam aber wird von der Menge hinaus aufs Schneefeld gejagt, gehetzt und gelyncht. Am Ende hängt er an langen Seilen wie ein Gekreuzigter im kahlen Winterhimmel. Der Teufel ist tot, das Paradies zerbrochen, der Himmel leer. Was bleibt jetzt noch außer verzweifelten Seelen? Was aber bleibet, ist großes Theater.

Elena Philipp (nachtkritik.de)

Handfeste Privilegienverwahrlosung (Auszug, 2021)

Anne Lenk und ihr Ensemble erzählen Kleists Klassiker als Geschichte von Machtmissbrauch und struktureller Gewalt in einer patriarchal verfassten Gesellschaft – mit Happy End. Spannend ist die Inszenierung aber nicht wegen des konsequenten plot twists zum Schluss: Richter Adam wird selbst angeklagt. Spannend ist dieser „Zerbrochne Krug“, weil hier dramaturgisch jedes Detail stimmt, die Dynamik, der Rhythmus, das Zusammenspiel des durchweg famosen Ensembles. Gedanklich durchdrungen wirkt der Text. Obgleich es weitgehend das Original ist, das die Schauspieler:innen sprechen, wirkt der komplexe Kleist'sche Satzbau in ihrer Diktion direkt und ungekünstelt.

In jedem Moment reagieren die sieben Figuren gestisch und mimisch auf das Gesagte und aufeinander. Binnendramen entfalten sich allein durch Blicke, etwa bei den meist weit auseinander sitzenden Verlobten Eve und Ruprecht. Durch neue Sitzordnungen und Gruppierungen in dem von Bühnenbildnerin Judith Oswald bewusst auf die Vorderbühne beengten Raum – Platzwechsel, die sich oft in den kurzen

Szenenbild der Inszenierung von Anne Lenk zu Kleists Lustspiel „Der zerbrochne Krug“ am Deutschen Theater Berlin, 2021

Pausen zwischen den Aufzügen vollziehen, markiert mit einem Black und kurzem Schlagzeugsolo – tun sich eine Fülle von Beziehungen und Bezügen auf. Es bedarf hier keines Richterstuhls, um Hierarchien, soziale Positionierungen und Allianzen zu verdeutlichen.

Clou in Anne Lenks Inszenierung ist dabei die Figur der Gerichtsrätin Walter: kein sozial höher als der Richter gestellter Mann wie bei Kleist, sondern eine junge Frau, die offen entsetzt ist über das in Huisum gebräuchliche Gewohnheitsrecht. Unaufdringlich, aber unbeirrt orchestriert sie den Widerstand gegen Dorfrichter Adam. Optisch wirkt diese Gerichtsrätin wie ein Huschelchen mit ihrer apricotfarbenen Latzhose und dem korallenfarbenen Jackett über dem Schwangerenbauch. [...] Damit rückt Kostümbildnerin Sibylle Wallum [...] die Rätin in die Nähe einer heutigen selbstbewussten Generation junger Frauen.

Handfester Machtmissbrauch

Höflich distanziert tritt Lorena Handschins reisende Prüferin auf, und so verletzlich man diese Figur einschätzen könnte, so zielorientiert und unbestechlich agiert sie. Ihr Kopf ist klar, sie folgt dem Gesetz und kann es bis ins Detail ausbuchstabieren, während Dorfrichter Adam seine Schlüsse schon vor der Befragung zieht. Die von ihm missbrauchte Eve versucht er mit Erpressung und Drohungen gefügig zu machen, verbal diskreditiert er sie, wo es nur geht – und Lisa Hrdinas handfeste, teenagerhaft von ihrer Mutter Marthe genervte Eve hält still, weil sie um ihren Verlobten Ruprecht fürchtet, der mit der Armee nach Batavia aka[1] Indonesien eingeschifft werden soll, wie Richter Adam ihr fälschlich erzählt. Wegen des Attests, das ihn von der Militärpflicht befreien soll, hat sich Eve überhaupt für die Avancen des Richters geöffnet – eine klassische Machtmissbrauchs-Situation.

[1] **aka:** Abkürzung f. ‚also known as' (= auch bekannt als); hier: heute bekannt unter dem Namen.

Ein Lächeln ins Gesicht geschmiert

Als Unberührbaren spielt Ulrich Matthes den Adam. Spöttisch und privilegienverwahrlost lümmelt er in seinem Stuhl, ein schmieriges Lächeln im Mundwinkel, ein ebenso schmieriges Unterhemd am Leib. Ihm kann keiner etwas anhaben, auch wenn er seine Pflichten nachlässig erfüllt und seinen Status verwaltet, statt für Gerechtigkeit zu sorgen. Zumindest war das bislang so. Spät erst wird dem Dorfrichter klar, dass er selbst hier vor Gericht steht.

Aus dieser Diskrepanz zwischen dem Nichtverstehen des Täters und dem Wissen der übrigen Personnage, die sich mit dem ebenfalls wissenden Publikum verbündet, zieht Kleists Text einen beträchtlichen Teil seiner galligen Komik. Auch in Anne Lenks psychologisch präzise gearbeiteter Inszenierung funktioniert das langsame Enthüllen der Selbsttäuschung ganz wunderbar. Gelacht wird viel an dem auf 90 Minuten komprimierten Abend.

Die Regisseurin [...] aktualisiert den Stoff dabei anscheinend mühelos. Eine Gemeinschaft, die die Gewaltausübung durch den Dorfrichter lange auch mittrug, emanzipiert sich in einem schmerzhaften Prozess von ihm und seinen missbräuchlichen Methoden – das ist die sehr zeitgemäße und doch unaufdringlich vorgebrachte Botschaft. Platt moralisch ist hier nichts. Deutlich aber doch. So, denkt die Kritikerin am Ende, kann das gehen.

1 ***Lernarrangement***

Bilden Sie Arbeitsgruppen.

a) Analysieren Sie jeweils eine der Rezensionen (S. 44 – 47), indem Sie unter Berücksichtigung der sprachlichen und argumentativen Textgestaltung die Position des jeweiligen Verfassers bzw. der Verfasserin darstellen.

b) Präsentieren Sie Ihre Ergebnisse im Plenum

c) Reflektieren Sie die Ausführungen aus den Präsentationen und diskutieren Sie, welche der Aufführungen des Theaterstücks „Der zerbrochne Krug" Ihnen auf der Basis der Informationen aus der zugehörigen Rezension als besonders gelungen erscheint.

Kleist als Sonderfall der deutschen Literaturgeschichte

Kleists Werk literaturgeschichtlich einordnen

Bei einer Recherche zur literaturhistorischen Einordnung Heinrich von Kleists stößt man in der Regel auf zwei Formulierungen: 1. Kleist sei zwischen der Romantik und der Klassik einzuordnen und 2. Kleist sei ein Sonderfall der Literatur. Beide Kategorisierungen sind auf den ersten Blick nicht besonders befriedigend, verdeutlichen aber eindrücklich, wie sich Kleists Texte gegen jede Form der eindeutigen Zuordnung sperren, was sie bis heute für die Rezipientinnen und Rezipienten so interessant und anschlussfähig macht.

Karin Cohrs

Das Kunstkonzept der „Weimarer Klassik“ (2022)

TIPP: Zusätzliche Informationen zum Kunstkonzept der Weimarer Klassik finden Sie im Grundband I (Informationskasten auf S. 55).

Als Reaktion auf den Sturm und Drang steht das Streben nach einem harmonischen Ausgleich der Gegensätze im Zentrum des klassischen Kunstkonzepts. Johann Wolfgang von Goethe betrachtet die Natur als Modell für den universalen Zusammenhang aller Erscheinungen, während Friedrich Schiller seine Stoffe für die Auseinandersetzung mit dem Ideal des vollkommenen Menschen bevorzugt der Historie entnimmt. Übereinstimmend mit den Vorstellungen der Aufklärer glauben die Vertreter der Klassik an die Erziehbarkeit des Menschen zum Guten. Ihr Ziel ist die Humanität, die wahre Menschlichkeit (das Schöne, Gute, das sittlich Wahre). Der Mensch soll nicht nur einzelne Tugenden (z.B. Toleranz, Nächstenliebe etc.) besitzen, sondern einem höheren Ideal zustreben (Harmonie und Totalität). Das bedeutet, dass alle menschlichen Kräfte und Fertigkeiten ausgebildet werden müssen: Gefühl und Verstand, künstlerisches Empfinden und wissenschaftliches Denken, theoretisches Erfassen und praktische Umsetzung (Totalität). Diese Eigenschaften sollen eine ausgewogene Einheit bilden (Harmonie). Der Mensch sollte in der Erziehung nicht unterdrückt werden, sondern er sollte in die Lage versetzt werden, freiwillig gesellschaftliche Grenzen anzuerkennen (doppelte Harmonie). Die Veränderung der Wirklichkeit sei mithilfe der bildenden Kunst und Literatur zu erreichen, weil diese Modellcharakter besäßen und den zu erstrebenden Idealzustand abbildeten.

Am Weimarer Musenhof versammelt sich im Witumspalais der Fürstin Anna Amalia von Sachsen-Weimar-Eisenach ein Kreis von Gelehrten und Literaten. Adlige und Bürgerliche (Schriftsteller, Künstler und Wissenschaftler) treffen sich hier regelmäßig zu einem Gedankenaustausch über zeitgenössische Literatur, Kunst, Theater, Musik und aktuelle politische und gesellschaftliche Themen.

Der Dichter und Philosoph Christoph Martin Wieland lebt als Erzieher der Söhne der Herzogin am Hof und zu den regelmäßigen Gästen zählen u. a. Gottfried Herder (Philosoph, Theologe und Generalsuperintendant) und Johann Wolfgang von Goethe, den die Fürstin 1775 als Begleiter für ihren Sohn Karl August nach Weimar holt. Neben mehreren Staatsämtern übernimmt Johann Wolfgang von Goethe 1791 zusätzlich die Leitung des Weimarer Hoftheaters. Auch Friedrich Schiller stößt zu dieser intellektuellen Gesellschaft, sodass sich Weimar schnell zum geistigen Zentrum im deutschsprachigen Raum um 1800 entwickelt. Wegen des engen Zusammenwirkens der Dichter Johann Wolfgang von Goethe und Friedrich Schiller, deren Ziel es ist, für die deutsche Nation eine Nationalliteratur zu schaffen, wird dieser Kreis zum Mittelpunkt der Weimarer Klassik. Vor dem Hintergrund der Französischen Revolution und ihrer gesellschaftspolitischen und kulturellen Auswirkungen werden hier engagierte Diskussionen darüber geführt, inwiefern die Kunst als Orientierung stiftendes Erziehungsprogramm fungieren könne, um Humanität in den Menschen hervorzubringen, damit sich das Gemeinwesen zu einer positiven Sozietät entwickelt. Obgleich Goethe und Schiller vermeiden, Literatur und Tagespolitik direkt miteinander zu verknüpfen, wird ihre Auseinandersetzung mit der Französischen Revolution dennoch deutlich. Die Dichter streben eine ästhetische Versöhnung an, in der ein Ausgleich zwischen Adel und Bürgertum möglich wird. Sie sind von der Macht und Wirksamkeit einer autonomen Kunst überzeugt, die sich nicht der Nützlichkeit, sondern der klassisch griechischen Tradition verpflichtet fühlt. Ihr überzeitliches Kunstkonzept sieht vor, durch Idealisierung der Wirklichkeit Schönheit zu generieren, um den Menschen zu Humanität und Harmonie zu führen.

1 Erläutern Sie mithilfe des obenstehenden Textes das Kunstkonzept der Weimarer Klassik.

2 Erörtern Sie, ob das Lustspiel „Der zerbrochne Krug" mit dem Kunstkonzept der Weimarer Klassik in Einklang steht.

Bengt Algot Sørensen

Deutsche Romantik (Auszug, 2003)

Während sich die Klassiker um eine reinliche Scheidung der Gattungen, vornehmlich um das Wesen des Epos, des Dramas, der Lyrik bemühten, wie etwa der Briefwechsel zwischen Goethe und Schiller zeigt, so waren die Romantiker dagegen der Meinung, dass das Kunstwerk der Zukunft aus der Mischung der Gattungen hervorgehen müsse. Im Brief über den Roman (1800) behauptete Fr. Schlegel[1], dass „das Drama ... die wahre Grundlage des Romans ist", und anschließend gesteht er: „Ja, ich kann mir einen Roman kaum anders denken, als gemischt aus Erzählung, Gesang und anderen Formen." [...] Die künstlerische Praxis der Romantik entsprach weitgehend solchen und ähnlichen Theorien. So sind z. B. die zahlreichen eingelegten Lieder ein charakteristisches Merkmal des Romans dieser Periode. [...] Ähnlich verhält es sich mit den Dramen der Romantik. Hier kommt es sogar vor, dass [Figuren] sich in Sonetten, Stanzen oder Terzinen unterhalten. [...]

Caspar David Friedrich (1774–1840): Zwei Maenner in Betrachtung des Mondes, 1819/20

Wie der Roman wurde auch das Drama der Romantik weitgehend durch die Mischung der Gattungen bestimmt. Stimmung, Atmosphäre, „Klima, Duft und Ton" (Tieck[2]); verbunden mit Träumen und Visionen, Personifikationen und Allegorien, dazu eine Vielfalt von metrischen und strophischen Formen, diese Mischung bewirkte eine Auflösung der festen Umrisse, eine Verwandlung der Wirklichkeit ins Traumhafte, die zwar genuin romantisch war, dem Wesen des traditionellen Dramas aber widersprach. [...]

[1] **Friedrich Schlegel (1772–1829):** deutscher Philosoph, Schriftsteller, Kritiker und Historiker.

[2] **Ludwig Tieck (1773–1853):** deutscher Dichter und Schriftsteller, Herausgeber und Übersetzer der Romantik.

Nicht das antike Drama konnte hier vorbildlich wirken, sondern der katholische, dem Mittelalter verbundene Süden gab der Märchenwelt des romantischen Dramas wesentliche Anregungen. [...]
Die Dramen der Romantiker wurden selten oder nie aufgeführt. Auch ihre Lustspiele waren ausgesprochene Lesekomödien. In Tiecks ersten Lustspielen wie z. B. *Der gestiefelte Kater* (1797), *Die verkehrte Welt* (1798) und *Prinz Zerbino* (1799) tritt der Bruch mit der Lustspieltradition der Aufklärung deutlich hervor: Der Handlungszusammenhang löst sich auf, die Bühne fängt an, mit sich selbst zu spielen, das Publikum wird einbezogen und zur Zielscheibe des Witzes und der Satire gemacht. Noch weiter ging Brentano[3] in der Komödie *Ponce de Leon* (1803), in der sich die spielerische Fantasie ohne satirisches Ziel in einem poetisch-imaginären Raum frei entfaltet. [...]

[3] **Clemens Brentano (1778–1843):** deutscher Dichter und Schriftsteller der Romantik.

1 Stellen Sie anhand des Textauszugs von Sørensen die wichtigsten Merkmale romantischer Werke dar. Gehen Sie dabei besonders auf die Dramatik ein.

2 Überprüfen Sie, ob Sie in Kleists Lustspiel Elemente der Romantik erkennen.

Kleists Welt- und Menschenbild in Abgrenzung zur Programmatik der ‚Klassik' verstehen

Günter Blamberger

Heinrich von Kleist – ein radikaler Moralist (Auszug, 2011)

Kleist [gehört] zu einer Generation, die das Drama der Französischen Revolution als Kind erlebt, mit den Mündigkeits- und Selbstbestimmungsmodellen der Aufklärung erzogen wird und dann in die Wirren der Befreiungskriege gegen Napoleon gerät, in der die deutschen Staaten politisch instabil und in allen sozialen Bereichen reformbedürftig sind und die ständische Gesellschaft allmählich entsichert wird. Gerade die Lebensläufe von Aristokraten wie Kleist entwickeln sich so ins gefährlich Offene, die Verbindlichkeit des eigenen Standesmodells wird brüchig, der soziale Handlungsraum vergrößert sich, der Zugewinn an Freiheit kann zugleich aber als Beliebigkeit empfunden werden, als Orientierungsverlust. Folglich beschließt Kleist am Ende seiner Soldatenzeit, einen Lebensplan zu entwickeln und im Vertrauen auf Bildung wie in der Anschauung der eigenen „moralischen Schönheit" den „sicheren Weg des Glücks zu finden". Das ist keine aristokratische, das ist eine ganz bürgerliche Ordnungsfantasie, dass man mit Hilfe von Mentoren seine Eigentümlichkeit frei und stetig entfalten und tugendhaft immer bei sich selbst bleiben könne, komme was da wolle an Krisen und Katastrophen. Rousseau träumt in seiner pädagogischen Schrift ‚Emile' davon, Goethe im ‚Wilhelm Meister', Wilhelm von Humboldt in seiner Bildungsreform und Jugendliche vermutlich bis heute. Es ist vor allem ein typisch deutscher Traum. Deutschland, und keine andere Nation, hat den Bildungsroman entwickelt. Die großen deutschen Dichter und Denker um 1800: Kant, Schiller, Goethe, Hölderlin, Hegel sind idealistische Moralphilosophen, sie sind anders als die großen Dichter und Denker Frankreichs, Englands, Spaniens keine skeptischen Moralisten. Der Unterschied ist: Moralphilosophen achten vorwiegend darauf, wie Menschen handeln sollen, Moralisten darauf, wie unter Menschen tatsächlich gehandelt wird. Gegenstand ihres Interesses ist nicht die ideale Verhaltensnorm, sondern die reale Befindlichkeit des Menschen.
Kleist fällt aus seiner Zeit und aus allen Träumen des deutschen Idealismus heraus. Er wird dadurch unter den Großen der deutschen Literatur zum denkbar größten Ausnahmefall bis heute: zu einem skeptischen Moralisten und illusionslosen Analytiker menschlichen Verhaltens, der die Helden seiner Dramen und Erzählungen in

Krisen und Katastrophen treibt und dabei die Welt zur Kenntlichkeit entstellt. Einen Bildungsroman wird er nicht schreiben, und sein Leben wäre selbst kein Vorbild dafür. Da rundet sich kein Individuum zum organischharmonischen Ganzen, die Orte wechseln und die Projekte. [...]
Kleists Helden sind mit wenigen Ausnahmen, Käthchen[1] natürlich, keine „schönen Seelen" [...].

[1] **Käthchen:** Hauptfigur aus dem Theaterstück „Käthchen von Heilbronn" von Heinrich von Kleist, 1807/08

1 Erläutern Sie die zentrale These Günter Blambergers. Verdeutlichen Sie dabei insbesondere den Unterschied zwischen „Moralphilosophen" (Z. 22) und „Moralisten" (Z. 23).

2 Im Text heißt es, Kleist sei ein Autor, „der die Helden seiner Dramen und Erzählungen in Krisen und Katastrophen treibt und dabei die Welt zur Kenntlichkeit entstellt" (Z. 29 f.). Erläutern Sie die Bedeutung dieser These anhand konkreter Situationen aus dem Theaterstück „Der zerbrochne Krug".

Curt Hohoff

Heinrich von Kleist – an der Wende zur Gegenwart (Auszug, 1986)

Heinrich von Kleist ist der Dichter der Wende vom Weltbild der deutschen Klassik zur Gegenwart. Er ist kein Pathetiker[1] und kein Idealist. Welt und Leben haben für ihn keinen bestimmten oder bestimmbaren Sinn mehr, sie sind „zerbrechlich", ein Rätsel, eine Verführung. Die sogenannte Wirklichkeit wird von keiner Idee beherrscht oder durchdrungen. Sie ist der unheimliche Partner des einzelnen Menschen. Ihre Gesetze sind verwirrend, wahnhaft und unheimlich, ja bodenlos, und je mehr das deutlich wird, desto einsamer fühlt sich der einzelne Mensch. Es gibt Gott und Götter, aber sie gehören zu dieser Welt und nehmen teil an der Verwirrung des Menschen. Man muss also am Ich festhalten, an seinem Gefühl von sich selber. [...]
Kleist war sich selbst ein Rätsel. Ein groß angelegter Charakter und Künstler wurde von Skrupeln und Zweifeln langsam zersetzt. Eine Doppelanlage von Keuschheit und Lüsternheit, von Härte und Weichheit, von märchenhafter Verträumtheit und gewaltsamen Entschlüssen hat dazu geführt, dass man seinen Charakter pathologisch[2] genannt hat. Das stimmt so weit, wie der moderne Mensch überhaupt anormal ist, wie Sein und Bewusstsein auseinanderfallen.
Kleist war aus Gründen der Familienüberlieferung anfangs Soldat, wandte sich dann der Literatur zu. Das Nationale hat ihn nie beschränkt, erst der Despotismus einer unerträglich werdenden Militärregierung weckte den Patrioten. Dann fand er gegen den Feind Worte von so dämonischer Größe, dass der dreißigjährige Kleist als der ideell überlegene Gegenspieler eines Napoleons erscheinen konnte. [...]
Kleist war ehrgeizig, er wollte immer das Höchste, er wollte Goethe den Lorbeer vom Kopf reißen, um der größte Dichter zu sein. In mancher Hinsicht hat er Schillers Werk vollendet, goethesche Intentionen überboten. Goethe wandte sich gegen ihn, weil er spürte, dass dieser junge Mensch Konsequenzen zog, von denen er sich seit Weimar schaudernd abgewandt hatte. Das Selbstzerstörerische war immer lebendig in Kleist, es verführte ihn zu Gedanken an Selbstmord, und schließlich führte er ihn aus. Den Gegenpol bildet sein Bedürfnis nach Ruhe. Jahrelang hoffte er, Bauer werden zu können. [...]
Gewisse Motive kehren bei Kleist immer wieder, in denen man Symbole seiner ambivalenten[3] Weltsicht sehen darf. [...]
Kleist ist jedoch kein Zyniker und Nihilist[4] geworden, wie so manche Romantiker, denn er bewahrte sich ein tiefes Gefühl dafür, dass es irgendwo Wahrheit und Reinheit geben müsse. Das macht den unbeschreiblichen Adel seiner Dichtungen aus. Seine Zeugen sind Vers und Stil, Wohllaut und Sprache und Größe des dramatischen Wurfes über alle Wahrscheinlichkeiten hinaus.

[1] **Pathetiker:** leidenschaftlicher, gefühlvoller Mensch

[2] **pathologisch:** krankhaft

[3] **ambivalent:** doppelwertig, zwiespältig

[4] **Nihilist:** Anhänger der philosophischen Strömung des Nihilismus, die alles Bestehende für nichtig hält.

[Man kann festhalten], dass Kleist kein Klassiker und Romantiker war, kein preußisch-patriotischer Heimatautor, sondern einer der ersten modernen Menschen Deutschlands. Heil und Verzweiflung sind ineinander verschränkt, Irdisches und Göttliches sind verfänglich getrennt und geklammert. Davon zeugen so rührende Figuren wie Toni[5] und Käthchen, davon spricht auf seine gewaltsame Art Kohlhaas. Es gibt auf der zerbrechlichen Welt immer wieder Punkte, wo das Paradies sichtbar wird: in der Liebe, und ihr Ort ist die Laube, die Höhle, das Bett und schließlich – geheimnisvoller und mächtiger als alle – der Tod. [...] Er ist neben Goethe der Dichter tiefer und wahrer Frauen; sie sind die Träger eines meist schlummernden Inbilds der Wahrheit und Reinheit. [...]

[5] **Toni:** Figur aus Heinrich von Kleists Novelle „Die Verlobung von St. Domingo“ (1811)

1 Erläutern Sie die These Curt Hohoffs, dass Kleist „einer der ersten modernen Menschen Deutschlands“ (Z. 38 f.) war.

2 Vergleichen Sie die Darstellung von Kleists Welt- und Menschenbild bei Blamberger (S. 50 f.) und bei Hohoff (S. 51 f.), indem Sie in Stichworten darstellen, an welchen Stellen sich Ihre Einschätzungen ähneln und wo sie voneinander abweichen.

Kleists Welt- und Menschenbild	
G. Blamberger	**C. Hohoff**

3 Diskutieren Sie abschließend, welche der beiden Charakterisierungen des Welt- und Menschenbilds Heinrich von Kleists Ihnen vor dem Hintergrund Ihrer eigenen Interpretation des Lustspiels „Der zerbrochene Krug“ passender erscheint. Begründen Sie Ihre Einschätzung.

„Nur was nicht aufhört weh zu tun, bleibt im Gedächtnis“

Sich mit der gegenwärtigen Bedeutung von Kleists Werk auseinandersetzen

Heinrich von Kleist wird auf deutschen Bühnen nach wie vor viel gespielt und seine Erzählungen und Dramen sind kanonische Schullektüre. Doch haben seine Werke Schülerinnen und Schülern heute noch etwas zu sagen?

Szenenbild der Aufführung „Der zerbrochne Krug“ am Deutschen Theater, 2021

Deutsches Theater Berlin

Programmheft zur Aufführung von „Der zerbrochne Krug“ (Auszug, 2021)

Was Kleists Drama von 1811 zur Komödie macht, ist vor allem die Dreistigkeit, mit der hier vom Patriarchat Macht ausgeübt, Positionen gesichert und Verhältnisse zementiert werden. Die Wahrheit zählt dabei nicht im Geringsten. Stattdessen gilt es, unverfroren und skrupellos jede Verantwortung von sich zu schieben – gestützt von einer Gesellschaft, die stolz vor ihrem kulturellen Erbe stehend scheinheilig mitspielt, und sich vormacht, die Gerechtigkeit würde interessieren.

Günter Blamberger

Heinrich von Kleist. Biographie (Auszug, 2011)

Kleists Texte [...] zeigen keine Antworten her, sondern immer nur Fragen. Sie inszenieren „Paradoxien, Dissonanzen, Zusammenbrüche: Situationen offener Epistemologie“[1], wie man sie heute findet. Deshalb könnte es sein, dass die Fortschreibung Kleists erst jetzt so richtig anfängt – in einer Zeit nach der Moderne.

[1] Titel einer Studie von Hans Ulrich Gumbrecht und K. Ludwig Pfeiffer von 1991

Michael Köhler (Deutschlandfunk)

Interview mit der Regisseurin Laura Linnenbaum über die Inszenierung von „Der zerbrochne Krug“ in Düsseldorf (Auszug, 2018)

Michael Köhler: In unserer Reihe „Denkfabrik Gerechtigkeit“ über künstlerische Antworten auf politische Fragen der Gegenwart geht es nun um Machtmissbrauch an herausgehobener Stelle, nämlich bei Gericht. Es geht nicht um einen zerbrochenen Krug, sondern um ein zerbrochenes Leben, um Schädigung und Schändung und um gedecktes Unrecht. Eve, das Opfer, entsagt buchstäblich. Im Lichte der #MeToo-Debatte wird die Frage nach Machtmissbrauch und die Frage nach der stimmlosen Frau gestellt. Die Regisseurin Laura Linnenbaum habe ich gefragt: Welche Fragen haben Sie gestellt, welche Antworten haben Sie gegeben?

Laura Linnenbaum: Sie haben es ja gerade schon gesagt: Es handelt sich im Stück um den Machtmissbrauch einer Person, die vom Staat das Recht erhalten hat, über andere zu urteilen. Und der nutzt es im Verlauf des Stücks, obwohl er selbst zum Schuldigen geworden ist, extrem aus, dass er nun Recht sprechen darf. Da hat sich für uns die Frage gestellt: Das ist ja irgendwie hochaktuell, dass ein Mann in dem Fall konkret die sexuelle Unterwürfigkeit einer Frau ausnutzen kann, um sie in der Notsituation, in der sie war, ob nun gezwungen oder nur durch die Umstände gezwungen, dazu zu bringen, das zu tun, was er möchte, zu einer sexuellen Handlung zu bringen. Das kommt vor Gericht, und qua seiner Position, die kein anderer in Frage zu stellen sich traut, kommt er fast ungeschoren aus der Gesamtsituation heraus. Weil ihn seine Position schützt. Das schien uns exemplarisch, und in die Richtung haben wir dann Kleist gelesen.

Daniel Kehlmann

Die Sehnsucht, kein Selbst zu sein (Rede zur Verleihung des Kleistpreises) (Auszug, 2007)

Doch gerade das Oszillierende an ihm, das tänzerisch Ausweichende, das zugleich Anziehende und immer wieder Befremdliche, das ihn um so weiter entrückt, je näher man ihm kommt, wird ihn weiterhin, Generation für Generation, zum Zeitgenossen machen. Denn eine Epoche, der Kleist nichts mehr zu sagen hätte, müßte entweder dem unglücklichen Bewußtsein, dem Unbehagen an Entfremdung und Spaltung, in die Erleuchtung entwachsen oder aber zurückgefallen sein in die Barbarei einer nurmehr dem Konsum und der Unterhaltungskunst überantworteten Stumpfheit, die von Gesetz, Sehnsucht und Erlösung nichts mehr weiß.

(Rechtschreibung folgt dem Original.)

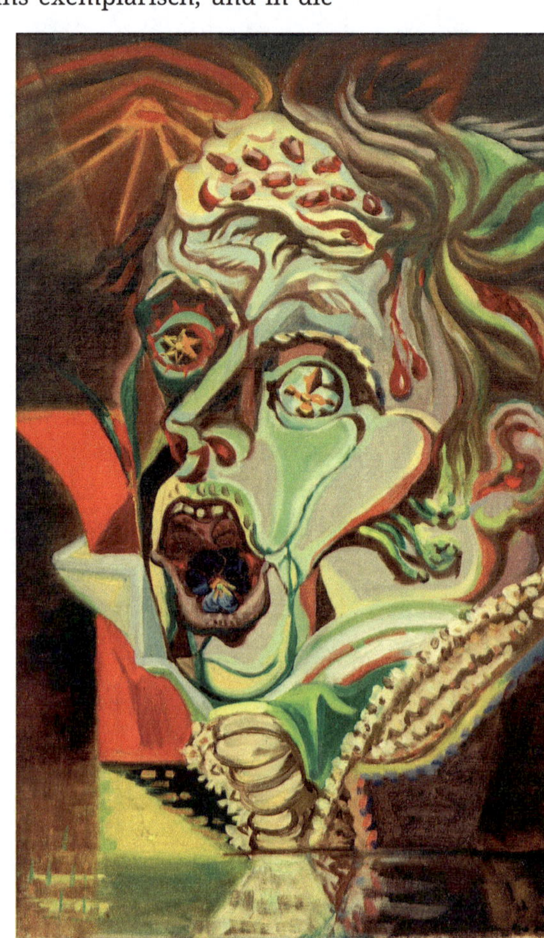

André Masson: „Portrait du poète Heinrich von Kleist“, 1939

1 a) Setzen Sie sich im Plenum mit den Zitaten und Bildern auf den Seiten 53 und 54 auseinander, indem Sie erläutern, wie die verschiedenen Beiträge die Frage nach der Aktualität Kleists und seines Theaterstücks „Der zerbrochne Krug" beantworten.
b) Nehmen Sie zu den Beiträgen kritisch Stellung.

2 Erstellen Sie eine Mindmap, in der Sie Antworten auf die Frage sammeln, welche gegenwärtige Relevanz das Lustspiel Ihrer Meinung nach hat oder haben könnte.

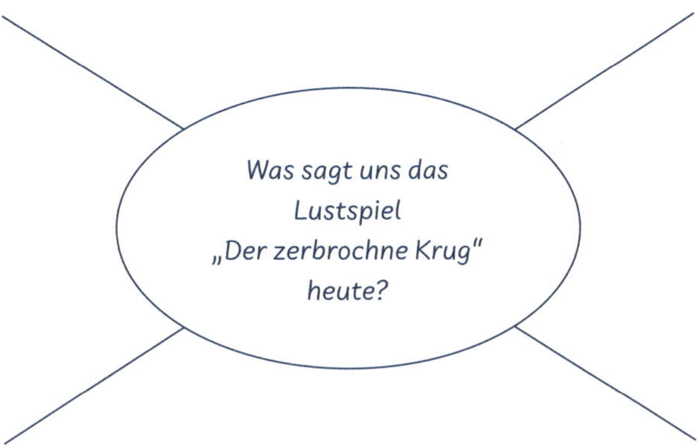

Notizen: ______________________

____

____

____

____

____

____

3 ***Lernarrangement***

Bilden Sie Kleingruppen.

a) Erarbeiten Sie ein Empfehlungsschreiben für eine Literatur-AG, eine Theater-AG oder einen Literaturkurs an Ihrer Schule. In dem Schreiben sollen Sie dafür werben, dass das Theaterstück „Der zerbrochne Krug" an Ihrer Schule behandelt oder aufgeführt wird. Das Schreiben sollte folgende Elemente enthalten:
   - einige kurze Informationen zur Biografie Heinrich von Kleists,
   - eine knappe Inhaltsangabe des Lustspiels „Der zerbrochne Krug",
   - eine kurze literaturgeschichtliche Einordnung des Werkes von Kleist,
   - eine differenzierte Begründung für Ihre Empfehlung.

b) Präsentieren Sie Ihre Textproduktionen im Plenum.

c) Diskutieren Sie mögliche Unterschiede in Ihren Begründungen für die gegenwärtige Relevanz des Theaterstücks.

E

Heinrich von Kleist: „Die Marquise von O...“ (1810)

Eine skandalöse Zeitungsanzeige

Über den Auftakt in die Auseinandersetzung mit dem Erzähltext einsteigen

Die „Marquise von O...“ beginnt mit einem Paukenschlag:

Heinrich von Kleist

Die Marquise von O... (Auszug, 1810)

In M..., einer bedeutenden Stadt im oberen Italien, ließ die verwitwete Marquise von O..., eine Dame von vortrefflichem Ruf, und Mutter von mehreren wohlerzogenen Kindern, durch die Zeitungen bekannt machen: dass sie, ohne ihr Wissen, in andre Umstände gekommen sei, dass der Vater zu dem Kinde, das sie gebären würde, sich melden solle; und dass sie, aus Familienrücksichten, entschlossen wäre, ihn zu heiraten.

(*Textausgabe, S. 153*)

1 Listen Sie alle Punkte im ersten Satz der Erzählung auf, die man Ihrer Meinung nach mit den Begriffen „ungewöhnlich“, „unerhört“ oder „skandalös“ bezeichnen könnte.

2 Erläutern Sie, wie „Die Marquise von O....“ eingeführt wird. Setzen Sie die Beschreibung der Marquise und das „Skandalöse“ miteinander in Beziehung.

Szenenbild aus einer Inszenierung zu Heinrich von Kleist: „Die Marquise von O...“ am Theater Lindau 2013

3 ***Lernarrangement***
Bilden Sie Kleingruppen.
a) Entwerfen Sie auf der Basis der Informationen aus dem ersten Satz der Erzählung eine moderne Suchanzeige in einem Internetportal für Kleinanzeigen.
b) Präsentieren Sie im Plenum die unterschiedlichen Suchanzeigen.
c) Erläutern Sie, welche sprachlichen und inhaltlichen Schwierigkeiten bei der Übertragung möglicherweise entstehen können.

4 Diskutieren Sie, welche Erwartungshaltung bei den Leserinnen und Lesern durch den Erzähleinstieg geweckt wird.

Grundlegende Gestaltungselemente

Der Verschlüsselung von Orts- und Personennamen auf die Spur kommen

Sabine Doering

Die Marquise von O... (Auszug, 2013)

Alexander von Kotzebue. „Die Schlacht bei Novi am 15. August 1799", um 1850. Die Schlacht brachte die Wende im Krieg zugunsten der Koalition (Österreich-Ungarn und Russland) gegen Frankreich.

Kleist hat die Handlung seiner Erzählung in das zeitgenössische Oberitalien verlegt. Den ersten Lesern wird eine Entschlüsselung der Angaben leicht gefallen sein, da die geschilderten politischen Ereignisse bei der Veröffentlichung der Novelle wenig mehr als ein Jahrzehnt zurücklagen. Bei dem Krieg, der russische Truppen nach Italien brachte, handelt es sich zweifellos um den Zweiten Koalitionskrieg (1799–1802). Im Herbst 1799 gelang es den verbündeten Armeen Österreichs und Russlands, die Franzosen aus den Republiken zu vertreiben, die sie zuvor in Italien eingerichtet hatten. Vor diesem realgeschichtlichen Hintergrund erlauben etliche der von Kleist verwendeten Namenskürzel eine realistische Auflösung: Im September 1799 hatte der russische General Korsakow [General K...] sein Hauptquartier in Zürich aufgeschlagen [Z...], während das Königreich Neapel [...] von den Alliierten wiederhergestellt wurde. Die Angaben über die Mission des Grafen F..., die ihn nach der Erstürmung der Zitadelle beschäftigt, gewinnen somit historische Plausibilität. Weniger eindeutig muss der Versuch ausfallen, die Abkürzungen der einzelnen Ortsnamen aufzuschlüsseln, an denen Kleist seine Erzählung spielen lässt, denn die verwendeten Initialen – „B...", „M...", „P..." und „V..." – lassen sich auf verschiedene norditalienische Städte bzw. Ortschaften beziehen. Als Schauplatz der Erzählung wird im ersten Satz eine „bedeutende Stadt im oberen Italien" mit der Abkürzung „M..." genannt; verschiedene Interpreten haben darin entweder Mantua, Mailand oder Modena sehen wollen [...]. Hierbei gelangt der Versuch, Kleists fiktionalen Text auf die Realgeschichte und die tatsächliche Topographie zu beziehen, allerdings an deutliche Grenzen, denn an keinem dieser Orte ist es je zu Kriegshandlungen gekommen, wie sie in der Novelle geschildert werden.

1 Fassen Sie die zentralen Textaussagen in eigenen Worten kurz zusammen.

2 Geben Sie wieder, welche der Orts- und Personenangaben in Kleists Erzählung von den zeitgenössischen Leserinnen und Lesern eindeutig entschlüsselt werden konnten und welche nicht.

3 Diskutieren Sie, was Kleist mit seinem Spiel mit Namen und Orten und seinen Anspielungen auf reale Ereignisse bezweckt haben könnte. Gehen Sie dabei auch auf die Frage ein, inwiefern dieses Gestaltungsmittel den skandalösen Charakter seiner Erzählung verstärkt.

E

Den Aufbau der Erzählung rekonstruieren

1 ***Lernarrangement***

Bilden Sie Kleingruppen.

a) Erstellen Sie in Ihren Gruppen eine tabellarische Übersicht über die erzählten Ereignisse. Befüllen Sie hierzu die untenstehende Tabelle. Richten Sie sich nach der erzählten Handlungsabfolge.

Ort	Zeit	Handlung
M...		• Vorstellung der Marquise • Zeitungsanzeige
Kommandanten- haus	ca. 3 Jahre vor der Anzeige	• familiäre Situation der Marquise nach dem Tod ihres Gatten
Zitadelle bei M.	2. Koalitionskrieg	

E

Ort	Zeit	Handlung

b) Präsentieren Sie Ihre Ergebnisse im Plenum und verändern oder erweitern Sie Ihre Tabelle gegebenenfalls.

E

c) Erstellen Sie in ihren Kleingruppen einen Zeitstrahl, der die in der Tabelle festgehaltenen erzählten Ereignisse in chronologischer Abfolge darstellt. Notieren Sie die relevanten Textabschnitte stichwortartig mit Seiten- und Zeilenhinweisen. Lassen Sie ausreichend Platz, um den Zeitstrahl an späterer Stelle erweitern zu können.

2 Benennen Sie, an welchen Stellen die Erzählreihenfolge von der Chronologie der erzählten Ereignisse abweicht. Kennzeichnen Sie die Abweichungen in Ihrem Zeitstrahl (z. B. mit Pfeilen), sodass der zeitliche Aufbau der Erzählung deutlich wird.

3 Stellen Sie sich Ihre Ergebnisse gegenseitig vor und diskutieren Sie mögliche Abweichungen.

4 Erörtern Sie, welche dramaturgischen Überlegungen Kleist zu der von Ihnen visualisierten Bauweise der Erzählung „Die Marquise von O..." veranlasst haben könnten. Beziehen Sie die Aussage Theodor Storms in Ihre Überlegungen ein, die Novelle sei „die kleine Schwester des Dramas".

Sich mit der Einordnung der Erzählung als Novelle auseinandersetzen

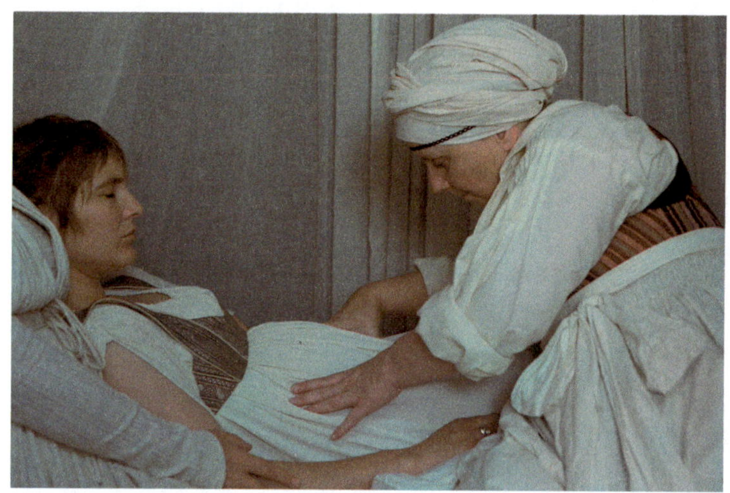

Szenenbild aus der Verfilmung der Novelle von 1976 (Regie: Éric Rohmer): Die Hebamme bestätigt der Marquise ihre Schwangerschaft.

Otto Bantel

Novelle (Auszug, 1970)

Novelle, ital. novella = Neuigkeit, kürzere Form der epischen Gattung, von der Erzählung durch den straffen, auf ein einzelnes Ereignis zukomponierten Aufbau unterschieden, mit dramatischem Moment, sodass N.-Stoffe sich zur Bearbeitung als Drama eignen (Shakespeare). In Boccaccios Dekamerone[1] erzählt sich die Gesellschaft unbekannte und merkwürdige Begebenheiten in spannender Form. Goethes Definition der N. als eine „sich ereignete unerhörte Begebenheit“ (1827) zielt schon auf die Erfahrung des in die alte Ordnung einbrechenden Chaotischen. „Die N. ist darauf angelegt, in ihrem Höhepunkt Hintergründe von Ordnung und Sinn sichtbar zu machen, von denen aus das verwirrende Vordergründige eingeordnet werden kann, einen Sinn erhält“ (Willi Helmich: „Wege zur Prosadichtung des 20. Jh.“, Braunschweig, 1960, S. 179). Voraussetzung ist, dass Erzähler und Zuhörer noch im gleichen, zwar angegriffenen, im Grunde aber unbestrittenen Ordnungsgefüge zu Hause sind. Fällt diese Voraussetzung, wie es in der „pluralistischen“ Welt des 20. Jh. der Fall ist, so verliert auch die N. als mögliche Dichtungsform ihren Boden.
Tieck[2] fasst die Diskussion um die Gattungsform der N. zusammen: „Die N. stellt einen großen oder kleineren Vorfall ins hellste Licht, der, so leicht er sich ereignen kann, doch wunderbar, vielleicht einzig ist. Diese Wendung der Geschichte, dieser Punkt, von welchem aus sie sich unerwartet völlig umkehrt und doch natürlich dem Charakter und den Umständen angemessen, die Folge entwickelt, wird sich der Phantasie des Lesers umso fester einprägen, als die Sache, selbst im Wunderbaren, unter anderen Umständen wieder alltäglich sein könnte.“

[1] **Boccaccios Dekamerone:** Sammlung von hundert Novellen des italienischen Dichters Giovanni Boccaccio (1313 – 1375)

[2] **Johann Ludwig Tieck** (1773 – 1853): deutscher Dichter der Romantik

1 a) Fassen Sie die Merkmale der Novelle mithilfe des Informationstextes zusammen.
b) Erläutern Sie, woran man festmachen kann, dass es sich bei der Erzählung „Die Marquise von O...“ um eine Novelle handelt.
c) Diskutieren Sie, welches Ereignis aus der erzählten Geschichte Ihrer Meinung nach als „unerhörte Begebenheit“ bewertet werden kann.

2 Im Textauszug heißt es, dass die Novelle das „in die alte Ordnung einbrechende[.] Chaotische[.]“ (Z. 7) darstelle. Setzen Sie sich damit auseinander, was in Kleists Novelle die „alte Ordnung“ und was das „Chaotische“ repräsentieren könnte.

3 Prüfen Sie, ob und wenn ja, inwiefern Kleists Erzählung auch von den genannten Textsortenkriterien abweicht.

E

Der berühmteste Gedankenstrich in der Literaturgeschichte

Den Auslöser für den Skandal untersuchen

Filmstill aus der Verfilmung der Novelle von 1976 (Regie: Éric Rohmer) mit Bruno Ganz als Graf F.

1 Beschreiben Sie das Bild aus der Verfilmung Éric Rohmers und erläutern Sie, wie es auf Sie wirkt.

2 Ordnen Sie das Bild einer passenden Textstelle in der Novelle zu. Begründen Sie Ihre Zuordnung.

Heinrich von Kleist

Die Marquise von O... (Auszug, 1810)

Eben als die russischen Truppen, unter einem heftigen Haubitzenspiel[1] von außen eindrangen, fing der linke Flügel des Kommandantenhauses Feuer und nötigte die Frauen, ihn zu verlassen. Die Obristin, indem sie der Tochter, die mit den Kindern die Treppe hinabfloh, nacheilte, rief, dass man zusammenbleiben, und sich in die unteren Gewölbe flüchten möchte; doch eine Granate, die, eben in diesem Augenblicke, in dem Hause zerplatzte, vollendete die gänzliche Verwirrung in demselben.

[1] **Haubitzenspiel** Gefecht mit einer Haubitze (= Geschütz)

Die Marquise kam, mit ihren beiden Kindern, auf den Vorplatz des Schlosses, wo die Schüsse schon, im heftigsten Kampf, durch die Nacht blitzten, und sie, besinnungslos, wohin sie sich wenden solle, wieder in das brennende Gebäude zurückjagten. Hier, unglücklicherweise, begegnete ihr, da sie eben durch die Hintertür entschlüpfen wollte, ein Trupp feindlicher Scharfschützen, der, bei ihrem Anblick, plötzlich still ward, die Gewehre über die Schultern hing, und sie, unter abscheulichen Gebärden, mit sich fortführte. Vergebens rief die Marquise, von der entsetzlichen, sich untereinander selbst bekämpfenden, Rotte[2] bald hier-, bald dorthin gezerrt, ihre zitternden, durch die Pforte zurückfliehenden Frauen, zu Hülfe. Man schleppte sie in den hinteren Schlosshof, wo sie eben, unter den schändlichsten Misshandlungen, zu Boden sinken wollte, als, von dem Zetergeschrei der Dame herbeigerufen, ein russischer Offizier erschien, und die Hunde, die nach solchem Raub lüstern waren, mit wütenden Hieben zerstreute. Der Marquise schien er ein Engel des Himmels zu sein. Er stieß noch dem letzten viehischen Mordknecht, der ihren schlanken Leib umfasst hielt, mit dem Griff des Degens ins Gesicht, dass er, mit aus dem Mund vorquellendem Blut, zurücktaumelte; bot dann der Dame, unter einer verbindlichen, französischen Anrede den Arm, und führte sie, die von allen solchen Auftritten sprachlos war, in den anderen, von der Flamme noch nicht ergriffenen, Flügel des Palastes, wo sie auch völlig bewusstlos niedersank. Hier – traf er, da bald darauf ihre erschrockenen Frauen erschienen, Anstalten[3], einen Arzt zu rufen; versicherte, indem er sich den Hut aufsetzte, dass sie sich bald erholen würde; und kehrte in den Kampf zurück.

[2] **Rotte:** Menschengruppe, oft abfällig gebraucht

[3] **Anstalten:** Maßnahmen

1 Fassen Sie kurz zusammen, welches Geschehen in dem Textauszug wiedergegeben wird.

2 Analysieren Sie den Textauszug, indem Sie die Erzählsituation darstellen und die Erzählhaltung erläutern. Gehen Sie folgendermaßen vor:
- a) Bestimmen Sie die Erzählperspektive.
- b) Markieren Sie die Textstellen, die Ihnen Hinweise auf die Einstellung der Erzählinstanz gegenüber dem Erzählten geben.
- c) Benennen und erläutern Sie mithilfe Ihrer Markierungen, welche Erzählhaltung vorliegt und woran diese deutlich wird.
- d) Erläutern und deuten Sie I.) die Wortwahl und II.) die Satzgestaltung des Textauszugs in funktionaler Anbindung.
- e) Präsentieren Sie Ihre Ergebnisse im Plenum und klären Sie mögliche Unterschiede in Ihrer Wahrnehmung.

3 Der Textauszug enthält eine Leerstelle (vgl. Z. 25), die andeutet, dass ein Teil des Geschehens nicht erzählt, sondern von der Erzählistanz bewusst ausgelassen wird.
a) Erläutern Sie, welches Ereignis den Leserinnen und Lesern vorenthalten wird. Beziehen Sie dazu den gesamten Text der Novelle ein.
b) Erörtern Sie, welche Wirkungsabsicht Kleist mit dieser Auslassung verfolgt haben könnte. Begründen Sie Ihre Position.

4 Präsentieren Sie Ihre Ergebnisse im Plenum.

5 Setzen Sie sich damit auseinander, welche besondere Funktion die Erzählinstanz in der Novelle „Die Marquise von O…“ hat und wie die Rezipientinnen und Rezipienten durch die Erzählweise in ihrer emotionalen Wahrnehmung gelenkt werden.

E

Die Gesellschaftsordnung um 1800 und ihre Bedrohung durch das Irrationale

Die Gesellschaftsordnung zur Zeit Kleists verstehen

1 a) Rekapitulieren Sie Ihre Ergebnisse aus der Bearbeitung der Texte von Rudolf Vierhaus zur Krise Preußens um 1800 (EB, S. 31 ff.) und von Mechthilde Vahsen und Wilfried Barner/ Gunter E. Grimm (EB, S. 42 f.) zur Rolle der Frauen um 1800.

b) Reflektieren Sie im Unterrichtsgespräch, wie die Menschen um 1800 ihre Zeit erlebt und beurteilt haben könnten.

Gerhard Kaiser

Krise der Familie (Textauszug, 1984)

In der zweiten Hälfte des 18. Jahrhunderts entsteht eine neue Auffassung der Familie. Ich möchte hier offenlassen, wieweit sie eine neue Wirklichkeit abbildet oder vorbildet, und mich auf eine Skizze des Vorstellungswandels beschränken:
Nach älterem Denken ist die Familie die kleinste Zelle der ständischen Gesellschaft, „durch ihre Aufgaben der Zeugung, der Aufzucht und des Wirtschaftens gebunden an die Zielsetzung des Staates. Ein feindliches Gegenüber zwischen häuslichen und staatlichen Wirkbereichen wurde nicht gespürt. [...] Familia heißt im 17. Jahrhundert noch Hausgemeinschaft und umfasst alle, die unter einem Dach wohnen [...] Der Vater ist als pater familias[1] Stellvertreter Gottes und des Fürsten. Seit der zweiten Hälfte des 18. Jahrhunderts setzt sich demgegenüber die Vorstellung der Familie als eine Naturordnung eigenen Rechts durch, die sich aus der Gesellschaft ausgliedert und der Welt draußen gegenüberstellt. „Die Familienverbindung ist die natürlichste, älteste und heiligste unter den Menschen", sagt der Brockhaus von 1834. Sie wird nun als ideale Liebesgemeinschaft von Mann und Frau, Eltern und Kindern verstanden. Ökonomische, berufliche, gesellschaftliche Zwänge werden ihr zumindest der Idee nach äußerlich. In ihr herrschen Gefühle; draußen Normen, Regeln, Interessen. Drinnen ist Wärme und Geborgenheit, draußen findet der Kampf ums Dasein statt. [...]
Als Garant des familiären Freiraums der Liebe und Harmonie ist der Vater Schutzmacht der Familie; als Repräsentant der Gesellschaft, in der die Ansprüche und Dissonanzen des „feindlichen Lebens" in die Familie hineinragen, gerät er in dem Maße unter Sinnlosigkeitsverdacht, wie die Gesellschaft in Sinnkrisen gerät. Er erscheint als Verkörperung von Normen und Anforderungen, die gegenüber der Spontaneität im Intimraum der Familie allemal restriktiv wirken – auch in Bezug auf seine eigene Menschlichkeit. Auf diese Weise wird der familiäre Binnenraum sublim und spannungsreich zugleich.

[1] **pater familias:** (lat.) Familienoberhaupt, Hausherr

Johann G. Krünitz

Der Hausvater (Auszug, Oekonomische Enzyclopädie, 1781)

Der Natur der Sache nach muss aber zuvörderst ein jeder Hausvater hinlänglich Gewalt[1] haben, sein Weib[2] und Kinder zum Fleiß, zur Ordnung und zur Sparsamkeit anzuhalten. Dieses sind die drei Haupteigenschaften eines wohleingerichteten Hauswesens, und ohne dieselben muss der allerfleißigste Hauswirt zugrund gehen. [...]
Hiernächst muss der Hausvater vollkommen Gewalt haben, Tugend und gute Sitten in seinem Hause zu pflanzen und zu erhalten. Es liegt dem Staate an der Güte der Sitten überaus viel, weil das Verderben der Sitten das Verderben des Staates selbst

[1] **Gewalt:** hier im Sinne von Autorität

[2] **Weib:** zeitgenössische Bezeichnung für Frau

E

ausmacht. Dieses ist die innere Fäulnis und der Grund des Verderbens, welcher fast alle europäischen Staaten angesteckt hat; und die ermangelnde hinlängliche Gewalt des Hausvaters ist die Hauptursache dieses Verderbens. Denn wenn der Hausvater hierin nicht hinlängliche Gewalt hat, so ist es gar nicht möglich, die Güte der Sitten aufrechtzuerhalten.
Vielleicht mangelt es den Hausvätern hierin nicht an Gewalt über die Kinder; es fehlt ihnen aber an hinlänglicher Gewalt über ihre Weiber; und das Beispiel der verderbten Sitten der Weiber hat nur allzu viel Einfluss auf die Sitten der Töchter. Wenn eine Frau anfängt, auf Ausschweifungen zu verfallen, so hat ein Mann wenig Mittel, sie abzuhalten, außer mit ihr zu prozessieren.

1 Stellen Sie mithilfe der beiden Textauszüge von G. Kaiser und J. G. Krünitz (S. 64 und 64 f.) dar, wie sich die Rolle des Familienvaters im Laufe des 18. Jahrhunderts verändert hat.

2 Erläutern Sie, was es bedeutet, dass der Vater in der Familie als Verkörperung von „Normen und Anforderungen“ (Kaiser, S. 64, Z. 23) erscheint.

3 a) Verdeutlichen Sie mithilfe des Artikels aus der Enzyklopädie, welche Normen in der Familie um 1800 gelten.
b) Bei dem Artikel aus der Enzyklopädie handelt es sich um ein Zeitdokument aus dem Jahr 1781. Beurteilen Sie, ob die Vaterfigur in der Novelle ihr Handeln nach den im Artikel beschriebenen Normen ausrichtet und somit die gesellschaftlichen Erwartungen an den Hausvater im Jahr 1810 noch fortbestehen. Begründen Sie Ihre Einschätzung.

4 Diskutieren Sie, welches Rollenbild Sie heutzutage mit einem Familienvater verbinden und welche gesellschaftspolitischen Gründe für die Veränderungen im Rollenverständnis zu nennen sind.

Sarah Warsitz

Die Situation um 1800: Die „natürliche Hausfrau“ (Auszug)

Das Leben von Frauen [...] [um 1800] ist von Rechtlosigkeit geprägt. Sie dürfen weder über sich selbst bestimmen noch am politischen Leben teilnehmen. Aus Eigenschaften wie Tugend und Fleiß wird ihnen die Rolle der Hausfrau und Mutter zugeschrieben. [...]

[...] Die Rolle der Frau [...] [um 1800] wird durch ihre angeblich „natürlichen Charaktermerkmale“ bestimmt. Aus Eigenschaften wie Tugend, Sittsamkeit und Fleiß wird den Frauen ihre Rolle als Hausfrau und Mutter zugeschrieben. Da es ihnen angeblich an Objektivität und Urteilsvermögen fehlt, wird Frauen der Status als autonome Menschen verweigert. Ein Vormund, zum Beispiel Vater, Bruder oder Ehemann, bestimmt über ihr Leben.
Dieses Frauenbild führt zu einer klaren Trennung der Geschlechter und der gesellschaftlichen Räume: Das Haus ist der Ort der Frauen, die Öffentlichkeit der Ort der Männer.
Die Ideologie hinter diesem „natürlichen Geschlechtscharakter“ richtet sich vor allem an Frauen aus dem Bürgertum. Für Frauen aus der Arbeiterschicht funktioniert das Konzept der Hausfrau und Mutter nicht. Ihre Erwerbsarbeit ist überlebenswichtig für die Familie. [...]

Johann Georg Edlinger (1741 – 1819): Familienbildnis, um 1800

E

Cornelia Klinger

1800 – eine Epochenschwelle im Geschlechterverhältnis

(Auszug, 2004)

Franz Schrank: „Bildnis einer Familie", um 1810

[...] Seit der Mitte des 18. Jahrhunderts vollzieht sich „ein tiefgreifender Bedeutungswandel klassischer Topoi", in dessen Verlauf „alte Worte neue Sinngehalte" gewinnen. Dazu gehören unter anderen für Geschlechterverhältnis und Geschlechterordnung so relevante alte Worte wie Ökonomie, Familie und Arbeit. [...] Ist das bürgerliche, männliche Subjekt als politisches Subjekt Staatsbürger (citoyen), als Teilnehmer am gesellschaftlichen und ökonomischen Prozess Unternehmer (bourgeois), und in seiner Privatsphäre – und nur hier – homme, d.h. Mensch schlechthin, so ist die bürgerliche Frau auf den häuslichen Bereich beschränkt. In Widerspruch zu allen Regeln von Modernisierung und Ausdifferenzierung bezahlt die Frau ihre ‚Spezialisierung' auf die häusliche Rolle mit dem Ausschluss von allen anderen im Modernisierungsprozess enorm expandierenden und florierenden Bereichen der Gesellschaft. [...] Abweichend von allen modernisierungstheoretischen Spielregeln findet schließlich noch eine Personalisierung oder Personifizierung des Dualismus von Öffentlichkeit und Privatheit statt. Die entgegengesetzten Merkmale der beiden Sphären werden in die „Geschlechtscharaktere" hineinprojiziert. [...] Bei den vorgeblichen Wesensmerkmalen von Weiblichkeit und Männlichkeit handelt es sich um Abziehbilder der beiden [...] komplementären [...] Sphären, die in den beiden Geschlechtern „vereigenschaftet" werden. Bedeutet das die Festlegung des Mannes auf die harten und hässlichen, die eigennützigen und kompetitiven Eigenschaften der modernen politischen und ökonomischen Welt, so färben die positiven Bestimmungen des Privaten, die aus der Distanz und Entlastung von eben diesen Geschäften resultieren, äußerst vorteilhaft auf den weiblichen Geschlechtscharakter ab. Die Festlegung der Frau auf die schönen, guten und humanen Eigenschaften, die in der Privatsphäre ihren Ort haben sollen, lassen sie nun geradezu als Lichtgestalt einer höheren Moral und Humanität, als Ikone der Freiheit des ihr zugeordneten, von allen Rücksichten auf Macht und Geld entlasteten Lebensbereichs erscheinen.

1 Skizzieren das Rollenbild und die gesellschaftlichen Spielräume von Frauen um 1800 auf der Grundlage der Textauszüge von Sarah Warsitz und Cornelia Klinger.

2 Erläutern Sie, welches Rollenbild Heinrich von Kleist seiner Leserschaft in der Figur der Marquise von O... und ihrer Mutter vermittelt.

3 a) Diskutieren Sie, inwiefern das in den Textauszügen dargelegte Frauenbild um 1800 von heutigen Rollenerwartungen abweicht und welche Eigenschaften möglicherweise noch heute in weiblich gelesene Personen ‚hineinprojiziert' werden.

b) Skizzieren Sie die gesellschaftlichen und politischen Rahmenbedingungen, die zum Wandel des Rollenbilds der Frauen beigetragen haben.

E

Die Darstellung der Bedrohung familiärer Ordnungsprinzipien in der Novelle erfassen

1 Beschreiben Sie das Szenenbild aus der Verfilmung der Novelle und stellen Sie dar, wie es auf Sie wirkt.

2 Ordnen Sie die Szene einer Textpassage aus der Novelle zu. Begründen Sie Ihre Zuordnung.

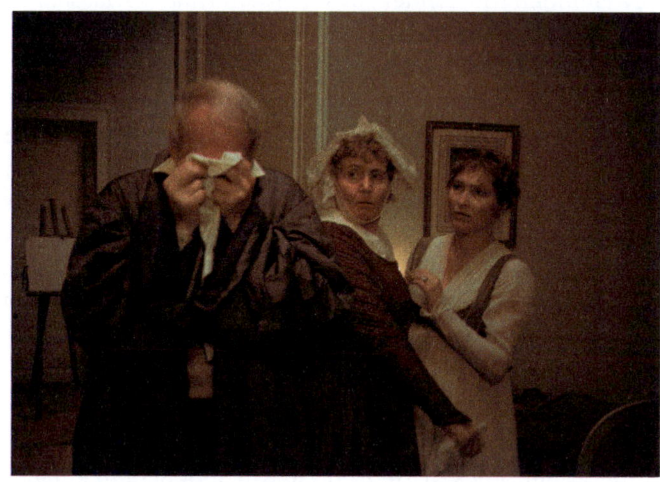

Szenenbild aus der Verfilmung der Novelle von 1976 (Regie: Éric Rohmer): die Marquise mit ihrem Vater und ihrer Mutter

Heinrich von Kleist

Die Marquise von O... (drei Auszüge, 1810)

I Was ist es, das dich beunruhigt? fragte die Mutter. Ist es weiter nichts, als der Ausspruch des Arztes? Weiter nichts, als dein innerliches Gefühl? Nichts weiter, meine Mutter, versetzte die Marquise, und legte ihre Hand auf die Brust. Nichts, Julietta? fuhr die Mutter fort. Besinne dich. Ein Fehltritt, so unsäglich er mich schmerzen würde, er ließe sich, und ich müsste ihn zuletzt verzeihn; doch wenn du, um einem mütterlichen Verweis auszuweichen, ein Märchen von der Umwälzung der Weltordnung ersinnen, und gotteslästerliche Schwüre häufen könntest, um es meinem, dir nur allzu gern gläubigen, Herzen aufzubürden: so wäre das schändlich: ich würde dir niemals wieder gut werden. – Möge das Reich der Erlösung einst so offen vor mir liegen, wie meine Seele vor Ihnen, rief die Marquise. Ich verschwieg Ihnen nichts, meine Mutter. – Diese Äußerung, voll Pathos getan, erschütterte die Mutter.
(Textausgabe: S. 175, Z. 20 – S. 176, Z. 2)

II Die Marquise lag noch, mit unruhig sich hebender Brust, in den Armen ihrer Mutter, als diese Frau erschien, und die Obristin ihr, an welcher seltsamen Vorstellung ihre Tochter krank liege, eröffnete. Die Frau Marquise schwöre, dass sie sich tugendhaft verhalten habe, und gleichwohl halte sie, von einer unbegreiflichen Empfindung getäuscht, für nötig, dass eine sachverständige Frau ihren Zustand untersuche. Die Hebamme, während sie sich von demselben unterrichtete, sprach von jungem Blut und der Arglist der Welt; äußerte, als sie ihr Geschäft vollendet hatte, dergleichen Fälle wären ihr schon vorgekommen; die jungen Witwen, die in ihre Lage kämen, meinten alle auf wüsten Inseln gelebt zu haben; beruhigte inzwischen die Frau Marquise, und versicherte sie, dass sich der muntere Korsar, der zur Nachtzeit gelandet, schon finden würde. Bei diesen Worten fiel die Marquise in Ohnmacht. Die Obristin, die ihr mütterliches Gefühl nicht überwältigen konnte, brachte sie zwar, mit Hülfe der Hebamme, wieder ins Leben zurück. Doch die Entrüstung siegte, da sie erwacht war. Julietta! rief die Mutter mit dem lebhaftesten Schmerz. Willst du dich mir entdecken, willst du den Vater mir nennen? Und schien noch zur Versöhnung geneigt. Doch als die Marquise sagte, dass sie wahnsinnig werden würde, sprach die Mutter, indem sie sich vom Diwan erhob: geh! geh! du bist nichtswürdig! Verflucht sei die Stunde, da ich dich gebar! und verließ das Zimmer. [...]
(Textausgabe: S. 177, Z. 1–25)

III Kaum war die Hebamme aus dem Zimmer, als ihr ein Schreiben von der Mutter gebracht ward, in welchem diese sich so ausließ: „Herr von G… wünsche, unter den obwaltenden Umständen, dass sie sein Haus verlasse. Er sende ihr hierbei die über ihr Vermögen lautenden Papiere, und hoffe dass ihm Gott den Jammer ersparen werde, sie wiederzusehen." – Der Brief war inzwischen von Tränen benetzt; und in einem Winkel stand ein verwischtes Wort: diktiert. – Der Marquise stürzte der Schmerz aus den Augen. Sie ging, heftig über den Irrtum ihrer Eltern weinend, und über die Ungerechtigkeit, zu welcher diese vortrefflichen Menschen verführt wurden, nach den Gemächern ihrer Mutter. Es hieß, sie sei bei ihrem Vater; sie wankte nach den Gemächern ihres Vaters. Sie sank, als sie die Türe verschlossen fand, mit jammernder Stimme, alle Heiligen zu Zeugen ihrer Unschuld anrufend, vor derselben nieder. Sie mochte wohl schon einige Minuten hier gelegen haben, als der Forstmeister daraus hervortrat, und zu ihr mit flammendem Gesicht sagte: sie höre dass der Kommandant sie nicht sehen wolle. Die Marquise rief: mein liebster Bruder! unter vielem Schluchzen; drängte sich ins Zimmer, und rief: mein teuerster Vater!, und streckte die Arme nach ihm aus. Der Kommandant wandte ihr, bei ihrem Anblick, den Rücken zu, und eilte in sein Schlafgemach. Er rief, als sie ihn dahin verfolgte, hinweg! und wollte die Türe zuwerfen; doch da sie, unter Jammern und Flehen, dass er sie schließe, verhinderte, so gab er plötzlich nach und eilte, während die Marquise zu ihm hineintrat, nach der hintern Wand. Sie warf sich ihm, der ihr den Rücken zugekehrt hatte, eben zu Füßen, und umfasste zitternd seine Knie, als ein Pistol, das er ergriffen hatte, in dem Augenblick, da er es von der Wand herabriss, losging, und der Schuss schmetternd in die Decke fuhr. Herr meines Lebens! rief die Marquise, erhob sich leichenblass von ihren Knien, und eilte aus seinen Gemächern wieder hinweg. Man soll sogleich anspannen, sagte sie, indem sie in die Ihrigen trat; setzte sich, matt bis in den Tod, auf einen Sessel nieder, zog ihre Kinder eilfertig an, und ließ die Sachen einpacken. Sie hatte eben ihr Kleinstes zwischen den Knien, und schlug ihm noch ein Tuch um, um nunmehr, da alles zur Abreise bereit war, in den Wagen zu steigen: als der Forstmeister eintrat, und auf Befehl des Kommandanten die Zurücklassung und Überlieferung der Kinder von ihr forderte. Dieser Kinder? fragte sie; und stand auf. Sag deinem unmenschlichen Vater, dass er kommen, und mich niederschießen, nicht aber mir meine Kinder entreißen könne! Und hob, mit dem ganzen Stolz der Unschuld gerüstet, ihre Kinder auf, trug sie, ohne dass der Bruder gewagt hätte, sie anzuhalten, in den Wagen, und fuhr ab.
(Textausgabe, S. 178, Z. 16–S. 179, Z. 30)

1 a) Stellen Sie anhand der drei Textauszüge dar, worin die Störung der gesellschaftlichen und familiären Ordnung besteht und leiten Sie aus den Reaktionen der Figuren die gesellschaftlichen Konsequenzen dieser Störung ab.
b) Benennen und begründen Sie, welche Rolle das Irrationale bei dieser Störung spielt.

2 Gestalten Sie einen ca. fünfminütigen Vortrag, in dem Sie Ihre Ergebnisse begründet darlegen.

3 Präsentieren Sie Ihre Vorträge im Plenum und klären Sie mögliche Unterschiede in Ihren Darstellungen.

4 Diskutieren Sie, ob die Marquise in ihrem Verhalten dem Rollenbild der ‚Tochter aus gutem Hause' entspricht.

Den Umgang der Figuren mit der Bedrohung der Ordnung verstehen

1 ***Lernarrangement***
Bilden Sie Kleingruppen. Verfassen Sie zu einer der unten aufgeführten Figuren aus der Novelle „Die Marquise von O..." einen inneren Monolog, der deutlich macht, wie die Figur denkt, fühlt und handelt und wie sie die „Bedrohung der Ordnung" durch die plötzliche Schwangerschaft der Marquise wahrnimmt. Teilen Sie die Gruppen so ein, dass zu jeder Figur mindestens ein innerer Monolog verfasst wird.

Gruppe A: Die Marquise von O...

a) Bearbeiten Sie die folgenden Aufgaben in Einzelarbeit und halten Sie Ihre Ergebnisse stichwortartig fest:
   - Beschreiben Sie das Verhalten und die Gefühle der Marquise, als sie bemerkt, dass die Eltern ihr keinen Glauben schenken (Textausgabe: S. 178, Z. 16 – S. 179, Z. 30, vgl. EB, S. 68, Textauszug III).
   - Legen Sie dar, inwiefern die Umstände, in denen sich die Marquise befindet, aus ihrer Sicht die bisherige familiäre Ordnung bedroht. Belegen Sie Ihre Einschätzung anhand weiterer Textstellen.
   - Deuten Sie, welche Motive die Marquise schließlich dazu bewegen, mit ihren Kindern das Haus zu verlassen.

b) Stellen Sie sich Ihre Arbeitsergebnisse gegenseitig vor und diskutieren Sie mögliche Abweichungen.

c) Bereiten Sie in Einzelarbeit einen inneren Monolog (Gedankenrede) der Marquise von O... vor, der an die Handlungssequenz anschließt, in der sie das Elternhaus verlässt (Textausgabe: S. 179, Z. 30).

d) Stellen Sie sich gegenseitig Ihre inneren Monologe vor und wählen Sie den überzeugendsten Entwurf zur Vorstellung im Plenum aus.

Szenenbild aus der Verfilmung der Novelle von 1976 (Regie: Éric Rohmer): Julietta, die Marquise von O...

Gruppe B: Der Obrist

a) Bearbeiten Sie die folgenden Aufgaben in Einzelarbeit und halten Sie Ihre Ergebnisse stichwortartig fest:
   - Beschreiben Sie das Verhalten des Obristen gegenüber der Marquise, nachdem diese ihren Eltern den Namen des Kindsvaters nicht nennt. (Textausgabe: S. 178, Z. 16 – S. 179, Z. 30, vgl. EB, S. S. 68, Textauszug III).
   - Legen Sie dar, inwiefern die Umstände, in denen sich die Marquise befindet, die familiäre Ordnung aus der Sicht des Obristen in seiner Rolle als Familienvater bedrohen. Belegen Sie Ihre Einschätzung anhand weiterer Textstellen.
   - Deuten Sie, welche Gefühle und Motive den Obristen dazu bewegen, nach der Pistole zu greifen.

b) Stellen Sie sich Ihre Arbeitsergebnisse gegenseitig vor und diskutieren Sie mögliche Abweichungen.

c) Bereiten Sie in Einzelarbeit einen inneren Monolog (Gedankenrede) des Obristen vor, der an die Handlungssequenz anschließt, in der die Marquise das Elternhaus verlässt (Textausgabe: S. 179, Z. 30).

d) Stellen Sie sich gegenseitig Ihre inneren Monologe vor und wählen Sie den überzeugendsten Entwurf zur Vorstellung im Plenum aus.

Szenenbild aus der Verfilmung der Novelle von 1976 (Regie Éric Rohmer): der Obrist, Vater der Marquise

Gruppe C: Die Obristin

Szenenbild aus der Verfilmung der Novelle von 1976 (Regie Éric Rohmer): die Obristin, Mutter der Marquise

a) Bearbeiten Sie die folgenden Aufgaben in Einzelarbeit und halten Sie Ihre Ergebnisse stichwortartig fest:
   - Beschreiben Sie das Verhalten der Obristin gegenüber der Marquise, als diese sie bittet, eine Hebamme zu rufen und diese schließlich die Schwangerschaft feststellt (Textausgabe: S. 175, Z. 20 – S. 177, Z. 25, vgl. EB, S. 67, Textauszug I/II).
   - Legen Sie dar, inwiefern die Umstände, in denen sich die Marquise befindet, die familiäre Ordnung aus der Sicht der Obristin in ihrer Rolle als Mutter der Familie bedrohen. Belegen Sie Ihre Einschätzung anhand weiterer Textstellen.
   - Deuten Sie, welche Gefühle und Motive die Obristin dazu bewegen, sich von ihrer Tochter loszusagen.

b) Stellen Sie sich Ihre Arbeitsergebnisse gegenseitig vor und diskutieren Sie mögliche Abweichungen.

c) Bereiten Sie in Einzelarbeit einen inneren Monolog (Gedankenrede) der Obristin vor, der an die Handlungssequenz anschließt, in der die Mutter die Geburt ihrer Tochter verflucht, weil diese ihr den Namen des Kindsvaters nicht nennt (Textausgabe: S. 177, Z. 25).

d) Stellen Sie sich gegenseitig Ihre inneren Monologe vor und wählen Sie den überzeugendsten Entwurf zur Vorstellung im Plenum aus.

Gruppe D: Der Graf von F.

Szenenbild aus der Verfilmung der Novelle von 1976 (Regie Éric Rohmer): der Graf von F. mit der Marquise

a) Bearbeiten Sie die folgenden Aufgaben in Einzelarbeit und halten Sie Ihre Ergebnisse stichwortartig fest:
   - Beschreiben Sie das Verhalten des Grafen beim Heiratsantrag an die Marquise und während der Trauung (Textausgabe: S. 197, Z. 31 – S. 200, Z. 27).
   - Legen Sie dar, inwiefern der Graf für die Bedrohung der familiären Ordnung in der Familie der Marquise verantwortlich ist.
   - Deuten Sie, welche Gefühle und Motive den Grafen dazu bewegen, die Marquise trotz ihrer Ablehnung zu heiraten, sich ihr aber anschließend nicht weiter zu nähern.

b) Stellen Sie sich Ihre Arbeitsergebnisse gegenseitig vor und diskutieren Sie mögliche Abweichungen.

c) Bereiten Sie in Einzelarbeit einen inneren Monolog (Gedankenrede) des Grafen vor, der an die Handlungssequenz anschließt, in der er die Marquise heiratet (TA: S. 200, Z. 27).

d) Stellen Sie sich gegenseitig Ihre inneren Monologe vor und wählen Sie den überzeugendsten Entwurf zur Vorstellung im Plenum aus.

2 a) Präsentieren Sie Ihre inneren Monologe im Plenum und diskutieren Sie, inwiefern diese die Gefühle und Motive der Figuren treffend wiedergeben.

b) Erklären Sie mithilfe von Textbeispielen, warum die Handlungsmotive der Figuren anhand des Erzähltextes nicht immer eindeutig zu bestimmen sind.

3 a) Beurteilen Sie den Umgang der Figuren mit der bedrohten Ordnung kritisch.

b) Diskutieren Sie, ob die Novelle die gesellschaftliche Ordnung kritisch in den Blick nimmt.

E

Das Ende der Novelle diskutieren: Ende gut, alles gut?

Das Ende der Novelle wurde und wird kontrovers diskutiert. Folgende Fragen haben etwa zu unterschiedlichen Interpetationsergebnissen geführt: Ist die Versöhnung zwischen der Marquise und dem Grafen glaubwürdig? Gelingt es den Figuren, die gesellschaftlich vorgesehene Ordnung wiederherzustellen? Ist die plötzliche Wendung am Schluss vielleicht satirisch gemeint?

Heinrich von Kleist

Die Marquise von O... (Auszug, 1810)

Die Gräfin, die, mit Teppichen bedeckt, auf dem Wochenbette saß, sah ihn nur auf einen Augenblick, da er unter die Tür trat, und sie von Weitem ehrfurchtsvoll grüßte. Er warf unter den Geschenken, womit die Gäste den Neugebornen bewillkommten, zwei Papiere auf die Wiege desselben, deren eines, wie sich nach seiner Entfernung auswies, eine Schenkung von 20000 Rubel an den Knaben, und das andere ein Testament war, in dem er die Mutter, falls er stürbe, zur Erbin seines ganzen Vermögens einsetzte. Von diesem Tage an ward er, auf Veranstaltung[1] der Frau von G..., öfter eingeladen; das Haus stand seinem Eintritt offen, es verging bald kein Abend, da er sich nicht darin gezeigt hätte. Er fing, da sein Gefühl ihm sagte, dass ihm von allen Seiten, um der gebrechlichen Einrichtung der Welt willen, verziehen sei, seine Bewerbung um die Gräfin, seine Gemahlin, von Neuem an, erhielt, nach Verlauf eines Jahres, ein zweites Jawort von ihr, und auch eine zweite Hochzeit ward gefeiert, froher, als die erste, nach deren Abschluss die ganze Familie nach V... hinauszog. Eine ganze Reihe von jungen Russen folgte jetzt noch dem ersten; und da der Graf, in einer glücklichen Stunde, seine Frau einst fragte, warum sie, an jenem fürchterlichen Dritten, da sie auf jeden Lasterhaften gefasst schien, vor ihm, gleich einem Teufel, geflohen wäre, antwortete sie, indem sie ihm um den Hals fiel: Er würde ihr damals nicht wie ein Teufel erschienen sein, wenn er ihr nicht, bei seiner ersten Erscheinung, wie ein Engel vorgekommen wäre.

Szenenbild aus der Verfilmung der Novelle von 1976 (Regie Éric Rohmer): die Versöhnung zwischen der Marquise und dem Grafen von F.

[1] **Veranstaltung**: Veranlassung

1 Tauschen Sie sich im Plenum darüber aus, ob und warum Sie das Ende der Novelle überrascht hat oder ob der Schluss Ihrer Meinung nach voraussehbar war.

2 Entwickeln Sie eine Deutungshypothese zu der Frage, warum die Marquise dem Grafen am Ende der Erzählung verzeiht.

3 Analysieren und interpretieren Sie die Textstelle unter Berücksichtigung der sprachlichen und erzählerischen Mittel. Beziehen Sie folgendes Zitat von Heinrich von Kleist in Ihre Deutung ein: „Was heißt das auch, etwas Böses tun, der Wirkung nach? Was ist *böse*? *Absolut böse?* Tausendfältig verknüpft und verschlungen sind die Dinge der Welt, jede Handlung ist die Mutter von Millionen andern, und oft die schlechteste erzeugt die besten – Sage mir, wer auf dieser Erde hat schon etwas *Böses* getan? Etwas, das böse wäre in *alle Ewigkeit fort* – ?“ (aus: Heinrich von Kleist: Brief an Wilhelmine von Zenge, 15. August 1801)

4 Stellen Sie sich Ihre Textanalysen gegenseitig vor und beurteilen Sie sie nach Form und Inhalt.

E

Die sprachliche und narrative Gestaltung der Novelle

Den besonderen Stil Kleists erfassen

Bei dem folgenden Textauszug aus der Novelle handelt es sich um *einen einzigen* Satz:

Heinrich von Kleist

Die Marquise von O... (Auszug, 1810)

Der Graf setzte sich, indem er die Hand der Dame fahren ließ, nieder, und sagte, dass er, durch die Umstände gezwungen, sich sehr kurz fassen müsse; dass er, tödlich durch die Brust geschossen, nach P... gebracht worden wäre; dass er mehrere Monate daselbst an seinem Leben verzweifelt hätte; dass während dessen die Frau Marquise sein einziger Gedanke gewesen wäre; dass er die Lust und den Schmerz nicht beschreiben könnte, die sich in dieser Vorstellung umarmt hätten; dass er endlich, nach seiner Wiederherstellung, wieder zur Armee gegangen wäre; dass er daselbst die lebhafteste Unruhe empfunden hätte; dass er mehrere Male die Feder ergriffen, um in einem Briefe, an den Herrn Obristen und die Frau Marquise, seinem Herzen Luft zu machen; dass er plötzlich mit Depeschen[1] nach Neapel geschickt worden wäre; dass er nicht wisse, ob er nicht von dort weiter nach Konstantinopel werde abgeordert werden; dass er vielleicht gar nach St. Petersburg werde gehen müssen; dass ihm inzwischen unmöglich wäre, länger zu leben, ohne über eine notwendige Forderung seiner Seele ins Reine zu sein; dass er dem Drang bei seiner Durchreise durch M..., einige Schritte zu diesem Zweck zu tun, nicht habe widerstehen können; kurz, dass er den Wunsch hege, mit der Hand der Frau Marquise beglückt zu werden, und dass er auf das ehrfurchtsvollste, inständigste und dringendste bitte, sich ihm hierüber gütig zu erklären.

[1] **Depesche:** Eilnachricht

1 Fassen Sie das Thema des Satzes in eigenen Worten zusammen.

2 a) Analysieren Sie die syntaktische Struktur des Satzes unter folgenden Aspekten:
- parataktischer/hypotaktischer Satzbau
- Art(en) der Nebensätze
- Prädikatsklammern
- Einschübe
- Interpunktion

b) Erläutern Sie Besonderheiten in der Wortwahl.

c) Bestimmen Sie die gewählte Form der Redewiedergabe.

3 Deuten Sie die mögliche Wirkungsabsicht der sprachlichen Gestaltung.

Günter Blamberger

Rede zur Eröffnung der Kleist-Ausstellung im Kleist-Museum in Frankfurt (a. d. Oder) (Auszug, 22.05.2011)

Kleist hätte Formel-l-Rennen geliebt. Er versteht es, von Null auf Hundert in zwei Sätzen zu beschleunigen. Es geht nicht geradeaus, sondern in Kurven. Im dichten Lärm der auf ihn eindringenden Informationen wird der Leser von der Katastrophe überrascht [...]. Er hat keine Distanz mehr zum Erzählgeschehen, er ist dank Kleists Sprachsog mitten darin. Es ist nicht nur die irritierende Zweideutigkeit, Vexatorik[1] seiner Bilder, es ist vor allem auch der grenzenlose Bildersturm, die Dynamik und Gewalt der Kleist'schen Sprache, der hypotaktisch verschachtelten, komplex gegliederten, oft ganze Seiten langen Sätze, die dem Leser Hören und Sehen vergehen lassen.

[1] **Vexatorik:** Irreführung durch Sprache

E

Andrea Köhler

Skandalös, mitreißend und atemberaubend modern (Auszug, 2011)

Dass man Kleist so viel Haarsträubendes durchgehen lässt, liegt wiederum nicht zuletzt an der Lichtgeschwindigkeit seiner Sätze, an den Volten seines hypotaktischen Satzbaus, in dessen Verlauf die Erde sich so rasend um ihre Achse dreht, dass sie die Schallmauer jeder Moral und Ordnung durchbricht. Ebendies war es, was Goethe Kleists „Contorsion"[1] nannte, seine „Verwirrung des Gefühls", die sich auf eine Welt erstreckt, in der es kein Oben und Unten, kein Gut und Böse, kein Träumen und Wachen – sprich: keinen Antagonismus – mehr gibt. Diese Ambivalenz, die sich auf die Konfusion der Geschlechterrollen ebenso bezieht wie auf Ununterscheidbarkeit von Wahrheit und Lüge, war das radikal Moderne an Kleist, das ihn für Goethe zu einem „bedeutenden, aber unerfreulichen Meteor eines neuen Literaturhimmels" machte. Nur, dass dieser shooting star heute als unauslöschlicher Stern im ewigen Kosmos der Dichtung erstrahlt.

[1] **Contorsion:** Akrobatik

1 Fassen Sie die Thesen von Günter Blamberger und Andrea Köhler über die Sprache Kleists und ihre Wirkung auf die Leser/-innen zusammen.

2 Erläutern Sie, wie die sprachliche Gestaltung der Novelle auf Sie wirkt.

3 Diskutieren Sie, welche der beiden Thesen Sie mehr überzeugt.

Die narrative Gestaltung der Novelle analysieren

Klaus Müller-Salget

Heinrich von Kleist (Auszug, 2011)

Die Erzählung [„Die Marquise von O..."] bezieht einen Großteil ihrer Wirkung aus der höchst differenzierten Handhabung der Erzähldistanz, aus dem Wechsel von Außensicht und Innensicht. Wie der Erzähler, der sonst sehr wohl über die Empfindungen der Marquise Bescheid weiß, uns ihre Gefühle bezüglich des Grafen allenfalls erraten lässt, so sagt er auch kein Wort über ihre Gefühle in der oft als skandalös empfunden Versöhnungsszene mit dem Vater.

1 Erläutern Sie, was der Verfasser über die „Rolle des Erzählers" in der Novelle „Die Marquise von O..." aussagt.

2 ***Lernarrangement***
Bilden Sie fünf Gruppen.

a) Analysieren Sie exemplarisch eine der folgenden Textstellen aus der Novelle in Bezug auf die Erzählweise (Erzähler, Erzählerstandort, Erzählhaltung, Zeitstruktur, Darbietungsform):
Gruppe 1: S. 153, Z. 1 – 32
Gruppe 2: S. 158, Z. 1 – 25
Gruppe 3: S. 175, Z. 2 – S. 176, Z. 24
Gruppe 4: S. 183 Z. 8 – S. 184, Z. 11
Gruppe 5: S. 194, Z. 29 – S. 196, Z. 2
b) Präsentieren Sie Ihre Ergebnisse im Plenum.
c) Beurteilen Sie auf der Grundlage Ihrer Analyseergebnisse, ob die Aussage Klaus Müller-Salgets zutrifft, dass der häufige „Wechsel von Außensicht und Innensicht" (Z. 2) ein für die Novelle typisches Erzählelement darstellt und damit eine besondere Wirkung auf die Leser/-innen ausübt.

E

Die Marquise von O... in der Kritik

Über die Rezeptionsgeschichte zu einer erweiterten Deutung gelangen

Am 04.03.1808 veröffentlichte die Zeitschrift „Der Freimüthige" eine anonyme Rezension der soeben erschienenen Erzählung. Sie stammt von Karl August Böttinger und steht exemplarisch für die verbreiteten negativen Reaktionen auf die als skandalös empfundene Erzählung.

Karl August Böttinger

Rezension zur Erzählung „Die Marquise von O..." (Auszug, 1808)

Die erwähnte Erzählung nun [...] führt die Überschrift: Die Marquise von O... Nur die Fabel derselben angeben heißt schon, sie aus den gesitteten Zirkeln verbannen. Die Marquise ist schwanger geworden und weiß nicht, wie und von wem. Ist dies ein Sujet, das in einem Journale für die Kunst[1] eine Stelle verdient? Und welche Details erfordert es, die keuschen Ohren durchaus widrig klingen müssen. Doch [...] wollten wir mit ihm deshalb nicht rechten, wenn jene Erzählung nur an und für sich unterhaltend oder in einem vorzüglichen Stile geschrieben wäre. Beides vermissen wir jedoch ganz. Schon nach den ersten Seiten errät man den Schluss des Ganzen und die Menschen darin benehmen sich alle so inkonsequent, albern, selbst moralisch unmoralisch, dass für keinen Charakter irgendein Interesse gewonnen werden kann. [...] Was jedoch den Stil betrifft, so ist dieser zu undeutsch, steif, verschroben und wieder zu gemein, um nicht unwillig darüber einige Proben zu geben. Welcher Teutsche sagt, wie hier: Auf Knieen jemand bitten, -herabschluchzen – ob ihm die heftige Erschütterung nicht doch, in welche sie ihn versetzt hatte, gefährlich sein könne – [...] Doch genug; nur noch ein paar vortreffliche Stellen. Seite 27 wird von dem alten Kommandanten, einem tapfern Krieger und beinahe zu hartem Manne, welcher ein seiner Tochter angetanes Unrecht in ihrer Gegenwart bereuet, gesagt: „er beugte sich ganz krumm, und heulte, daß die Wände erschallten; – er gebährdete sich ganz konvulsivisch –" Das Benehmen der Mutter an dieser Stelle ist besonders zart. [...] Darf so etwas in einer Zeitschrift vorkommen, die sich Goethes besondern Schutzes, ankündigungsgemäß, zu erfreuen hat, so muss entweder der Herausgeber mit uns scherzen wollen oder dieser – oder Goethe – Brechen wir ab.

[1] **Journale für Kunst:** Gemeint ist die Zeitschrift „Phöbus". Phöbus ist der Beiname des griechischen Gottes Apollon; er bedeutet der Strahlende (Apollon als Gott des Lichtes). Die Zeitschrift wurde von Heinrich von Kleist und Adam Heinrich Müller herausgegeben und hatte den Untertitel „Journal für die Kunst".

1 a) Erläutern Sie die Kritik Karl August Böttingers an der Erzählung „die Marquise von O....
b) Nehmen Sie kritisch zu dessen Ausführungen Stellung.

Adam Heinrich Müller (1779–1829): Philosoph, Diplomat, Ökonom und Staatstheoretiker, Mitherausgeber der Zeitschrift „Phöbus"

Adam Heinrich Müller

Brief an Friedrich von Gentz (Dresden, 14. März 1808)

Flach finden Sie diese Marquise von O...? Und ich könnte lange nach Worten suchen, um dieses ganz unbegreifliche, an viel weniger vortrefflichen Lesern noch unbegreifliche Urteil zu bezeichnen. Womit hat der Phöbus solche arge Misshandlungen gerade von Ihnen verdient? Denn Kleisten kann es wohl nicht weiter affizieren[1], da Stil und Leben dieses Dichters, und sein unerbittlicher Mut, und seine vielleicht noch allzu schroffe Erhabenheit keinem Blinden noch Geblendeten ver-

[1] **affizieren:** erregen oder reizen

borgen bleiben können. Finden Sie vielleicht auch Reminiszenzen[2] von Iffland in dieser Novelle, wie es einigen Dresdener Beurteilern begegnet ist? – Also vermöchte die moralische Hoheit dieser Geschichte nichts über Sie, der Sie doch auch das Leben von keiner flachen Seite kennengelernt, und durch die Apostasie[3] vom Buchstaben der Moral hindurchgedrungen sind zur Erkenntnis der himmlischen Mächte, welche nur durch ein gewaltiges, vom Vaterhause forttreibendes Schicksal, oder durch Schuld und Verbrechen entbunden werden? – Und Sie, leicht beweglicher Freund, hätten der Tränen nicht nur sich enthalten, sondern wären überhaupt kalt geblieben da, wo die Marquisin sich mit den Kindern in den Wagen wirft? – Aber nicht bloß wegen moralischer, noch so erhabener Richtung dieser Geschichte, nicht bloß wegen Herzensergreifung und königlicher (im Gegensatz der gemeinen natürlichen und pöbelhaften) Wahrheit – sondern wegen der unvergleichlichen Kunst in der Darstellung habe ich darauf gedrungen, dass schon das zweite Heft damit geschmückt, und meine kleinen Arbeiten durch seine Gesellschaft erhoben werden sollen. Kleine Arbeiten, denn mein Gemüt ist Großem, und auch den künftigen viel größeren Arbeiten Kleists gewachsen, aber sagen kann ich es nicht. An Mut der Gedanken und an Umsicht des Geistes weiche ich nicht, aber an Mut der Stimme und der Worte, an Resignation des Lebens und bildender Kraft erkenne ich ihn für meinen Meister.

Überrascht werden Sie nicht in dieser Novelle: auf der zweiten und dritten Seite wissen Sie das irdische Geheimnis, damit im Verfolge[4] die klare Betrachtung der Entschleierung des göttlichen Geheimnisses nirgends gestört werde. Im gewöhnlichen Leben schürzen und lösen sich die Knoten der Schicksale von einem Tage zum andern, und in leisem Wechsel von Verwicklung und Entwicklung wird die leidende Seele groß und gut. Der gemeine Romandichter knäuelt und ballt die Schicksale in einen einzigen derben Knoten zusammen, den er nachher platzen lässt oder zerhaut. Kleist lässt die Heldin in einen solchen großen Knoten verwickelt werden, und sie ihn selbst mit natürlicher, herzlicher Kraft wieder auflösen; aber den Leser führt er, sanft, wie ein recht schönes Leben, aus leiser Spannung in leise Befriedigung, und so fort: es geschieht ohne alle einzwängende Qual, und wenn die Seele am Schlusse eines gemeinen Romans mit einem Glückseklat, mit einer brillanten Schlussdekoration belohnt wird, aus der sie immer wieder schmerzlich in das stille Helldunkel des gewöhnlichen Lebens und in den ruhigen Takt desselben zurückfallen muss, so bleibt hier für die ganze Dauer des Herzens, welches sie empfindet, eine harmonische und jeder anderweitigen Empfindung angemessene, freundschaftliche Schwingung zurück.

Das ist eines von vielem, welches ich Ihnen über diesen herrlichen Gegenstand zu sagen habe. – Was die Zeitgenossen darüber denken, ist gleichgültig! Alles recht Göttliche muss wohl dreißig und mehrere Jahre in irdischer Umgebung so forttreiben, ehe es auch nur vom Zweiten erkannt wird; dies lehrt die Weltgeschichte, die Bibel, und wird auch das Schicksal der Werke lehren, welche der Phöbus verbreitet. Vielleicht sind sie etwas zu frühzeitig, und das wäre ihr einziger, schöner Vorwurf; aber auch dieser hält nicht Stich, weil sich unter unsern Freunden schon der Zweite, der Dritte, der Vierte ihnen mit Bewunderung angeschlossen hat.

[2] **Reminiszenzen:** Erinnerungen, Anklänge

[3] **Apostasie:** Abfall vom Glauben

[4] **Verfolge:** Verlauf

1 Erläutern Sie, woran der Verfasser des Briefes die besondere Qualität von Kleists Erzählung festmacht.

2 Prüfen Sie, inwiefern Sie sich seinem Urteil anschließen können.

Christian Wagenknecht

Nachwort zur „Marquise von O…“ (Auszug, 2004)

Heute, fast zwei Jahrhunderte später, nimmt sich das Unverständnis, auf das Kleist zu seinen Lebzeiten stieß, halb traurig und halb lächerlich aus. Klüger als die Mitwelt ist in solchen Dingen die Nachwelt allemal. Eben darum aber wird man der Kritik jener Zeitgenossen auch ihr geschichtliches Recht lassen – und zugestehen müssen, dass Kleist ihr die Anerkennung seines Werkes nach Kräften erschwert hat. Und zwar nicht nur mit diesem Werk selber; auch mit seinem sprunghaft wechselnden Leben und mit seinem heute legendären, damals skandalösen Tod.

1 Nehmen Sie Stellung zur Einschätzung Christian Wagenknechts. Beziehen Sie dabei sowohl Ihre Kenntnisse zu Kleists Leben als auch die beiden zeitgenössischen Rezensionen ein.

Sich mit Rezensionen moderner Bühnenadaptionen auseinandersetzen

Die Novelle „Die Marquise von O…“ eignet sich wegen ihrer inhaltlichen und formalen Nähe zum Drama gut für Theate76daptionen. Nicht zuletzt, weil „Die Marquise von O…“ eine häufig gelesene Schullektüre ist, wird der Stoff immer wieder auf deutschen Bühnen aufgeführt. Die Rezension von Anke Dürr bezieht sich auf eine Aufführung von Frank Castorf auf der deutschen Volksbühne in Berlin im Jahr 2012.

Anke Dürr

Und plötzlich war sie schwanger (Spiegel.de, Auszug, 2012)

Die Fachwelt war entsetzt, und man kann es ihr nicht verdenken: Als Heinrich von Kleist 1808 seine Novelle „Die Marquise von O.“ veröffentlichte, muss er gewusst haben, wie skandalträchtig diese Geschichte ist. Selbst gut 200 Jahre und mehrere sexuelle Revolutionen später, weiß man zunächst nicht, was man davon halten soll: Die verwitwete Marquise von O. wird bei der Eroberung ihrer Heimatstadt von mehreren russischen Soldaten überfallen, ein russischer Offizier rettet sie gerade noch rechtzeitig, und sie fällt in Ohnmacht.

Als sie Wochen später feststellt, dass sie schwanger ist, wird sie angesichts des Skandals von ihrer Familie verstoßen und entschließt sich, den Kindsvater per Zeitungsanzeige zu suchen, um ihn zu heiraten und so die Fassade bürgerlichen Anstands wieder zu errichten. Es stellt sich heraus, dass ausgerechnet ihr Retter, der edle russische Offizier, sie während ihrer Ohnmacht vergewaltigt hat. Nach einer langen, komplizierten Phase der Annäherung werden die beiden am Ende doch noch ein Paar.

Natürlich lässt sich mit dieser Geschichte viel über bürgerliche (Doppel-)Moral und weibliches wie männliches Selbstverständnis aussagen; das ist es wohl auch, was den Berliner Volksbühnenchef und Regisseur Frank Castorf an der Novelle interessiert, die er jetzt auf die Bühne bringt. […]

Kathrin Angerer, seit 1993 immer wieder eine seiner gefeierten Protagonistinnen, spielt die Titelrolle. „Ich hab das gelesen und dachte zuerst hm, jaa, okay. Es ist merkwürdig, subtil, dramatisch“, sagt Angerer mit ihrer leicht berlinernden Intonation, die immer ein klein wenig schnoddrig wirkt. „Also bis zur Auflösung zieht es sich.“ Nach mehrmaligem Lesen habe sie erst gemerkt, „wie absurd und auch komisch diese abstruse Geschichte ist.“

Dass Kleist bis zum Happy End so viele Schleifen eingebaut hat, gibt dem Leser Zeit, dem Autor und der Protagonistin auf ihrem Schlingerweg zwischen den Extremen zu folgen: Der Offizier erscheint zuerst als „Engel“, dann, als klar wird, dass er der

Die Marquise von O... und ihr Vater in einer Aufführung an der Berliner Volksbühne, 2012, Regie: Frank Castorf

Täter war, als „Teufel", und aus dieser Position muss er sich wieder zurück in den Status eines würdigen Ehemanns kämpfen.
Marc Hosemann spielt diesen Offizier; Sylvester Groth und Ilse Ritter, die beide erstmals unter Castorfs Regie auftreten, sind die strengen, hartherzigen Eltern der Marquise, die die schwangere Tochter verstoßen. „Die Reaktion der Marquise auf diesen Moment hat etwas sehr Modernes, Emanzipatorisches", sagt Angerer. „Kleist beschreibt es so, dass die Frau dadurch ‚mit sich selbst bekanntgemacht' wird und sich ‚wie an ihrer eigenen Hand' aus ihrem Schicksal heraushebt." Ihr Selbstbewusstsein wachse, „in dem Moment, wo sie allein ist, ist sie viel klarer als in der bürgerlichen Kleinfamilie, wo sie von ihrem eifersüchtigen Vater fremdbestimmt wird."

1 Erläutern Sie, worauf es dem Regisseur Frank Castorf nach Meinung der Rezensentin bei der Dramatisierung der Novelle 2012 besonders ankam und worin er die Aktualität des Stoffs gesehen hat.

2 Die Hauptdarstellerin Kathrin Angerer hat sich nach eigener Aussage mit dem Text anfangs schwergetan. Schildern Sie, welche Schwierigkeiten sie hatte und stellen Sie dar, was dazu geführt hat, dass sie der Stoff schließlich überzeugt hat.

3 Setzen Sie sich mit der Aussage Angerers auseinander, dass die „Reaktion der Marquise […] etwas sehr Modernes, Emanzipatorisches" (Z. 32 f.) habe.

E

Elisabeth Maier

Zita Gustav Wende inszeniert den Klassiker aus der Perspektive der Kinder Kleists „Marquise von O....“ in Stuttgart

(Esslinger Zeitung, 27.10.2019)

Mit starkem Körpertheater und feinem Gespür für Heinrich von Kleists zerklüftete Sprache setzt Zita Gustav Wende die Novelle „Die Marquise von O....“ in Szene.

Stuttgart – Dass ihre Mutter vergewaltigt worden ist, hat das Leben der Kinder zerstört. In der schmuddeligen Wohnung der Geschwister bröckelt der Putz. Auf die Reste der Tapeten sind grüne Heißluftballons gedruckt. Regisseurin Zita Gustav Wende wechselt in ihrer Fassung von Heinrich von Kleists Novelle „Die Marquise von O....“ die Perspektive. Da blicken die Kinder auf das Leben der Witwe zurück, die ihren Vergewaltiger heiraten musste, um nicht von der Gesellschaft verstoßen zu werden.

Mit klugem Gespür für die Sprünge in der Seele der Halbwüchsigen übersetzt Wende in ihrer Bachelorarbeit an der Akademie für Darstellende Kunst Baden-Württemberg Heinrich von Kleists zerbrochene, schroffe und doch so poetische Sprache in starke Theaterbilder. Katharina Grof, die an der Akademie für Bildende Künste in Stuttgart Bühnenbild und Kostüm studiert, hat für die Arbeit im Schauspiel Nord des Staatstheaters einen Bühnenraum geschaffen, der Bewegungsräume öffnet. Übervoll ist der Boden mit Sand. Damit versuchen die Kinder, ihre schrecklichen Erinnerungen wegzufegen, einfach zu vergessen. Doch die Wahrheit kommt immer wieder ans Licht. So wie die kunterbunte Micky-Maus-Figur, die den Geschwistern eine glückliche Kindheit vorgaukeln sollte.

Mit starkem Körpertheater füllen Regisseurin Wende und die drei Schauspieler die Leerstellen, die in Kleists Sprache immer wieder schmerzlich klaffen. Der Dichter, der Zeit seines Lebens an den gesellschaftlichen Bedingungen verzweifelte und der schließlich den Suizid wählte, spricht in der Novelle „Die Marquise von O....“ die Verzweiflung der vergewaltigten Frau nicht offen aus. Doch in der brüchigen Sprache öffnen sich tiefe Wunden.

Fotografie einer Aufführung nach Heinrich von Kleists „Die Marquise von O...“ am Staatstheater Stuttgart 2019 mit Lena Stamm als Tochter der Marquise (Regie: Zita Gustav Wende)

Wie eine Maschine bewegt sich die Schauspielerin Noelle Haeseling, als sie mit ihrem Bruder spricht. Die Bewegungen korrespondieren nicht mehr mit den Worten. Das Leben der jungen Frau ist aus den Fugen geraten. Krampfhaft sucht das junge Mädchen nach einer Routine, die sie im täglichen Tuba-Spiel findet. Mit einem Tuch schrubbt sie den kalten, metallenen Klangkörper des Instruments. Großartig zeigt die Schauspielerin, wie sich ein junger Mensch in Ersatzhandlungen flüchtet. Als ihr Bruder flüchtet sich Joseph Cyril Stoisits in seine Verklemmungen. Angstvoll kauert er an der Wand. Der Versuch, sich aus der quälenden Routine zu befreien, scheitert am schrecklichen Zustand der Lähmung, die der Schauspieler berührend zeigt.

Aus der Zeit gefallen

In diese verkrampfte Zwangsgemeinschaft im ehemaligen Elternhaus der jungen Menschen platzt die große Schwester. Mit ihrem mitreißenden Temperament bringt Lena Stamm die morbide Gemeinschaft der Geschwister nicht nur durcheinander. Um dem Mief zu entfliehen, holt sie Knabberzeug und Orangensaft „aus der Tanke“. Im rosaroten Negligée, das aus der Zeit gefallen zu sein scheint, tastet sich die Schauspielerin sensibel an die Familiengeschichte heran, in der Hass und Gewalt unter gesellschaftlichen Normen verschüttet sind.
Nicht nur bei der Arbeit mit den drei experimentierfreudigen Schauspielern, die sich immer wieder an eigene Grenzen peitschen, beweist Zita Gustav Wende ihr faszinierendes Gespür für packende Theaterbilder. In dem verlassenen Kinderzimmer gelingt der jungen Regisseurin ein Theaterabend, der zutiefst berührt. Wenn der Sohn mit einem ausgestopften Greifvogel auf dem Stuhl sitzt und gegen die dunklen Erinnerungen ankämpft, geht das unter die Haut. Die Geschichte der Marquise von O. aus dem Blickwinkel ihrer Kinder zu erzählen, glückt dem Ensemble wunderbar.
Wendes Kunst liegt jedoch gerade darin, dass sie den Text Heinrich von Kleists in seiner ganzen Tiefe erfasst. In das lustvolle Körpertheater, das mit Mitteln der Biomechanik spielt und dabei im besten Sinn verblüfft, flechten die Schauspieler knappe, griffige Erzählpassagen ein. In den erstickenden Sätzen, die das Werk des preußischen Dichters so faszinierend wie unergründlich machen, spüren die drei Spieler der Familiengeschichte nach, die im besten Sinn berührt.
Dass Zita Gustav Wende den Spagat zwischen ihrem unverwechselbaren Regietheater und der Sprache des Dichters in seiner Zeit so virtuos meistert, macht den großen Reiz ihrer Abschlussarbeit aus. Der Text aus dem Jahr 1808 erscheint in ihrer Fassung zeitgemäß und faszinierend aktuell, ohne dass der historische Kontext dabei verloren gehen würde.

1 Vergleichen Sie die beiden Bühneninszenierungen der „Marquise von O...“ auf der Grundlage der Rezensionen (S. 76 f. und 78 f.), indem Sie die Unterschiede und Gemeinsamkeiten des Umgangs mit der Erzählvorlage gegenüberstellen. Gehen Sie dabei auch darauf ein, wer das Stück unter welchen Rahmenbedingungen inszeniert hat.

2 Klären Sie die Begriffe „Körpertheater“ und „Regietheater“ und stellen Sie Vermutungen darüber an, wie beides in der Stuttgarter Inszenierung umgesetzt ist.

3 Erläutern Sie, wie Elisabeth Maier die Inszenierung von Zita Gustav Wende beurteilt.

4 Diskutieren Sie,

a) ... ob Sie sich der Meinung der Autorin anschließen können, dass die Bühnenfassung Wendes „zeitgemäß und faszinierend aktuell“ sei, „ohne dass der historische Kontext dabei verloren gehen würde.“ (Z. 59 f.)

b) ... ob die moderne Bühnenfassung aus Ihrer Sicht der Intention Kleists entsprochen hätte.

E

Das Individuum zwischen Determination und Autonomie

Die Figur der Marquise abschließend beurteilen

Jochen Schmidt

Heinrich von Kleist. Die Dramen und Erzählungen in ihrer Epoche (Auszug, 2003)

Das innere Geschehen wird durch die kritische Subversion konventioneller Wertungen, Vorstellungen und Haltungen bestimmt. Sie richtet sich am Beispiel des russischen Grafen gegen das Helden-Klischee, am Beispiel des Vaters der Marquise gegen eine fragwürdige väterliche Autorität, und schließlich am Beispiel der Marquise selbst gegen Unmündigkeit und religiöse Vorurteile. Mit diesem Generalangriff auf die Konvention erweist sich Kleist als Erbe der Aufklärung, als den ihn auch seine sonstigen Werke und seine Briefe zeigen. [...]

Was Kleist in der Marquise von O... den russischen Grafen tun lässt, geht noch entschieden weiter [als im „Prinz von Homburg"]. Ein Militärkommandeur, ein Mann von Adel, begeht ein Verbrechen an einer Frau, für das nach dem Militärreglement der Tod durch Erschießen steht! Tatsächlich werden die gewöhnlichen Soldaten, welche die Marquise vergewaltigen wollten und die er selbst von ihr abwehrte, für ihren bloßen Versuch erschossen. Kleist hat diese extreme Situation inszeniert, um auf ebenso wagemutige wie provokant tabubrechende Weise das aus dem Standesvorurteil abgeleitete Klischee zu zerstören. Bei Montaigne[1] spielt die schwankhafte Geschichte einer unwissentlich zustande gekommenen Schwangerschaft in einem bäuerlichen Milieu. Kleist überträgt sie in die adelige Schicht und verleiht ihr damit eine ganz neue Funktion. Erst durch den Wechsel des sozialen Niveaus kam die Brisanz zustande, an der ihm lag. Andererseits wagte er es, den russischen Grafen nicht als gemeinen Triebverbrecher darzustellen, vielmehr als edlen Mann mit durchaus auch heldenhaften Zügen, den die Marquise schließlich doch mit innerer Zuneigung und nicht bloß aus Opportunität heiraten kann. Insgesamt zielt die Darstellung des Grafen auf eine Problematisierung der landläufigen Wertungsmaßstäbe, sowohl der gesellschaftlichen wie der moralischen. Alle konventionellen Vorstellungen werden außer Kraft gesetzt, sodass die Novelle auch in dieser Hinsicht eine „unerhörte Begebenheit" ist.

Ähnlich irritierend und zum Nachdenken anreizend verfährt Kleist mit dem Vater der Marquise. An ihm stellt er die Vater-Autorität in Frage. Die historische Tragweite dieser Subversion ist außerordentlich, da bis ins 19. Jahrhundert die väterliche Autorität sowohl in der Familie wie rechtlich nahezu absolut war. Die Aufklärung ging auf die kritische Hinterfragung und Erschütterung aller Autoritäten aus: der Autorität des Monarchen und des Adels, der Autorität der Kirche und der Religion mit ihren Dogmen und so auch der väterlichen Autorität in der Familie. Allerdings war die Hinterfragung der väterlichen Autorität meistens weniger radikal. In einer Reihe von Dramen wurde die Figur des Familienvaters vom Status der patriarchalischen Autorität abgelöst und, vor allem in der Beziehung zu Töchtern, in eine emotionale Vaterfigur transformiert. In Kleists Erzählung trifft beides zusammen. Als der Vater der Marquise von ihrer Schwangerschaft erfährt, tritt er als ein auf die Familienehre fixierter Haus-Tyrann auf: Er nötigt sie, das Haus zu verlassen, er weigert sich, mit ihr überhaupt noch zu sprechen, und als sie sich daraufhin zu ihm drängt und „zitternd seine Knie" umfasst, reißt er eine Pistole von der Wand. Schließlich befiehlt er seiner Tochter, ihre Kinder zurückzulassen. Ein Vater also, der seine Autorität bis zur schweren Gewaltdrohung ausspielt und dem alles bedingungslos zu gehorchen hat.

[1] **Michel de Montaigne** (1533–1592) war ein Philosoph, Humanist und Essayist der Spätrenaissance. In seinem „Essay über die Folgen der Trunksucht" (1580) thematisiert Montaigne die ungewollte Schwangerschaft infolge einer Vergewaltigung sowie die öffentliche Suche nach dem Erzeuger. Der Essay war Kleist bekannt.

Ein besonderes Profil erhält der autoritäre Charakter durch die Verweigerung der Kommunikation. Als die Marquise sich in das Zimmer des Vaters drängt, um mit ihm zu sprechen, verweigert er die Aussprache, indem er das Zimmer verlässt; als sie ihm nacheilt, will er die Türe zuwerfen; als sie ihn doch erreicht, kehrt er ihr den Rücken zu und greift schließlich sogar nach der Pistole. In dieser kunstvoll inszenierten Verweigerung von Kommunikation offenbart sich am auffallendsten das autoritäre Verhalten als ein menschlich unzulängliches. Dass sich schließlich ein Schuss aus der Pistole löst und schmetternd in die Decke fährt, ist das Menetekel der katastrophenträchtigen Disposition, die das Vertrauen auf die Sprache durch die Sprache der Gewalt ersetzt. [...]

Szenenbild der Aufführung „Die Marquise von O... nach Heinrich Kleist" an der Berliner Volksbühne 2012 (Regie: Frank Castorf)

Mit Abstand am wichtigsten ist natürlich das Verhalten der Hauptgestalt. Kleists Ziel war es, die Geschichte einer weiblichen Emanzipation zu erzählen. Er entfaltet sie in kunstvoller Stufenfolge. Nach dem Tod ihres Mannes, so heißt es am Beginn, kehrt die Marquise auf den Wunsch ihrer Mutter ins Elternhaus, genauer: „zu ihrem Vater" zurück. „Hier hatte sie", so fährt der Erzähler fort, „die nächsten Jahre mit Kunst, Lektüre, mit Erziehung, und ihrer Eltern Pflege beschäftigt, in der größten Eingezogenheit zugebracht". Eine Frau also in der Obhut des Elternhauses und besonders des Vaters, ganz im häuslichen Wirkungskreis aufgehend. Nachdem sich der russische Graf um sie beworben hat, sagt sie: „er gefällt und missfällt mir"; und sie beruft sich „auf das Gefühl der Anderen". Nicht einmal in der entscheidenden Herzensangelegenheit verhält sie sich selbständig! Erst als ihr der Vater befiehlt, beim Verlassen des Hauses, aus dem er sie verstößt, ihre Kinder zurückzulassen, kommt es zu einer abrupten Wende. Sie weist diesen Befehl zurück und nimmt die Kinder mit. Darauf folgt der wichtige Satz: „Durch diese schöne Anstrengung mit sich selbst bekannt gemacht, hob sie sich plötzlich, wie an ihrer eigenen Hand, aus der ganzen Tiefe, in welche das Schicksal sie herabgestürzt hatte, empor". In der existentiellen Bedrohung der Extremsituation, die sie ganz auf sich selbst zurückwirft, erfährt sich die Marquise als zum selbständigen Handeln befähigt, und diese Selbsterfahrung führt sie zum Bewusstsein der Selbständigkeit. Aus dem neugewonnenen Bewusstsein der Selbständigkeit, das auch ein ganz neues Selbstbewusstsein zur Folge hat, setzt sie mutig entschlossen die Anzeige in die Zeitung, mit der Kleist die Erzählung so fulminant eröffnet. Diese Anzeige, so erkennt man im Nachhinein, ist ein Ausdruck ihrer neugewonnenen Unabhängigkeit von der Meinung anderer. Sie wagt es ja sogar, mit ihrer Anzeige die Welt zu schockieren. Damit erreicht ihre Emanzipation einen vorläufigen Höhepunkt.

1 Analysieren Sie den Text, indem Sie die Position des Autors unter Berücksichtigung seiner Argumentation wiedergeben.

2 Erläutern Sie, worin Schmidt die Fremdbestimmung der Marquise sieht und an welcher Stelle der Novelle er den Wendepunkt hin zu einer emanzipatorischen Haltung verortet.

3 Nehmen Sie Stellung zu der Frage, ob Kleist intendiert haben könnte, in der Gestalt der Marquise den Weg einer Frau zu einem selbstbestimmteren Leben zu erzählen.

4 Erörtern Sie, inwiefern die Positionierung der Figuren zwischen Determination und Autonomie ein zentrales Thema in dem Stück „Der zerbrochne Krug" und in der Novelle „Die Marquise von O..." ist.

E

Heinrich von Kleist: „Über das Marionettentheater" (1810)

Erste Zugänge zum Text

Eigene Erfahrungen mit dem Marionettentheater und erste Leseeindrücke reflektieren

1 Tauschen Sie sich darüber aus, welche Erfahrungen Sie mit Marionetten und Marionettentheater haben.

2 Stellen Sie Hypothesen zu der Frage auf, welche Chancen und Möglichkeiten ein Puppen- oder Marionettentheater im Vergleich zu einem Theater mit Schauspielerinnen und Schauspielern bieten könnte.

Szenenbild einer Aufführung des Bamberger Marionettentheaters. Die Bühne hat es sich zum Ziel gesetzt, die Spielkultur des 19. Jahrhunderts mit einer Mischung aus moderner Theatertechnik und geschichtsgetreuem Erscheinungsbild, unter Nutzung originaler Kulissen- und Requisitenteile, zu bewahren und erlebbar zu machen.

3 Beschreiben Sie das Bild aus dem Bamberger Marionettentheater. Erläutern Sie, inwiefern das Bühnenbild Ihrer Vorstellung vom Marionettentheater entspricht.

4 Recherchieren Sie, welche Bedeutung das Marionettentheater zur Lebenszeit Kleists hatte.
- Welche Stoffe wurden aufgeführt, an welches Publikum wandte sich das Marionettentheater?
- War es eher ein Theater zur Belustigung oder doch ein ernstzunehmendes Theater?

5 a) Halten Sie Ihre ersten Leseeindrücke zu Kleists Text „Über das Marionettentheater" stichwortartig fest.
b) Tauschen Sie sich im Plenum über Ihre Leseeindrücke aus. Klären Sie dabei nach Möglichkeit offene Verständnisfragen.

E

Den Entstehungskontext des Textes erschließen

Die Schrift „Über das Marionettentheater“ wurde von der Nachwelt zunächst kaum wahrgenommen. Der Text erschien zwischen dem 12. und 15. Dezember 1810 in vier Abschnitten in den von Kleist herausgegebenen „Berliner Abendblättern“, wenige Monate vor seinem Freitod. Inzwischen gilt er in Teilen der Kleist-Forschung als einer der Schlüsseltexte, um Kleists poetologisches Konzept zu verstehen.

Ulrich Johannes Beil

„Über das Marionettentheater“ (Auszug, 2013)

Kleist war [im Februar 1810] mit der Erwartung nach Berlin zurückgekehrt, im Staatsdienst angestellt und auf dem Königlichen Nationaltheater aufgeführt zu werden. Beide Hoffnungen scheiterten an der restriktiven Politik des Staatskanzlers von Hardenberg und an der wenig anspruchsvollen Theaterkonzeption A.W. Ifflands – was Kleist dazu veranlasste, den rigiden Dirigismus, der seiner Ansicht nach sowohl die preußische Innenpolitik als auch die Theaterkultur bestimmte, im Blick auf die ihm vorschwebende Reform des Königlichen Nationaltheaters in verschiedenen Kritiken anzuprangern. Als Hardenberg die Zensurmaßnahmen verschärfte und Kleist Ende November 1810 jegliche Veröffentlichung über die staatliche Theaterpraxis untersagte, hatte er nur die Wahl, entweder ganz auf seine journalistische Tätigkeit zu verzichten – oder andere, indirekte Formen der Kritik zu erproben.

Die „Berliner Abendblätter“ (1810–1811)

Die Berliner Abendblätter waren eine Zeitung, die Kleist als Herausgeber und Redakteur publizierte. Sie erschien vom Oktober 1810 bis zum März 1811 täglich außer sonntags. Die „Abendblätter“ waren eine der ersten deutschen Tageszeitungen. Die Zeitung enthielt eine besondere Mischung aus unterschiedlichen Texten. Einerseits stellte Kleist aus amtlichen Polizeiberichten tagesaktuelle Berichte über Kriminalfälle aus dem Raum Berlin zusammen, die er nicht selten dramatisch zuspitzte. Andererseits veröffentlichte er zahlreiche eigene literarische Texte (z. B. die Novelle „Das Bettelweib von Locarno“) sowie Kunst- und Theaterkritiken.

Die meisten Texte in den Abendblättern stammten von Kleist selbst. Feste redaktionelle Mitarbeiter/-innen hatte er keine; allerdings schrieben durchaus bekannte Autoren unregelmäßig Texte, z. B. Clemens von Brentano, Achim von Arnim oder Friedrich de la Motte-Fouqué.

Anfänglich waren die Abendblätter recht erfolgreich, v. a. wegen der reißerischen und hochaktuellen Artikel über in Berlin und Umgebung verübte Verbrechen. Mehr und mehr aber hatte Kleist unter Friedrich Wilhelm III. mit der Zensur zu kämpfen, sodass er die Polizeiberichte einschränken musste und auch keine politischen Nachrichten zum Krieg gegen Napoleon mehr veröffentlichen durfte. Selbst seine Theaterkritiken wurden ihm weitgehend untersagt. Dies führte schließlich dazu, dass das Blatt kommerziell scheiterte und nach nur zwei Quartalen im März 1811 eingestellt werden musste.

1 Schildern Sie, in welcher Situation sich Kleist befindet, als er nach Berlin zurückkehrt.

2 Kleist veröffentlicht die Schrift „Über das Marionettentheater“ in der von ihm herausgegebenen Zeitung „Berliner Abendblätter“. Stellen Sie die Besonderheiten dieser Zeitung dar.

3 Recherchieren Sie, welchen Umfang und welche Bedeutung die Zensur in Preußen um 1810 hat. Erläutern Sie vor diesem Hintergrund, was sie für Kleist und seine Zeitung bedeutet.

E

Heinrich von Kleist

Betrachtungen über den Wettlauf

(Berliner Abendblätter, 9. Oktober 1810)

Es gibt Leute, die sich die Epochen, in welcher die Bildung einer Nation voranschreitet, in einer gar wunderlichen Ordnung vorstellen. Sie bilden sich ein, dass ein Volk zuerst in tierischer *Rohheit* und *Wildheit* daniederläge; dass man nach Verlauf einiger Zeit, das Bedürfnis einer Sittenverbesserung empfinden, und somit die *Wissenschaft von der Tugend* aufstellen müsse; dass man, um den Lehren derselben Eingang zu verschaffen, daran denken würde, sie in schönen Beispielen zu versinnlichen, und somit die *Ästhetik* erfunden werden würde: dass man nunmehr, nach den Vorschriften derselben, schöne Versinnlichungen verfertigen, und somit die Kunst selbst ihren Ursprung nehmen würde: und dass vermittelst der Kunst endlich das Volk auf die höchste Stufe menschlicher *Kultur* hinaufgeführt werden würde. Diesen Leuten dient zur Nachricht, dass alles, wenigstens bei den Griechen und Römern, in ganz umgekehrter Ordnung erfolgt ist. Diese Völker machten mit der *heroischen Epoche*, welches ohne Zweifel die höchste ist, die erschwungen werden kann, den Anfang; als sie in keiner menschlichen und bürgerlichen Tugend mehr Helden hatten, *dichteten* sie welche; als sie keine mehr dichten konnten, erfanden sie dafür die *Regeln*; als sie sich in den Regeln verwirrten, abstrahierten sie die *Weltweisheit* selbst; und als sie damit fertig waren, wurden sie *schlecht*.

(Rechtschreibung behutsam modernisiert.)

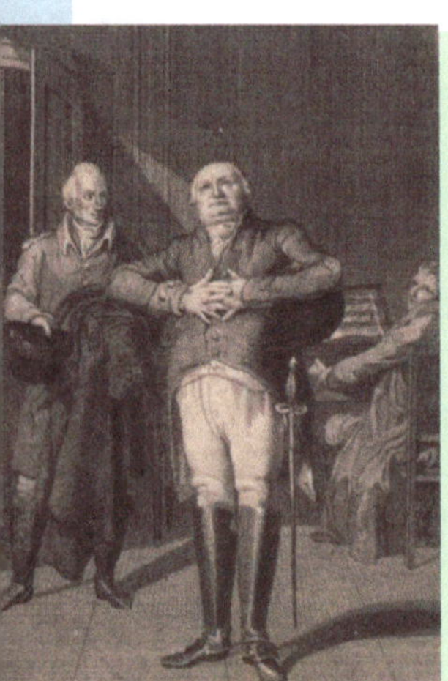

August Wilhelm Iffland (19.04.1759 – 22.09.1814)

August Wilhelm Iffland war ein bedeutender deutscher Schauspieler, Dramatiker und Intendant. Seine eigenen Theater- bzw. Rührstücke, die der Unterhaltung des bürgerlichen Publikums dienten, sind heute weitgehend vergessen. Als Schauspieler gastierte er jedoch an allen wichtigen Bühnen im deutschsprachigen Raum und erwarb sich innerhalb kürzester Zeit einen Namen als großer Charakterdarsteller, der durch seine psychologisch-realistische, engagierte und technisch vollendete Art der Darstellung eine perfekte Bühnenillusion erschuf.

Berühmt wurde Iffland 1782, als er am Mannheimer Nationaltheater den Franz Moor in der Erstaufführung von Friedrich Schillers Theaterstück „Die Räuber" spielte. 1796 lud Johann Wolfgang von Goethe ihn schließlich an den Hof zu Weimar ein. Goethe brachte Ifflands Schauspielkunst große Wertschätzung entgegen. Seiner Ansicht nach war er der Schauspieler, dem es am besten gelang, Goethes Vorstellungen vom klassischen Theater umzusetzen.

Im Dezember 1796 wurde Iffland von Friedrich Wilhelm II. zum Direktor des Berliner Nationaltheaters berufen. Unter seiner Leitung entwickelte sich das Theater zu einem der führenden kulturellen Zentren Europas. Iffland veranlasste den Bau eines neuen, modernen Theatergebäudes, erließ Theatergesetze, die entscheidend zur Anerkennung des Schauspielfachs als eigenständiger Kunstform beitrugen, bildete berühmte Schauspieler/-innen aus und formte ein hochkarätiges Ensemble.

Iffland verstarb im September 1814 in Berlin. Bis heute existiert eine Auszeichnung herausragender Schauspieler, die mit seinem Namen verbunden ist, der sogenannte Iffland-Ring. Er wird von seinem (männlichen) Träger testamentarisch an den seiner Meinung nach „jeweils bedeutendsten und würdigsten Bühnenkünstler des deutschsprachigen Theaters auf Lebenszeit verliehen". Von 1996 bis 2019 war Bruno Ganz im Besitz des Iffland-Rings. Nach seinem Tod vermachte er ihn dem Schauspieler Jens Harzer.

1 a) Geben Sie den Inhalt des Auszugs aus dem Text „Betrachtungen über den Wettlauf" mit eigenen Worten wieder.
b) Erläutern Sie, welches ästhetische Kunstkonzept Heinrich von Kleist kritisiert und welche Gründe er hierfür nennt.

2 a) Stellen Sie die Bedeutung August Wilhelm Ifflands für die Theaterkultur seiner Zeit dar.
b) Beurteilen Sie Kleists Kritik an Iffland vor dem Hintergrund von Kleists Welt- und Menschenbild (vgl. Ergänzungsband, S. 50 f.).

E

Einen Schlüsselbegriff des Textes „Über das Marionettentheater“ verstehen

Ein Schlüsselbegriff des Essays „Über das Marionettentheater“ ist der Begriff ‚Grazie‘. Dieser spielt in den ästhetischen Debatten des 18. Jahrhunderts eine wichtige Rolle. Im Kontext der Klassik, auf die sich Kleist dezidiert bezieht, waren vor allem die Ausführungen Friedrich Schillers und Johann Joachim Winkelmanns zur ‚Grazie‘ prägend.

1 Stellen Sie dar, was Sie unter den Begriffen ‚Grazie‘ und ‚graziös‘ verstehen. Suchen Sie dazu im Internet nach Bildern, die Ihr Begriffsverständnis veranschaulichen.

2 Erläutern Sie Ihr Begriffsverständnis im Plenum anhand der ausgewählten Bilder. Diskutieren Sie mögliche Abweichungen.

Günter Blamberger

Der Begriff ‚Grazie‘ in der höfischen Gesellschaft (Auszug, 2011)

Castigliones Buch ist ein Ratgeber darüber, wie sich Aristokraten in Krisenzeiten zu verhalten haben [...]. Es unterscheidet die ‚grazia‘ von ‚affettazione‘, Grazie von Affektiertheit, Ziererei. Grazia ist von lateinisch gratia abgeleitet, es meint nicht nur Anmut, sondern auch Gunst, Image. Wer sich in einer agonalen[1] Hofgesellschaft durchsetzen will, hat die Kunst der Selbstrepräsentation zu beherrschen, um andere für sich einzunehmen, gleichgültig, ob der äußeren Darstellung eine innere Substanz entspricht oder nicht. Affettazione, die Affektiertheit, Ziererei, ist dagegen das Verhalten, das unbedingt zu vermeiden ist. Sie erscheint auf der Seite des Betrachters als eine Störung, die die Kunst der Selbstrepräsentation als brüchige und scheinhafte durchschauen lässt, auf der Seite des Produzenten als Unfähigkeit, die eigenen Affekte und Triebe zu kontrollieren. Castiglione demonstriert das am Unterschied von eleganten oder unbeholfenen Tanzbewegungen, an der Prahlsucht eines Edelmanns, der nicht begriffen hat, dass man sich im Eigenlob zurückhalten muss, um so gerade den Beifall der anderen zu provozieren, oder an der übermäßigen Schminksucht der Frauen, die dergestalt enthüllt, was sie verbergen soll, die Vergänglichkeit alles Schönen. Die Affektiertheit, die Ziererei, ist der Sündenfall, weil sich in ihr und durch sie sozusagen die animalische Bedürftigkeit, Eitelkeit und Endlichkeit des Menschen entlarvt, die Grazie dagegen, als Mühe der Verbergung von Mühe, verhüllt die tierisch-irdischen Triebe und macht den Menschen Gott ähnlicher. Gerade deshalb wird sie ein Zentralbegriff für die ästhetische Erziehung der höfisch-feudalen Gesellschaft.

Baldassare Castiglione (1478–1529)

[1] **agonal:** kämpferisch, streitbar

Baldassare Castiglione (1478–1529)

Baldassare Castiglione war ein italienischer Diplomat und ein bedeutender Schriftsteller der Renaissance. Sein Werk „Il Cortegiano“ (= Der Hofmann) gilt als eines der einflussreichsten Werke der italienischen Renaissance. Er erlangte damit den Rang eines Lehrmeisters seiner und folgender Generationen. Mit seinem Ideal einer vollkommenen Persönlichkeitsbildung wurde er zugleich zu einem wichtigen Wegbereiter der Aufklärung.

1 Fassen Sie zusammen, wie Baldassare Castiglione den Begriff ‚Grazie‘ definiert.

2 Vergleichen Sie Castigliones Begriffsbestimmung mit Ihren eigenen Vorstellungen und benennen Sie Gemeinsamkeiten und Unterschiede.

3 Erläutern Sie, ausgehend vom gesellschaftlichen Kontext seiner Zeit, die Funktion der Grazie nach Castiglione.

E

Friedrich Schiller

Über Anmut und Würde (Auszug, 1793)

Eine schöne Seele nennt man es, wenn sich das sittliche Gefühl aller Empfindungen des Menschen endlich bis zu dem Grad versichert hat, dass es dem Affekt die Leitung des Willens ohne Scheu überlassen darf und nie Gefahr läuft, mit den Entscheidungen desselben im Widerspruch zu stehen. Daher sind bei einer schönen Seele die einzelnen Handlungen eigentlich nicht sittlich, sondern der ganze Charakter ist es. Man kann ihr auch keine einzige darunter zum Verdienst anrechnen, weil eine Befriedigung des Triebes nie verdienstlich heißen kann. Die schöne Seele hat kein andres Verdienst, als dass sie ist. Mit einer Leichtigkeit, als wenn bloß der Instinkt aus ihr handelte, übt sie der Menschheit peinlichste Pflichten aus, und das heldenmütigste Opfer, das sie dem Naturtriebe abgewinnt, fällt wie eine freiwillige Wirkung eben dieses Triebes in die Augen. Daher weiß sie selbst auch niemals um die Schönheit ihres Handelns, und es fällt ihr nicht mehr ein, dass man anders handeln und empfinden könnte; dagegen ein schulgerechter Zögling der Sittenregel, so wie das Wort des Meisters ihn fordert, jeden Augenblick bereit sein wird, vom Verhältnis seiner Handlungen zum Gesetz die strengste Rechnung abzulegen. Das Leben des letztern wird einer Zeichnung gleichen, worin man die Regel durch harte Striche angedeutet sieht und an der allenfalls ein Lehrling die Prinzipien der Kunst lernen könnte. Aber in einem schönen Leben sind, wie in einem Tizianischen[1] Gemälde, alle jene schneidenden Grenzlinien verschwunden, und doch tritt die ganze Gestalt nur desto wahrer, lebendiger, harmonischer hervor.

In einer schönen Seele ist es also, wo Sinnlichkeit und Vernunft, Pflicht und Neigung harmonieren, und Grazie ist ihr Ausdruck in der Erscheinung. Nur im Dienst einer schönen Seele kann die Natur zugleich Freiheit besitzen und ihre Form bewahren, da sie erstere unter der Herrschaft eines strengen Gemüts, letztere unter der Anarchie der Sinnlichkeit einbüßt. Eine schöne Seele gießt auch über eine Bildung, der es an architektonischer Schönheit mangelt, eine unwiderstehliche Grazie aus, und oft sieht man sie selbst über Gebrechen der Natur triumphieren. Alle Bewegungen, die von ihr ausgehen, werden leicht, sanft und den noch belebt sein. Heiter und frei wird das Auge strahlen, und Empfindung wird in demselben glänzen. Von der Sanftmut des Herzens wird der Mund eine Grazie erhalten, die keine Verstellung erkünsteln kann. Keine Spannung wird in den Mienen, kein Zwang in den willkürlichen Bewegungen zu bemerken sein, denn die Seele weiß von keinem. Musik wird die Stimme sein und mit dem reinen Strom ihrer Modulationen das Herz bewegen. Die architektonische Schönheit kann Wohlgefallen, kann Bewunderung, kann Erstaunen erregen, aber nur die Anmut wird hinreißen. Die Schönheit hat *Anbeter, Liebhaber* hat nur die Grazie; denn wir huldigen dem Schöpfer und lieben den Menschen. Man wird, im Ganzen genommen, die Anmut mehr bei dem *weiblichen* Geschlecht (die Schönheit vielleicht mehr bei dem männlichen) finden, wovon die Ursache nicht weit zu suchen ist. Zur Anmut muß sowohl der körperliche Bau als der Charakter beitragen; jener durch seine Biegsamkeit, Eindrücke anzunehmen und ins Spiel gesetzt zu werden, dieser durch die sittliche Harmonie der Gefühle. In beidem war die Natur dem Weibe günstiger als dem Manne.

[1] **Tizian (ca. 1488 – 1576):** bedeutender venezianischer Maler und wichtigster Vertreter der Malerei der Hochrenaissance

1 a) Geben Sie den Inhalt des Textauszugs mit eigenen Worten wieder.
b) Klären Sie gemeinsam offene Verständnisfragen.

2 Erläutern Sie Schillers Ausführungen über die „schöne Seele" (Z. 1) und verknüpfen Sie ihn mit dem Begriff der ‚Grazie', so wie Schiller ihn versteht.

3 Arbeiten Sie die Unterschiede zwischen dem Verständnis von ‚Grazie' nach B. Castiglione und F. Schiller heraus. Füllen Sie dazu die passenden Spalten in der Tabelle von Seite 88 aus.

Heinrich von Kleist

Über das Marionettentheater (vier Auszüge, 1810)

[I] Wie, fragte ich, da er seinerseits ein wenig betreten zur Erde sah: wie sind denn diese Forderungen, die Sie an die Kunstfertigkeit desselben zu machen gedenken, bestellt?
Nichts, antwortete er, was sich nicht auch schon hier fände; Ebenmaß, Beweglichkeit, Leichtigkeit – nur alles in einem höheren Grade; und besonders eine naturgemäßere Anordnung der Schwerpunkte.
Und der Vorteil, den diese Puppe vor lebendigen Tänzern voraushaben würde?
Der Vorteil? Zuvörderst ein negativer, mein vortrefflicher Freund, nämlich dieser, dass sie sich niemals *zierte*. – Denn Ziererei erscheint, wie Sie wissen, wenn sich die Seele (vis motrix[1]) in irgendeinem andern Punkte befindet, als in dem Schwerpunkt der Bewegung.
(Textausgabe, S. 214, Z. 13–26)

[II] Sehen Sie nur die P...[2] an, fuhr er fort, wenn sie die Daphne[3] spielt, und sich, verfolgt vom Apoll, nach ihm umsieht; die Seele sitzt ihr in den Wirbeln des Kreuzes; sie beugt sich, als ob sie brechen wollte [...].
(Textausgabe, S. 214, Z. 32 – S. 215, Z. 2)

[III] Zudem, sprach er, haben diese Puppen den Vorteil, dass sie antigrav[4] sind. Von der Trägheit der Materie, dieser dem Tanze entgegenstrebendsten aller Eigenschaften, wissen sie nichts: weil die Kraft, die sie in die Lüfte erhebt, größer ist, als jene, die sie an der Erde fesselt. Was würde unsre gute G...[5] darum geben, wenn sie sechzig Pfund leichter wäre, oder ein Gewicht von dieser Größe ihr bei ihren entrechats und pirouetten[6], zu Hülfe käme? Die Puppen brauchen den Boden nur, wie die Elfen, um ihn zu *streifen*, und den Schwung der Glieder, durch die augenblickliche Hemmung neu zu beleben; wir brauchen ihn, um darauf zu *ruhen*, und uns von der Anstrengung des Tanzes zu erholen: ein Moment, der offenbar selber kein Tanz ist, und mit dem sich weiter nichts anfangen lässt, als ihn möglichst verschwinden zu machen.
(Textausgabe, S. 215, Z. 15–28)

[IV] Ich sagte, dass ich gar wohl wüsste, welche Unordnungen, in der natürlichen Grazie des Menschen, das Bewusstsein anrichtet.
(Textausgabe, S. 216, Z. 14–16)

[1] **vis motrix:** *(lat.)* die bewegende Kraft

[2,5] **P... und G...:** Tänzerinnen

[3] **Daphne:** in der griechischen Mythologie ein weiblicher Naturgeist, in den sich der Gott Apollo verliebt

[4] **antigrav:** schwerelos

[6] **Entrechats, Pirouetten:** *(franz.)* Sprünge, schnelle Drehungen

1 Erläutern Sie anhand der Textauszüge aus der Schrift „Über das Marionettentheater", wie Kleist den Begriff ‚Grazie' versteht. Veranschaulichen Sie Ihre Erläuterungen am Beispiel des nebenstehenden Bildes der Marionette als „tanzenden Ballerina".

2 a) Grenzen Sie Kleists Begriffsverständnis von den Auffassungen Castigliones und Schillers ab. Vervollständigen Sie hierzu die Tabelle von Seite 88.
b) Vergleichen Sie die Definitionen von ‚Grazie' miteinander, indem Sie Unterschiede und/oder Gemeinsamkeiten benennen. Notieren Sie Ihr Ergebnis ebenfalls in der Tabelle von Seite 88.

Der Begriff ‚Grazie‘			
	Castiglione	**Schiller**	**Kleist**
gesell-schaftlicher Kontext			
Begriffs-definition			
Vergleichs-ergebnis			

Von graziösen Marionetten, einem fechtenden Bären und einem eitlen Jüngling

Den Text in einem Gruppenpuzzle analysieren

1 a) Beschreiben Sie die Grundstruktur des Textes „Über das Marionettentheater" und halten Sie diese in einem Strukturbild fest. Berücksichtigen Sie dabei auch die Erzählsituation, die der Text entwirft. Nutzen Sie den nebenstehenden Kasten oder ein DIN-A4-Blatt.

b) Präsentieren Sie sich Ihre Strukturbilder gegenseitig im Plenum.

c) Beurteilen Sie die Vor- und Nachteile der verschiedenen Visualisierungsvorschläge.

2 ***Lernarrangement***

a) Bilden Sie Stammgruppen zu jeweils drei oder sechs Schülerinnen und Schülern. Bereiten Sie ein Lernplakat vor, auf dem Sie den Text „Über das Marionettentheater" vorstellen und eine Deutungshypothese präsentieren. Nutzen Sie zur Visualisierung die Abbildungen auf dieser und der folgenden Seite und beziehen Sie Ihre Ergebnisse von Aufgabe 1 ein.

b) Teilen Sie Ihre Gruppe so auf, dass sich für jeden der drei Sinnabschnitte (A, B, C) des Textes je nach Gruppengröße ein bis zwei Experten finden. Diese finden sich mit den Schülerinnen und Schülern, die denselben Abschnitt gewählt haben, zu Expertengruppen zusammen.

Gruppe A:
Analysieren Sie den Textauszug, Textausgabe S. 211, Z. 6 – S. 216, Z. 13 in Einzelarbeit.

- Ordnen Sie den Textauszug in den Gesamttext ein und geben Sie kurz den Inhalt wieder.
- Beschreiben Sie die kommunikative Situation, die der Text entwirft.
- Stellen Sie dar, was Herrn C... an Marionetten fasziniert und was sie seiner Meinung nach menschlichen Tänzerinnen und Tänzern voraushaben.
- Beurteilen Sie seine Ausführungen vor dem Hintergrund Ihrer Rechercheergebnisse zur zeitgenössischen Bedeutung des Marionettentheaters (EB, S. 82)
- Erläutern Sie die Position, die der Ich-Erzähler gegenüber den Ausführungen seines Gesprächspartners einnimmt.
- Stellen Sie sich Ihre Ergebnisse gegenseitig vor.
- Diskutieren Sie vor dem Hintergrund Ihrer Recherche- und Analyseergebnisse sowie der Arbeitsergebnisse der Seiten 86 – 88, inwiefern sich aus den Positionen der beiden Gesprächspartner zur Grazie der Marionetten eine literaturtheoretische Position Heinrich von Kleists rekonstruieren lässt.
- Halten Sie jeder für sich wichtige Diskussionsergebnisse stichwortartig fest.

Gruppe B:
Analysieren Sie den Textauszug, Textausgabe, S. 216, Z. 14 – S. 217, Z. 26.

- Ordnen Sie den Textauszug in den Gesamttext ein und geben Sie kurz den Inhalt wieder.
- Beschreiben Sie die kommunikative Situation, die der Text entwirft.
- Stellen Sie dar, was den Ich-Erzähler an dem jungen Mann interessiert und woran er den Verlust der Grazie festmacht.
- Erläutern Sie, welches Argument durch die Anekdote vom jungen Mann gestützt werden soll.
- Recherchieren Sie, welche Bedeutung das Motiv des „Dornausziehers", insbesondere in der Antike und in der Renaissance, hatte.
- Stellen Sie sich Ihre Ergebnisse gegenseitig vor.
- Diskutieren Sie vor dem Hintergrund Ihrer Recherche- und Analyseergebnisse sowie der Arbeitsergebnisse der Seiten 86–88, inwiefern sich aus der Anekdote des Ich-Erzählers eine literaturtheoretische Position Heinrich von Kleists rekonstruieren lässt.
- Halten Sie jeder für sich wichtige Diskussionsergebnisse stichwortartig fest.

„Kapitolinischer Dornauszieher" im Konservatorenpalast in Rom; Skulptur aus Bronze

Gruppe C:
Analysieren Sie den Textauszug, Textausgabe, S. 217, Z. 27 – S. 219, Z. 4.

- Ordnen Sie den Textauszug in den Gesamttext ein und geben Sie kurz den Inhalt wieder.
- Beschreiben Sie die kommunikative Situation, die der Text entwirft.
- Stellen Sie dar, warum der Bär in der Geschichte des Herrn C... alle menschlichen Fechter mühelos schlägt.
- Erläutern Sie, welches Argument Herr C. durch die Anekdote vom fechtenden Bären stützen möchte.
- Recherchieren Sie, welche Bedeutung dressierte Bären um 1800 hatten.

Max Liebermann: „Der Fechter und der Bär", Steindruck, 1917

- Stellen Sie sich Ihre Ergebnisse gegenseitig vor.
- Diskutieren Sie vor dem Hintergrund Ihrer Recherche- und Analyseergebnisse sowie der Arbeitsergebnisse der Seiten 86 – 88, inwiefern sich aus der Anekdote des Herrn C... eine literaturtheoretische Position Heinrich von Kleists rekonstruieren lässt.
- Halten Sie jeder für sich wichtige Diskussionsergebnisse stichwortartig fest.

c) Kehren Sie in Ihre Stammgruppen zurück.
   - Stellen Sie den anderen Gruppenmitgliedern Ihre Ergebnisse aus der Arbeit der Expertenteams vor.
   - Übertragen Sie die Ergebnisse auf das Lernplakat.
   - Analysieren Sie gemeinsam den Schluss des Essays und halten Sie das Ergebnis ebenfalls auf dem Lernplakat fest. Berücksichtigen Sie auch die biblischen Bezüge.
   - Einigen Sie sich auf eine gemeinsame Deutungshypothese des Gesamttextes und platzieren Sie diese an prominenter Stelle auf Ihrem Plakat.

Die Vertreibung von Adam und Eva aus dem Paradies, Bibel-Illustration

d) Stellen Sie Ihre Lernplakate im Plenum vor. Diskutieren Sie unterschiedliche Textdeutungen.

E

Die Textform vor dem Hintergrund einer anderen theoretischen Schrift Kleists einordnen

1 a) Ordnen Sie den Text „Über das Marionettentheater" begründet einer Textsorte (Essay, Erzähltext, philosophische Abhandlung o. Ä.) zu.
b) Stellen Sie Vermutungen darüber an, warum Kleist diese Textform gewählt haben könnte, um seine kunsttheoretische Position darzustellen.

Heinrich von Kleist

Über die allmähliche Verfertigung der Gedanken beim Reden

(Auszug, überliefert als Brief an Otto August Rühle von Lilienstern, 1811)

Wenn du etwas wissen willst und es durch Meditation nicht finden kannst, so rate ich dir, mein lieber, sinnreicher Freund, mit dem nächsten Bekannten, der dir aufstößt, darüber zu sprechen. Es braucht nicht eben ein scharfdenkender Kopf zu sein, auch meine ich es nicht so, als ob du ihn darum befragen solltest: nein! Vielmehr sollst du es ihm selber allererst erzählen. Ich sehe dich zwar große Augen machen, und mir antworten, man habe dir in frühern Jahren den Rat gegeben, von nichts zu sprechen, als nur von Dingen, die du bereits verstehst. Damals aber sprachst du wahrscheinlich mit dem Vorwitz[1], *andere* [zu belehren], ich will, dass du aus der verständigen Absicht sprechest, *dich* zu belehren, und so können, für verschiedene Fälle verschieden, beide Klugheitsregeln vielleicht gut nebeneinander bestehen. [...] Oft sitze ich an meinem Geschäftstisch über den Akten, und erforsche, in einer verwickelten Streitsache, den Gesichtspunkt, aus welchem sie wohl zu beurteilen sein möchte. Ich pflege dann gewöhnlich ins Licht zu sehen, als in den hellsten Punkt, bei dem Bestreben, in welchem mein innerstes Wesen begriffen ist, sich aufzuklären. Oder ich suche, wenn mir eine algebraische Aufgabe vorkommt, den ersten Ansatz, die Gleichung, die die gegebenen Verhältnisse ausdrückt, und aus welcher sich die Auflösung nachher durch Rechnung leicht ergibt. Und siehe da, wenn ich mit meiner Schwester davon rede, welche hinter mir sitzt, und arbeitet, so erfahre ich, was ich durch ein vielleicht stundenlanges Brüten nicht herausgebracht haben würde. Nicht, als ob sie es mir, im eigentlichen Sinne, *sagte*; denn sie kennt weder das Gesetzbuch, noch hat sie den Euler, oder den Kästner studiert. Auch nicht, als ob sie mich durch geschickte Fragen auf den Punkt hinführte, auf welchen es ankommt, wenn schon dies letzte häufig der Fall sein mag. Aber weil ich doch irgendeine dunkle Vorstellung habe, die mit dem, was ich suche, von fern her in einiger Verbindung steht, so prägt, wenn ich nur dreist damit den Anfang mache, das Gemüt, während die Rede fortschreitet, in der Notwendigkeit, dem Anfang nun auch ein Ende zu finden, jene verworrene Vorstellung zur völligen Deutlichkeit aus, dergestalt, dass die Erkenntnis zu meinem Erstaunen mit der Periode fertig ist. Ich mische unartikulierte Töne ein, ziehe die Verbindungswörter in die Länge, gebrauche wohl eine Apposition, wo sie nicht nötig wäre, und bediene mich anderer, die Rede ausdehnender, Kunstgriffe, zur Fabrikation meiner Idee auf der Werkstätte der Vernunft, die gehörige Zeit zu gewinnen. Dabei ist mir nichts heilsamer, als eine Bewegung meiner Schwester, als ob sie mich unterbrechen wollte; denn mein ohnehin schon angestrengtes Gemüt wird durch diesen Versuch von außen, ihm die Rede, in deren Besitz es sich befindet, zu entreißen, nur noch mehr erregt, und in seiner Fähigkeit, wie ein großer General, wenn die Umstände drängen, noch um einen Grad höher gespannt. In diesem Sinne begreife ich, von welchem Nutzen Molière seine Magd sein konnte; denn wenn er derselben, wie er vorgibt, ein Urteil zutraute, das das seinige berichten konnte, so ist dies eine Bescheidenheit, an deren Dasein in seiner Brust ich nicht glaube. Es liegt ein sonderbarer Quell der Begeisterung für denjenigen, der spricht, in einem menschlichen Antlitz, das ihm gegenübersteht; und ein

[1] **Vorwitz:** intuitive Absicht, die dem Wissen (vgl. „Witz") „vor"gelagert ist

E

Blick, der uns einen halb ausgedrückten Gedanken schon als begriffen ankündigt, schenkt uns oft den Ausdruck für die ganz andere Hälfte desselben.

Ich glaube, dass mancher großer Redner, in dem Augenblick, da er den Mund aufmachte, noch nicht wusste, was er sagen würde. Aber die Überzeugung, dass er die ihm nötige Gedankenfülle schon aus den Umständen, und der daraus resultierenden Erregung seines Gemüts schöpfen würde, machte ihn dreist genug, den Anfang, auf gutes Glück hin, zu setzen. [...]

Ein solches Reden ist wahrhaft lautes Denken. Die Reihen der Vorstellungen und ihrer Bezeichnungen gehen nebeneinander fort, und die Gemütsakte, für eins und das andere, kongruieren. Die Sprache ist alsdann keine Fessel, etwa wie ein Hemmschuh an dem Rade des Geistes, sondern wie ein zweites mit ihm parallel fortlaufendes, Rad an seiner Achse.

Etwas ganz anderes ist es, wenn der Geist schon, vor aller Rede, mit dem Gedanken fertig ist. Denn dann muss er bei seiner bloßen Ausdrückung zurückbleiben, und dies Geschäft, weit entfernt ihn zu erregen, hat vielmehr keine andere Wirkung, als ihn von seiner Erregung abzuspannen. Wenn daher eine Vorstellung verworren ausgedrückt wird, so folgt der Schluss noch gar nicht, dass sie auch verworren gedacht worden sei; vielmehr könnte es leicht sein, dass die verworrenst ausgedrückten gerade am deutlichsten gedacht werden. Man sieht oft in einer Gesellschaft, wo, durch ein lebhaftes Gespräch, eine kontinuierliche Befruchtung der Gemüter mit Ideen im Werk ist, Leute, die sich, weil sie sich der Sprache nicht mächtig fühlen, sonst in der Regel zurückgezogen halten, plötzlich, mit einer zuckenden Bewegung aufflammen, die Sprache an sich reißen und etwas Unverständliches zur Welt bringen. Ja, sie scheinen, wenn sie nun die Aufmerksamkeit aller auf sich gezogen haben, durch ein verlegnes Gebärdenspiel anzudeuten, dass sie selbst nicht mehr recht wissen, was sie haben sagen wollen. Es ist wahrscheinlich, dass diese Leute etwas recht Treffendes, und sehr deutlich, gedacht haben. Aber der plötzliche Geschäftswechsel, der Übergang ihres Geistes vom Denken zum Ausdrücken, schlug die ganze Erregung desselben, die zur Festhaltung des Gedankens notwendig, wie zum Hervorbringen, erforderlich war, wieder nieder. In solchen Fällen ist es umso unerlässlicher, dass uns die Sprache mit Leichtigkeit zur Hand sei, um dasjenige, was wir gleichzeitig gedacht haben, und doch nicht gleichzeitig von uns geben können, wenigstens so schnell als möglich, aufeinander folgen zu lassen. Und überhaupt wird jeder, der, bei gleicher Deutlichkeit, geschwinder als sein Gegner spricht, einen Vorteil über ihn haben, weil er gleichsam mehr Truppen als er ins Feld führt.

(*Rechtschreibung behutsam modernisiert.*)

1 Analysieren Sie den Auszug aus Kleists Schrift, indem Sie unter Berücksichtigung der Argumentationsführung darstellen, was Kleist unter der „allmähliche[n] Verfertigung der Gedanken beim Reden" (Überschrift) versteht.

2 Erläutern Sie, welche Wechselwirkung Kleist zwischen Gedachtem und Gesprochenem sieht.

3 Diskutieren Sie, ob sich die formale Gestaltung des poetologischen Textes „Über das Marionettentheater" aus der Leitidee einer „allmähliche[n] Verfertigung der Gedanken beim Reden" erklären lässt.

E

Versteckte Kritik an Klassik und Aufklärung?

Den Text unter dem Aspekt der Kritik am Weimarer Kunstprogramm lesen

Phyllis Roesch

Kleist und Schiller – Das verlorene Paradies (Auszug, 2020)

Schillers Sittenlehre und Ästhetik versöhnt die einander im Menschen widerstreitenden Kräfte im Konzept der schönen Seele, betrachtet also „Seele" im Idealfall als ausgeglichene Wechselwirkung zwischen Körper und Geist. Durch diese Annäherung an das Ideal menschlicher Vollkommenheit wird – so hofft es Schiller – auch eine gesellschaftliche Verbesserung ermöglicht. Der Fall aus dem Paradies war also der erste notwendige und, in der Rückschau betrachtet, positive Schritt nach vorn in das Paradies, das von der Selbsttätigkeit und Selbstbestimmtheit des Menschen neu geschaffen wird. Der von Schiller vorgeschlagene Weg zur Freiheit durch Erziehung, Bildung und Aufklärung unter der Berücksichtigung der Versöhnung der im Menschen wirkenden Natur und Vernunft wird von Kleist jedoch abgelehnt.
Er treibt im Gegensatz zu Schiller die Trennung von Materie und Geist – versinnbildlicht als Marionette bzw. Gott – auf die Spitze, anstatt ein harmonisches Konzept zu entwerfen. Kleist sieht keine harmonische, sondern eine gewaltsame Vereinigung in der klassizistischen Ästhetik Schillers. Denn in der Welt außerhalb des Paradieses, also in der historischen Zeit, gibt es für Kleist nur die Sehnsucht nach dem glückseligen Urzustand, nur das Bedauern des Verlusts, aber keine Erlösung. In seiner Erklärung offenbart sich das Dilemma: denn einmal ins Licht des Bewusstseins und der Erkenntnis getreten, ist eine Rückkehr unmöglich. Dem Streben nach dem Paradies wohnt bei Kleist also nur ein scheinbarer Fortschrittsgedanke inne, da er im Sinne einer Bemühung um die Rehabilitierung des Urzustandes mitgedacht wird, aber die Hoffnung den Menschen trügt.

1 a) Analysieren Sie den Text, indem Sie die Kernaussagen der Verfasserin unter Berücksichtigung ihrer Argumentation erarbeiten.
b) Erläutern Sie, woran Phyllis Roesch die Unterschiede in den poetologischen Konzepten von Schiller und Kleist festmacht.

2 Nehmen Sie kritisch Stellung zu den Thesen Roeschs. Belegen Sie Ihre Einschätzung mit passenden Textstellen aus der Schrift „Über das Marionettentheater".

3 ***Lernarrangement***
Bilden Sie Kleingruppen.
a) Stellen Sie dar, welche Eigenschaften die Marquise von O… besitzt, die ihr Anmut im Sinne Schillers verleihen könnten.
b) Erläutern Sie, inwiefern und aus welchen Gründen bei der Marquise die von Schiller geforderte harmonische Einheit aus Gefühl und Handeln durchbrochen wird.
c) Stellen Sie dar, wie die Figur des Grafen von F. in der Novelle gezeichnet ist. Beziehen Sie in Ihre Überlegungen ein, dass er sowohl als „Engel" als auch als „Teufel" bezeichnet wird.
d) Am Ende der Novelle heißt es, dass dem Grafen „von allen Seiten, um der gebrechlichen Einrichtung der Welt willen, verziehen sei" (TA, S. 201, Z. 11 f.). Verdeutlichen Sie, was damit gemeint ist und zeigen Sie auf, welches Weltbild sich an dieser Aussage erkennen lässt.
e) Erörtern Sie, inwiefern sich die Erkenntnisse aus den Binnenerzählungen von den Marionetten, dem Dornauszieher und dem fechtenden Bären aus „Über das Marionettentheater" auf die Figurengestaltung in der Novelle „Die Marquise von O…" übertragen lassen.
f) Stellen Sie Ihre Gruppenergebnisse im Plenum vor.
g) Tauschen Sie sich darüber aus, ob Ihnen Kleists oder Schillers Menschenbild näherstehen.

E

Kleists Kritik an der Aufklärung verstehen

Heinrich von Kleist

Brief an Wilhelmine von Zenge (Auszug, 15. August 1801*)

**Rechtschreibung behutsam modernisiert.*

[...] Du willst, ich soll Dir etwas von meiner Seele mitteilen? Mein liebes Mädchen, wie gern tue ich das, wenn ich hoffen kann, dass es Dich erfreuen wird. Ja, seit einigen Wochen scheint es mir, als hätte sich der Sturm ein wenig gelegt – Kannst Du Dir wohl vorstellen, wie leicht, wie wehmütig froh dem Schiffer zumute sein mag, dessen Fahrzeug in einer langen finstern stürmenden Nacht, gefährlich-wankend, umhergetrieben ward, wenn er nun an der sanftern Bewegung fühlt, dass ein stiller, heitrer Tag anbrechen wird? Etwas Ähnliches empfinde ich in meiner Seele – O möchtest Du auch ein wenig von der Ruhe genießen, die mir seit einiger Zeit zuteilgeworden ist, möchtest Du, wenn Du diesen Brief liesest, auch einmal ein wenig froh sein, so wie ich es jetzt bin, da ich ihn schreibe. Ja, vielleicht werde ich diese Reise nach Paris, von welcher ich keinem Menschen, ja sogar mir selbst nicht Rechenschaft geben kann, doch noch segnen. Nicht wegen der Freuden, die ich genoss, denn sparsam waren sie mir zugemessen; aber alle Sinne bestätigen mir hier, was längst mein Gefühl mir sagte, nämlich dass uns die Wissenschaften weder besser noch glücklicher machen, und ich hoffe dass mich das zu einer Entschließung führen wird. O ich kann Dir nicht beschreiben, welchen Eindruck der erste Anblick dieser höchsten Sittenlosigkeit bei der höchsten Wissenschaft auf mich machte. Wohin das Schicksal diese Nation führen wird –? Gott weiß es. Sie ist reifer zum Untergange als irgendeine andere europäische Nation. Zuweilen, wenn ich die Bibliotheken ansehe, wo in prächtigen Sälen und in prächtigen Bänden die Werke Rousseaus, Helvetius', Voltaires[1] stehen, so denke ich, was haben sie genutzt? Hat ein einziges seinen Zweck erreicht? Haben sie das Rad aufhalten können, das unaufhaltsam stürzend seinem Abgrund entgegeneilt? O hätten alle, die gute Werke *geschrieben* haben, die Hälfte von diesem Guten *getan*, es stünde besser um die Welt. Ja selbst dieses Studium der Naturwissenschaft, auf welches der ganze Geist der französischen Nation mit fast vereinten Kräften gefallen ist, wohin wird es führen? Warum verschwendet der Staat Millionen an alle diese Anstalten zur Ausbreitung der Gelehrsamkeit? Ist es ihm um *Wahrheit* zu tun? Dem *Staate?* Ein Staat kennt keinen andern Vorteil, als den er nach Prozenten berechnen kann. Er will die Wahrheit *anwenden* – Und worauf? Auf Künste und Gewerbe. Er will das Bequeme noch bequemer machen, das Sinnliche noch versinnlichen, den raffiniertesten Luxus noch raffinieren. – Und wenn am Ende auch das üppigste und verwöhnteste Bedürfnis keinen Wunsch mehr ersinnen kann, was ist dann – ? O wie unbegreiflich ist der Wille, der über die Menschengattung waltet! Ohne Wissenschaft zittern wir vor jeder Lufterscheinung, unser Leben ist jedem Raubtier ausgesetzt, eine Giftpflanze kann uns töten – und sobald wir in das Reich des Wissens treten, sobald wir unsre Kenntnisse anwenden, uns zu sichern und zu schützen, gleich ist der erste Schritt zu dem Luxus und mit ihm zu allen Lastern der Sinnlichkeit getan. Denn wenn wir zum Beispiel die Wissenschaften nutzen, uns vor dem Genuss giftiger Pflanzen zu hüten, warum sollen wir sie nicht auch nutzen, wohlschmeckende zu sammeln, und wo ist nun die Grenze hinter welcher die Poulets à la suprême[2] und alle diese Raffinements der französischen Kochkunst liegen; und doch – gesetzt, Rousseau hätte in der Beantwortung der Frage, ob die Wissenschaften den Menschen glücklicher gemacht haben, recht, wenn er sie mit *Nein* beantwortet, welche seltsamen Widersprüche würden aus dieser Wahrheit folgen! Denn es mussten viele Jahrtausende vergehen, ehe so viele Kenntnisse gesammelt werden konnten, wie nötig waren, einzusehen, dass man keine haben müsste. Nun also müsste man alle Kenntnisse vergessen, den Fehler wieder gut zu machen; und somit finge das Elend wieder von vorn an. Denn der Mensch hat ein unwidersprechliches Bedürfnis sich aufzuklären. Ohne Aufklä-

[1] **Rousseau, Helvetius, Voltaire:** bedeutende französische Philosophen der Aufklärung

[2] **Poulets à la suprême:** Hähnchenbrust, zart zubereitet

rung ist er nicht viel mehr als ein Tier. Sein moralisches Bedürfnis treibt ihn zu den Wissenschaften an, wenn dies auch kein physisches täte. Er wäre also, wie Ixion[3], verdammt, ein Rad auf einen Berg zu wälzen, das halb erhoben, immer wieder in den Abgrund stürzt. Auch ist immer Licht, wo Schatten ist, und umgekehrt. Wenn die Unwissenheit unsre Einfalt, unsre Unschuld und alle Genüsse der friedlichen Natur sichert, so öffnet sie dagegen allen Greueln des Aberglaubens die Tore – wenn dagegen die Wissenschaften uns in das Labyrinth des Luxus führen, so schützen sie uns vor allen Greueln des Aberglaubens. Jede reicht uns Tugenden und Laster, und wir mögen am Ende aufgeklärt oder unwissend sein, so haben wir dabei so viel verloren, als gewonnen. – Und so mögen wir denn vielleicht am Ende tun, was wir wollen, wir tun recht – Ja, wahrlich, wenn man überlegt, dass wir ein Leben bedürfen, um zu lernen, wie wir leben müssten, dass wir selbst im Tode noch nicht ahnden, was der Himmel mit uns will, wenn niemand den Zweck seines Daseins und seine Bestimmung kennt, wenn die menschliche Vernunft nicht hinreicht, sich und die Seele und das Leben und die Dinge um sich zu begreifen, wenn man seit Jahrtausenden noch zweifelt, ob es ein *Recht* gibt? – Kann Gott von solchen Wesen *Verantwortlichkeit* fordern? Man sage nicht, dass eine Stimme im Innern uns heimlich und deutlich anvertraue, was recht sei. Dieselbe Stimme, die dem Christen zuruft, seinem Feinde zu vergeben, ruft dem Seeländer zu, ihn zu braten, und mit Andacht isst er ihn auf – wenn die Überzeugung solche Taten rechtfertigen kann, darf man ihr trauen? – Was heißt das auch, etwas Böses tun, der Wirkung nach? Was ist *böse? Absolut böse?* Tausendfältig verknüpft und verschlungen sind die Dinge der Welt, jede Handlung ist die Mutter von Millionen andern, und oft die schlechteste erzeugt die besten – Sage mir, wer auf dieser Erde hat schon etwas *Böses* getan? Etwas, das böse wäre *in alle Ewigkeit fort* –? Und was uns auch die Geschichte von Nero, und Attila, und Cartouche[4], von den Hunnen, und den Kreuzzügen, und der spanischen Inquisition erzählt, so rollt doch dieser Planet immer noch freundlich durch den Himmelsraum, und die Frühlinge wiederholen sich, und die Menschen leben, genießen, und sterben nach wie vor. – Ja, tun, was der Himmel sichtbar, unzweifelhaft von uns fordert, das ist genug – Leben, solange die Brust sich hebt, genießen, was rundum blüht, hin und wieder etwas Gutes tun, weil das auch ein Genuss ist, arbeiten, damit man genießen und wirken könne, andern das Leben geben, damit sie es wieder so machen und die Gattung erhalten werde – und dann sterben – dem hat der Himmel ein Geheimnis eröffnet, der das tut und weiter nichts. Freiheit, ein eignes Haus, und ein Weib, meine drei Wünsche, die ich mir beim Auf- und Untergange der Sonne wiederhole, wie ein Mönch seine drei Gelübde! O um diesen Preis will ich allen Ehrgeiz fahren lassen und alle Pracht der Reichen und allen Ruhm der Gelehrten – Nachruhm! Was ist das für ein seltsames Ding, das man erst genießen kann, wenn man nicht mehr ist? O über den Irrtum, der die Menschen um zwei Leben betrügt, der sie selbst nach dem Tode noch äfft! Denn wer kennt die Namen der Magier und ihre Weisheit? Wer wird nach Jahrtausenden von uns und unserm Ruhme reden? Was wissen Asien, und Afrika und Amerika von unsern Genien? Und nun die Planeten –? Und die Sonne –? Und die Milchstraße –? Und die Nebelflecke –? Ja, unsinnig ist es, wenn wir nicht grade für die Quadratrute leben, auf welcher, und für den Augenblick, in welchem wir uns befinden. Genießen! Das ist der Preis des Lebens! Ja, wahrlich, wenn wir seiner niemals froh werden, können wir nicht mit Recht den Schöpfer fragen, warum gabst Du es mir? Lebensgenuss seinen Geschöpfen zu geben, das ist die Verpflichtung des Himmels; die Verpflichtung des Menschen ist es, ihn zu verdienen. Ja, es liegt eine Schuld auf den Menschen, etwas Gutes zu tun, verstehe mich recht, ohne figürlich zu reden, schlechthin zu *tun* [...].

[3] **Ixion:** König in der griechischen Mythologie. Er bedrängt Hera, die Gattin von Zeus, im Rausch. Zur Strafe wird er an ein brennendes Rad gebunden.

[4] **Nero:** röm. Kaiser, der Rom in Flammen gesetzt hat.
Attila: Hunnenkönig
Cartouche: franz. Bandit im 18. Jahrhundert

1 a) Gliedern Sie den Text und fassen Sie die zentralen Gedanken in eigenen Worten zusammen.
b) Stellen Sie dar, in welchem historischen Kontext Kleist diesen Brief verfasst hat.

2 Erläutern Sie, worin Kleists Kritik an der Aufklärung besteht.

E

Zensur, Zeitkritik oder Ironie?

Probleme der Kleist-Forschung erkennen

Ulrich Johannes Beil

Kleists „Über das Marionettentheater“ (Auszug, 2006)*

[...] „Als ich den Winter 1801 in M...... zubrachte“ – mit diesen Worten beginnt Heinrich von Kleists so faszinierende wie änigmatische[1] Prosa „Über das Marionettentheater“ von 1810. Und man steht sogleich auch vor den Rätseln dieses Textes: Wer ist das „ich“? Was hat es mit der kalten Jahreszeit auf sich? Welche Rolle spielt die Jahresangabe? Was dieses Datum betrifft, so muss es sich nicht nur um ein Anagramm des Textentstehungsjahres handeln. Wissen wir doch, dass dieses Jahr wie kein zweites einen Bruch in Kleists Biographie bedeutete: Es ist das Jahr der sogenannten „Kant-Krise“[2], auch das Jahr, in dem sich die Verlobung mit Wilhelmine von Zenge aufzulösen beginnt. Und schließlich: Was bedeutet die Chiffre „M...“? Wer sich diesem kleinen Text nach kaum mehr zu zählenden Interpretationsversuchen ein weiteres Mal zuwendet, [...] betritt ein literaturwissenschaftliches Frontgebiet mit bewegter Geschichte, mit Haupt- und Nebenschauplätzen, auf denen das Pulver noch immer nicht ganz verraucht ist. Findet sich doch kaum ein Element des Textes, das nicht zu teils erbittertem Streit Anlass gegeben hätte: Egal, ob man die Frage nach der Gattung stellt (handelt es sich um einen Essay, eine Erzählung, einen Traktat[3] oder einen Dialog?), nach der Thematik (kann man diesen Text nun als Kleists Ästhetik/Poetik betrachten und auf seine Werke anwenden oder hat man es eher mit einer Art von Mikro-Anthropologie zu tun, mit einem spielerischen gedanklichen Experiment?), nach der Ernsthaftigkeit (lässt sich die Vorstellung einer „graziösen Marionette“ nachvollziehen oder muss man eine Art von höherem Jux unterstellen?) [...] Einigkeit wurde nur auf wenigen, eng umrissenen Gebieten erzielt, etwa in der Hochschätzung von Gestik und Mimik oder in der Annahme, Kleists Text beziehe implizit eine kritische bzw. polemische Position gegenüber der Ifflandschen Theaterpolitik und der Hardenbergschen Zensurbehörde[4]. [...]

Rufen wir uns zunächst einige Daten und Hintergründe ins Gedächtnis. Der kleine Text „Über das Marionettentheater“ erschien in vier Folgen zwischen dem 12. und dem 15. Dezember 1810 in den von Kleist herausgegebenen „Berliner Abendblättern“. Wir erinnern uns: Zwei Männer, der Ich-Erzähler und der erste Tänzer der Oper, Herr C., treffen sich zufällig im Winter 1801 in einem öffentlichen Garten in der Stadt M...... Sie führen ein Gespräch über Marionetten, die Kunst des Tanzens und der Schauspielerei, das, von geschichtsphilosophischen Parenthesen unterbrochen, immer wieder um das Thema der Grazie kreist. Die Grazie, so erfahren wir, ist ein prekäres Gut; ein geringfügiges Zuviel an Reflexion genügt, und man hat sie für immer verloren. Drei kleine Beispielerzählungen sollen die vor allem von Herrn C. vorgebrachten Thesen bekräftigen: die Erzählung von den Vorteilen und vom Funktionieren der Marionetten; die Erzählung von dem jungen Mann, der auf einen irritierenden Zuruf des Erzählers bei der Nachahmung der Dornauszieher-Statue seine Grazie verliert; und schließlich die Erzählung von jenem fechtenden Bären, der jede Finte seines menschlichen Gegners durchschaut, als ob er seine „Seele darin lesen könnte“ [...] *[Textausgabe, S. 219, Z. 1]*

An dieser Stelle seien noch drei [...] relevante [...] [Aspekte für die Interpretation des Textes] erwähnt:

(1) der theaterpolitische Hintergrund, also der Konflikt mit Iffland und der Hardenbergschen Zensurbehörde, demzufolge Kleist als Redakteur der „Berliner Abendblätter“ keine Artikel über das offizielle Theater mehr publizieren durfte. Das Vorhaben, über Marionettentheater zu schreiben, eine als parasitär angesehene und von der Zensur verfolgte Kunstform, rückt das Kleistsche Unternehmen von

[1] **änigmatisch:** rätselhaft, unerklärbar

[2] **Kant-Krise:** umstrittene Forschungsmeinung zur Biografie Kleists, die davon ausgeht, dass Kleist 1801, nach der Auseinandersetzung mit dem Wahrheitsbegriff Kants, eine Existenz- und Glaubenskrise durchlebte, aus der die Abkehr vom Programm der Aufklärung resultierte.

[3] **Traktat:** Abhandlung

[4] **Karl August Freiherr Fürst von Hardenberg (1750-1822):** preußischer Staatskanzler, ordnete 1811 eine strengere Zensur aller Schriften über die Staatsverfassung und Verwaltung an.

vornherein in die „unseriöse“ Umgebung von Polemik, Parodie und Pamphlet. Im Text wird die Entgegensetzung von [...] Hochkultur und „niederer“ Theaterpraxis dadurch nachgezeichnet, dass der Erzähler Herrn C., den „erste[n] Tänzer der Oper“ und Vertreter der hohen Kunst, nicht nur „mehrere Mal“ im verfemten Marionettentheater antrifft [...] [*Textausgabe, S. 211, Z. 3 u. Z. 7*], sondern ihn auch noch im Gespräch eine Art Theorie dieses Theaters entwickeln hört. Schon von seiner theaterpolitischen Motivation her trägt der Text also subversive[5] Züge, und es ist eine Überlegung wert, ob jene Ironisierung der „Ideologie theatralischer Repräsentation“, die C. J. Wild herausgearbeitet hat, implizit auch an die Adresse der Weimarer Klassik gerichtet ist.

(2) die Diskussion über die nach wie vor offene Gattungsfrage. Auch in dieser Hinsicht unterläuft Kleist die zeittypischen Erwartungen an einen „seriösen“ poetologischen oder kunsttheoretischen Essay. Die „gattungsgeschichtliche Verwirrung“ die der Text auslöste, findet ihren Niederschlag in so unterschiedlichen Zuschreibungen wie „Prosadichtung“, „Parabel“, „Aufsatz“, „Schrift“, „Traktat“, „Essay“, „„Studie“, „Satire“, „Feuilleton“, „Gespräch“ oder gar „Plauderei“: eine Verwirrung, die sich in der Beobachtung stilistischer „Finessen“ widerspiegelt, die die Arbeit des Hermeneutikers[6] erschweren wenn nicht verunmöglichen.

(3) Ähnlich verhält es sich mit der Vielzahl der Ambiguitäten und Paradoxien, die seit langem beobachtet worden sind [...]. Ich möchte an dieser Stelle nur darauf hinweisen, dass zu den Paradoxien von Gott und Materie, des Organischen und des Anorganischen, des Maschinellen und des Anmutigen neuerdings immer stärker auch das merkwürdige Schwanken zwischen Ernst und Scherz, Philosophie und Slapstick zur Sprache kam. Insbesondere die geschichtsphilosophischen Einlagen, die man jahrzehntelang als eine Art von romantischer Eschatologie[7] zu deuten gewohnt war, lassen sich nicht mehr ohne die ironischen Zwischentöne lesen, mit denen Kleist sie umgibt.

[5] **subversiv:** aufrührerisch, aufständisch

[6] **Hermeneutik:** Theorie bzw. Methode der Interpretation, die den subjektiven Dialog mit dem Erkenntnisgegenstand (z. B. dem Text) in den Vordergrund rückt.

[7] **Eschatologie:** Lehre von der Endzeit

*(*Text verändert: Fußnoten wurden nicht abgedruckt.)*

1 a) Erläutern Sie, welche Schwierigkeiten Beil anführt, den Essay „Über das Marionettentheater“ formal einzuordnen und zu interpretieren.
b) Sammeln Sie, welche offenen Forschungsfragen und welche möglichen Interpretationsansätze der Autor in seinem Text benennt.
c) Wählen Sie eine oder zwei besonders interessante Deutungshypothesen aus und diskutieren Sie Ihre Stichhaltigkeit.

2 Setzen Sie sich mit der Aussage Beils auseinander, in dem Essay seien auch „ironische[.] Zwischentöne“ (Z. 74) wahrzunehmen. Führen Sie in diesem Zusammenhang begründet aus, ob bzw. inwiefern Sie diese Einschätzung teilen.

3 Diskutieren Sie, inwiefern sich die Deutungshypothesen zur Schrift „Über das Marionettentheater“, die sie in diesem Kapitel erarbeitet und kennengelernt haben, auf Kleists literarisches Schaffen übertragen lassen. Führen Sie Textstellen aus dem Lustspiel „Der zerbrochne Krug“ und der Novelle „Die Marquise von O...“ an, die Ihre Ansicht belegen.

In dem Modul zu Irmgard Keun: „Das kunstseidene Mädchen“ (S. 101 – 155) wird auf **folgende Textausgabe** (= TA) Bezug genommen:

Irmgard Keun: Das kunstseidene Mädchen. Hrsg. v. Thomas Kopfermann. Mit Materialien, ausgewählt von Jörg Ulrich Meyer-Bothling. Leipzig / Stuttgart / Düsseldorf: Klett Verlag 1992/2004, © Claassen Verlag, München

Die Großstadt als literarisches Thema

Beginn des 20. Jahrhunderts: Kontextwissen

Sich der Zeitgeschichte mithilfe von Bildern nähern

Georg Scholz: „Zeitungsträger (Arbeit schändet)“ (1921), Staatliche Kunsthalle Karlsruhe

Otto Dix: „Drei Dirnen auf der Straße“ (1925)

Manfred Hirzel: „Mädchenbildnis A (Melitta)“ (1930)

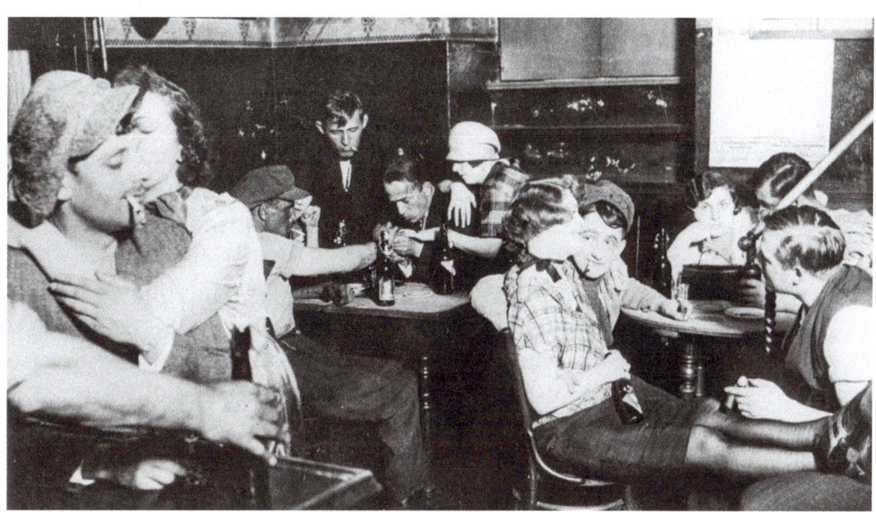

1929 in einer Berliner „Kaschemme“ am Alexanderplatz

Das „Moka Efti“ in Tiergarten, ein Amüsierpalast in den 1920er-Jahren, der in „Babylon Berlin“ als großer Kontakthof der Society präsentiert wird.

„Advent – Auf Krücken sitzt's sich wärmer –“, aus der Reihe „Opfer des 1. Weltkrieges“ (Foto: Walter Ballhause, Hannover, 1930), Deutsches Historisches Museum, Berlin

1 Tauschen Sie sich darüber aus, welche ersten Eindrücke Ihnen die zeitgenössischen Bilddokumente über das Leben in der Weimarer Republik vermitteln.

2 Erläutern Sie unter Einbeziehung Ihrer bisherigen Kenntnisse, was die Bilder über die Zeitumstände zum Ausdruck bringen. Gehen Sie dabei auch auf Probleme und Widersprüche ein.

Kontextwissen aktualisieren

Karin Cohrs

Beschleunigung aller Lebensbereiche um 1900 (2023)

Industrialisierung und Technisierung führen zu Beginn des 20. Jahrhunderts zu radikalen Neugestaltungen und zur Beschleunigung aller Lebensbereiche. Metropolenbildung und die Hektik des Großstadtlebens sowie Massenproduktion und Massenmedien, aber auch die zunehmende Macht des Geldes verursachen eine spürbare zwischenmenschliche Entfremdung und den geistigen Bruch mit traditionellen bürgerlichen Moralvorstellungen und Werten. Das Prinzip der Masse steht dem Individualismus und der Isolation des Einzelnen unvereinbar gegenüber. Die „Ur-Katastrophe" des 20. Jahrhunderts (Erster Weltkrieg) und darauffolgende Krisen (Hyperinflation, Währungsreform, Systemwechsel) bestimmen das Zeitgeschehen und beeinflussen in hohem Maße auch literarisches Schaffen.
Infolge der rasanten politischen, gesellschaftlichen und technologischen Veränderungen, verstärkt durch die nationale Militarisierung, entwickelt sich um 1900 einerseits ein kulturübergreifendes pessimistisches Grundgefühl *(Fin de Siècle)*, in dem Bewusstsein, Zeuge einer untergehenden Epoche bzw. Kultur zu sein. Andererseits verspüren bestimmte Gruppierungen aber auch die Hoffnung auf grundlegende Erneuerungen, sodass Aufbruch- und Endzeitstimmung sowie Frivolität und Dekadenz gleichsam als Parameter der Krise zu betrachten sind. Die Schriftsteller/-innen reagieren darauf mit unterschiedlichen ästhetischen Konzepten, Stilrichtungen und Schreibweisen *(Fin de Siécle, Symbolismus, Impressionismus, Expressionismus, Futurismus, Dadaismus, Neue Sachlichkeit)*. Experimentierfreude, Individualität und Vielfalt (Pluralismus) der Stile kennzeichnen die Literatur und dokumentieren damit ein verändertes Wirklichkeits- und Literaturverständnis.
Diese Zeit des Umbruchs ist der Beginn der *literarischen Moderne*, die davon geprägt ist, das in die Krise geratene *Ich* neu zu begreifen. Beeinflusst von Philosophie und Psychoanalyse setzen sich die Schriftsteller/-innen der Moderne jetzt zunehmend mit der eigenen Psyche und Individualität auseinander. Entsprechend ihrer eigenen gesellschaftlichen Position zeigen sie bevorzugt individuelle Lebenskämpfe eines Protagonisten oder einer Protagonistin (Außenseiter/-in mit antibürgerlicher Haltung) und sein/ihr Scheitern in der Gesellschaft. Lebenspathos und Dekadenz werden in ihrer Gegensätzlichkeit als komplementäre Phänomene behandelt und die moderne Großstadt wird zum vorherrschenden Handlungsort und Motiv in der Literatur.
Die Subjektivierung des Wirklichkeitsverständnisses wird zunehmend über die personale Erzählperspektive und neue Formen des Erzählens vermittelt *(erlebte Rede, innerer Monolog etc.)*. In diesem Zusammenhang reflektieren die Schriftsteller/-innen auch narrative Verfahren, literarische Gattungen und Formen sowie die Möglichkeiten der Sprache, eine zunehmend komplexe und verwirrende äußere und innere Wirklichkeit in ihrer Fülle und Lebendigkeit sprachlich zu erfassen. Im Kontext dieser veränderten Schreibprozesse entwickeln sich neue poetische Formen wie Skizze, Studie, Zeitroman, Reportage und sprachexperimentelle Lyrik. Parallel hierzu entstehen vielfältige neue ästhetische Formen künstlerischer Darbietung, z. B. Varieté, Kabarett, Kleinkunstbühne, Radio und Kino.

1 Geben Sie wieder, welche Faktoren für die im Text beschriebene Umbruchsituation um 1900 verantwortlich sind.

2 Erläutern Sie, inwiefern die veränderten Lebensbedingungen zu Beginn des 20. Jahrhunderts auch künstlerisches Schaffen beeinflussen.

Irmgard Keun: „Das kunstseidene Mädchen" (1932)

Erste Zugänge zum Roman

Leseeindrücke dokumentieren

Buchcover der Ausgabe: „Das kunstseidene Mädchen. Roman." Nach dem Erstdruck von 1932, mit Illustrationen von Gerda Raidt, Frankfurt am Main, Wien und Zürich, Büchergilde Gutenberg 2005

1 ***Lernarrangement***

Bilden Sie nach der ersten Lektüre des Romans kleine Arbeitsgruppen.

a) Tauschen Sie Ihre Leseeindrücke aus und klären Sie mögliche Unterschiede im Textverständnis.
b) Halten Sie Besonderheiten des Romans fest, die Ihnen nach der ersten Lektüre im Gedächtnis geblieben sind.
c) Verständigen Sie sich in der Gruppe auf drei Fragen, die nach der Erarbeitung der Lektüre beantwortet sein sollten. Notieren Sie diese auf einer Karteikarte.
d) Clustern und präsentieren Sie Ihre Ergebnisse an einer Wandtafel.
e) Erörtern Sie anhand der Gruppenergebnisse, welche Themenbereiche für die Auseinandersetzung mit dem Roman von besonderer Bedeutung zu sein scheinen.

Den Romananfang analysieren

Irmgard Keun

Das kunstseidene Mädchen (Romananfang, 1932)

Fotografie der Autorin Irmgard Keun (1905–1982)

ERSTER TEIL

Ende des Sommers und die mittlere Stadt

Das war gestern Abend so um zwölf, da fühlte ich, dass etwas Großartiges in mir vorging. Ich lag im Bett – eigentlich hatte ich mir noch die Füße waschen wollen, aber ich war zu müde wegen dem Abend vorher, und ich hatte doch gleich zu Therese gesagt: „Es kommt nichts bei raus, sich auf der Straße ansprechen zu lassen, und man muss immerhin auf sich halten."

Außerdem kannte ich das Programm im Kaiserhof[1] schon. Und dann immer weiter getrunken – und ich hatte große Not, heil nach Hause zu kommen, weil es mir doch ohnehin immer schwerfällt, Nein zu sagen. Ich habe gesagt: „Bis übermorgen." Aber ich denke natürlich gar nicht dran. So knubbelige Finger und immer nur Wein bestellt, der oben auf der Karte steht, und Zigaretten zu fünf – wenn einer so schon anfängt, wie will er da aufhören? Im Büro war mir dann so übel, und der Alte hat's auch nicht mehr dick und kann einen jeden Tag entlassen. Ich bin also gleich nach Hause gegangen gestern Abend – und zu Bett ohne Füße waschen. Hals auch nicht. Und dann lag ich so und schlief schon am ganzen Körper, nur meine Augen waren noch auf – der Mond schien mir ganz weiß auf den Kopf – ich dachte noch, das müsste sich gut machen auf meinem schwarzen Haar, und schade, dass Hubert mich nicht sehen kann, der doch schließlich und endlich der Einzige ist, den ich wirklich geliebt habe. Da fühlt ich wie eine Vision Hubert

[1] **Kaiserhof:** Die Großstadt, in der Doris lebt, wird im Roman nicht explizit benannt. In Köln gab es allerdings im Kaiserhof zu dieser Zeit ein angesagtes internationales Varieté.

[2] **Colleen Moore** (1899–1988): US-amerikanische Schauspielerin, Symbol der „Roaring Twenties", spielte in zahlreichen Stummfilmen der 1920er-Jahre.

um mich, und der Mond schien, und von nebenan drang ein Grammofon zu mir, und da ging etwas Großartiges in mir vor – wie auch früher manchmal – aber da doch nie so sehr. Ich hatte ein Gefühl, ein Gedicht zu machen, aber dann hätte es sich womöglich reimen müssen, und dazu war ich zu müde. Aber ich erkannte, dass etwas Besonderes in mir ist, was auch Hubert fand und Fräulein Vogelsang von der Mittelschule, der ich einen Erlkönig hinlegte, dass alles starr war. Und ich bin ganz verschieden von Therese und den anderen Mädchen auf dem Büro und so, in denen nie Großartiges vorgeht. Und dann spreche ich fast ohne Dialekt, was viel ausmacht und mir eine Note gibt, besonders da mein Vater und meine Mutter ein Dialekt sprechen, das mir geradezu beschämend ist.

Und ich denke, dass es gut ist, wenn ich alles beschreibe, weil ich ein ungewöhnlicher Mensch bin. Ich denke nicht an Tagebuch – das ist lächerlich für ein Mädchen von achtzehn und auch sonst auf der Höhe. Aber ich will schreiben wie Film, denn so ist mein Leben und wird noch mehr so sein. Und ich sehe aus wie Colleen Moore[2], wenn sie Dauerwellen hätte und die Nase mehr schick ein bisschen nach oben. Und wenn ich später lese, ist alles wie Kino – ich sehe mich in Bildern. Und jetzt sitze ich in meinem Zimmer im Nachthemd, das mir über meine anerkannte Schulter gerutscht ist, und alles ist erstklassig an mir – nur mein linkes Bein ist dicker als mein rechtes. Aber kaum. Es ist sehr kalt, aber im Nachthemd ist schöner – sonst würde ich den Mantel anziehen.

Und es wird mir eine Wohltat sein, mal für mich ohne Kommas zu schreiben und richtiges Deutsch – nicht alles so unnatürlich wie im Büro. Und jedes Komma, was fehlt, muss ich der Hopfenstange von Rechtsanwalt – Pickel hat er auch und Haut wie meine alte gelbe Ledertasche ohne Reißverschluss – ich schäme mich, sie noch in anständiger Gesellschaft zu tragen – solche Haut hat er im Gesicht. Und überhaupt halte ich von Rechtsanwälten nichts – immer happig aufs Geld und reden wie'n Entenpopo und nichts dahinter. Ich lass mir nichts anmerken, denn mein Vater ist sowieso arbeitslos, und meine Mutter ist am Theater, was auch unsicher ist durch die Zeit. Aber ich war bei der Hopfenstange von Rechtsanwalt. Also – ich lege ihm die Briefe vor, und bei jedem Komma, was fehlt, schmeiß ich ihm einen sinnlichen Blick. Und den Krach seh ich kommen, denn ich hab keine Lust zu mehr. Aber vier Wochen kann ich sicher noch hinziehn, ich sag einfach immer, mein Vater wäre so streng, und ich müsste abends gleich nach Haus. Aber wenn ein Mann wild wird, dann gibt es keine Entschuldigung – man kennt das. Und er wird wild mit der Zeit wegen meinen sinnlichen Blicken bei fehlenden Kommas. Dabei hat richtige Bildung mit Kommas gar nichts zu tun. Aber fällt mir nicht ein mit ihm und so weiter. Denn ich sagte auch gestern zu Therese, die auch auf dem Büro und meine Freundin ist: „Etwas Liebe muss dabei sein, wo blieben sonst die Ideale?"

Und Therese sagte, sie wäre auch ideal, weil sie so mit Seele und Schmerz mit einem Verheirateten, der nichts hat und an Scheidung nicht denkt und nach Goslar gezogen ist – und sie ist dann ganz vertrocknet und 38 geworden letzten Sonntag und sagt 30 – und 40 sieht man ihr an – und alles wegen dem Laumann. Und so ideal bin ich wieder nicht. Denn das sehe ich nicht ein.

Und habe mir ein schwarzes, dickes Heft gekauft und ausgeschnittne weiße Tauben draufgeklebt und möchte einen Anfang schreiben: Ich heiße somit Doris und bin getauft und christlich geboren. Wir leben im Jahre 1931. Morgen schreibe ich mehr.

1 Geben Sie Informationen über die Protagonistin Doris wieder, die Sie dem Romananfang entnehmen.

2 Analysieren und interpretieren Sie den Textauszug. Berücksichtigen Sie hierbei auch, welches Weltbild und welches Selbstverständnis der Protagonistin zum Ausdruck kommen.

3 Setzen Sie sich mit der Figureneinführung auseinander und erläutern Sie, welche Leseerwartungen bei Ihnen hinsichtlich der weiteren Handlung geweckt werden.

4 Beurteilen Sie, ob der Romananfang dem Anspruch des Schriftstellers Theodor Fontane gerecht wird, den er 1880 in einem Brief an den Redakteur der „Westermann Monatshefte", Gustav Karpeles, formulierte:

„[...] das erste Kapitel ist immer die Hauptsache und in dem ersten Kapitel die erste Seite, beinah die erste Zeile. [...] Bei richtigem Aufbau muss in der erste[n] Seite der Keim des Ganzen stecken." (Theodor Fontane)

Den Inhalt, die Raum- und Zeitstruktur erarbeiten

1 ***Lernarrangement***

Bilden Sie drei Arbeitsgruppen und bearbeiten Sie jeweils ein Kapitel des Romans.

a) Notieren Sie in der folgenden Tabelle wesentliche Aspekte zu den Handlungsorten und zum Inhalt sowie Zitate, die Aufschlüsse über die Gedanken und Gefühle der Protagonistin geben.

b) Präsentieren Sie Ihre Ergebnisse im Plenum und fertigen Sie eine gemeinsame Übersicht an, auf die Sie im weiteren Verlauf der Erarbeitung des Werks zugreifen können.

Romanteil	Handlungsorte	Handlungszeit	Inhaltsaspekte	Zitate
ERSTER TEIL: Ende des Sommers und die mittlere Stadt (TA, S. 3–38)	– Wohnung der Eltern –	– Stadt im Rheinland (Spätsommer 1931) –	– Die Protagonistin **Doris** ... ist 18 Jahre alt; –	– „[...] da fühlte ich, dass etwas Großartiges in mir vorging." (S. 3, Z. 1 f.) –

Romanteil	Handlungsorte	Handlungszeit	Inhaltsaspekte	Zitate
ZWEITER TEIL: Später Herbst – und die große Stadt (TA, S. 39–83)				
DRITTER TEIL: Sehr viel Winter und ein Wartesaal (TA, S. 84–130)				

c) Reflektieren Sie, welche Themen und Ereignisse die Ich-Erzählerin anspricht und welche sie auslässt, obwohl diese möglicherweise für die Leserschaft interessant wären. Nennen Sie mögliche Gründe für die von Ihnen benannten Leerstellen.

d) Beurteilen Sie, ob der Titel des Romans nach Ihrem Textverständnis treffend gewählt ist oder ein alternativer Titel passender wäre.

„Ich will so ein Glanz werden“

Die Protagonistin Doris näher kennenlernen

Fotografie einer Inszenierung von Irmgard Keun: „Das kunstseidene Mädchen“ am Badischen Staatstheater Karlsruhe (2023) mit Alisa Kunina als Doris. Foto: Felix Grünschloß, Regie: Annalena Köhne (Bühnenfassung: Gottfried Greiffenhagen)

Fotografie einer Inszenierung von Irmgard Keun: „Das kunstseidene Mädchen“ an der Theater tri-bühne Stuttgart 2007 mit Anuschka Herbst als Doris (Regie: László Bagossy)

Filmstill aus dem Spielfilm „Das kunstseidene Mädchen“ (BRD, 1959) mit Giulietta Masina (links) als Doris und Gert Fröbe (rechts) als Rechtsanwalt Dr. Kölling (Regie: Julien Duvivier)

1 a) Beschreiben Sie die Fotografien der Theaterinszenierungen (oben) und das Filmbild (unten). Ordnen Sie die dargestellten Szenen der Romanhandlung zu.
b) Erläutern Sie die Wirkungsabsicht der szenischen Darstellungen.

2 a) Assoziieren Sie in Partnerarbeit Adjektive, die die Protagonistin Doris treffend charakterisieren.

______________	______________	______________
______________	______________	______________
______________	______________	______________

b) Vergleichen Sie Ihre Ergebnisse im Plenum, begründen Sie Ihre Entscheidungen und nutzen Sie hierfür Textbelege.

3 a) Verfassen Sie unter Einbeziehung Ihrer Ergebnisse eine vollständige Charakterisierung von Doris.
b) Beurteilen Sie Ihre Charakterisierungen im Plenum nach Form und Inhalt.
c) Diskutieren Sie, ob bzw. inwiefern sich Widersprüchlichkeiten im Wesen und Charakter der Protagonistin erkennen lassen.

Glanz

Glanz, die Eigenschaft einer lichtreflektierenden Fläche (speziell von Kristalloberflächen), je nach Beleuchtungs- und Beobachtungsrichtung versch. Leuchtdichten zu zeigen. [...] Als physikal. Größe ist der G. der Quotient aus den Lichtströmen des gerichtet (spiegelnd) reflektierenden Lichtes **(G.-Licht)** und des diffus reflektierten Anteils. [...]
(Brockhaus Enzyklopädie in 24 Bd., Bd. 8. Brockhaus Mannheim 1989. 19. Auflage. S. 553.)

Anny Ondra (Berlin, 1931), Ehefrau von Max Schmeling (dt. Boxer)

1 a) Vergleichen Sie Doris' Vorstellungen von „Glanz" mit der Begriffserklärung in der Infobox und deuten Sie ihr Verständnis. Wie ließe sich der Begriff „Glanz" in unsere Gegenwartssprache übersetzen?

b) Diskutieren Sie, welche Aspekte der Begriffsdefinition aus dem Brockhaus sich auf Doris' Begriffsverständnis übertragen lassen.

2 a) Ordnen Sie folgende Zitate in die entsprechenden Zusammenhänge ein und erläutern Sie die Aussagen der Protagonistin in ihrer Wirkung auf den Leser bzw. die Leserin:

„Ich werde ein Glanz [...]." (Textausgabe, S. 26, Z. 35; S. 55, Z. 35)
„[...] denn ich bin ein Glanz." (ebda., S. 27, Z. 3)
„Ich bin jetzt fast schon ein Glanz." (ebda., S. 31, Z. 20)
„Wo ich nun berühmt bin und ein Glanz [...]." (ebda., S. 32, Z. 37)
„Es [bezieht sich auf ihr Gesicht] muss sich soviel Mühe geben, weil ich ein Glanz werden will." (ebda., S. 47, Z. 34 f.)
„[...] mir kam die Gelegenheit zu einem Glanz [...]." (ebda., S. 50, Z. 36)
„[...] wenn ich ein Glanz bin [...]." (ebda., S. 53, Z. 25)
„Auf den Glanz kommt es nämlich vielleicht gar nicht so furchtbar an." (ebda., S. 130, Z. 24 f.)

b) Erläutern Sie, inwiefern das letzte Zitat von den vorherigen abweicht und was diese Abweichung über eine mögliche Entwicklung der Figur Doris aussagt.

3 Benennen und sammeln Sie weitere Begriffe, Orte und/oder Gegenstände, die für Doris von symbolischer Bedeutung sind.

4 ***Lernarrangement***

a) Bilden Sie Kleingruppen und wählen Sie pro Gruppe einen der von Ihnen in Aufgabe 3 genannten Begriffe, Orte oder Gegenstände aus, um die jeweils spezifische Verwendung und den Symbolgehalt mithilfe von Textbelegen zu untersuchen.

b) Beschreiben Sie die Verwendungssituation(en) und erläutern Sie die Funktion des von Ihnen untersuchten Symbols.

c) Erarbeiten Sie Leitmotive des Romans.
d) Präsentieren Sie Ihre Ergebnisse im Plenum.

5 Reflektieren Sie die in dem Roman verwendete Symbolik in ihrer Wirkung auf die Leser/-innen.

6 Beurteilen Sie das Verhalten und die Einstellung der Protagonistin, ihrem Ideal zu folgen und ihren Vorbildern nachzueifern, um ihre Ziele zu verwirklichen.

7 Setzen Sie sich mit der Frage auseinander, ob sich junge Menschen Ihrer Generation mit Doris identifizieren können oder ob sich ihre Lebensvorstellungen und Ziele voneinander unterscheiden.

Figurenkonstellation und Konfliktgestaltung erfassen

Die Handlung eines epischen Textes wird maßgeblich dadurch bestimmt, wie die Hauptfiguren (Protagonisten) und Nebenfiguren gestaltet sind. Neben der **Figurenkonzeption**, bei der die Entwicklungsmöglichkeiten, die Komplexität und die Informationsvergabe über die Figuren festgelegt bzw. analysiert werden, spielt hier vor allem die **Figurenkonstellation**, die das Zusammenspiel der Figuren erfasst, eine tragende Rolle. Aus dem Verhältnis der Figuren untereinander ergeben sich die zentralen **Konflikte**, die die Handlung der Erzählung vorantreiben.

1 ***Lernarrangement***
Bilden Sie kleine Arbeitsgruppen.
a) Gestalten Sie eine Figurenkonstellation zum Roman „Das kunstseidene Mädchen“. Drücken Sie hierbei auch die jeweilige Beziehungsqualität (z. B. Liebes- und Verwandtschaftsbeziehung, Zu- oder Abneigung) der Figuren zueinander aus.

b) Präsentieren Sie Ihre Ergebnisse im Plenum und klären Sie unterschiedliche Zuordnungen.

2 Erläutern Sie, welche Bilder in Ihrer Vorstellung über die Figuren entstehen. Beantworten Sie u. a. die Frage, welche Figur Ihnen (un-)sympathisch ist oder moralisch verwerflich zu sein scheint. Begründen Sie Ihre Empfindungen und Urteile.

3 ***Lernarrangement***
Bilden Sie Kleingruppen und gehen Sie arbeitsteilig vor.

a) Notieren Sie in folgender Tabelle für jeweils eine Figur, was die Ich-Erzählerin über diese erzählt und welche Wirkung sie damit erzielt. Berücksichtigen Sie hier auch spezielle Namensgebungen.
b) Erläutern Sie, warum die Ich-Erzählerin den Figuren unterschiedlichen Raum in ihrer Erzählung gibt.
c) Präsentieren Sie Ihre Ergebnisse und führen Sie diese in der Tabelle zusammen.

Figur	Information über die Figur	Wirkung auf die Leser/-innen
Therese (TA, S. 3, 10, 11, 15, 16, 30, 32, 33, 34, 38, 40, 44, 73, 74, 81, 95, 108, 109)	Kollegin, Freundin, ...	
Mutter (TA, S. 4, 15, 16, 17, 25, 36, 40, 49, 50, 54, 55, 72, 74, 81, 95, 124)		
Vater (TA, S. 4, 5, 12, 15, 16, 54)		
Hulla (TA, S. 72, 77, 78, 81, 130) und **Rannowsky** (TA, S. 52, 72, 77)		
Tilli Scherer (TA, S. 39, 40, 45, 52, 72, 75, 76, 77, 78, 81, 88)		
Hubert (TA, S. 3, 9, 10, 11,12, 16, 35, 36, 37)		

Figur	Information über die Figur	Wirkung auf den Leser/die Leserin
Herr Brenner (TA, S. 56 – 72)		
Alexander (TA, S. 72 – 76)		
Ernst (TA, S. 90 – 125)		
Karl (TA, S. 87, 88, 89, 129, 130)		
Herrenbekanntschaften z. B.: „schwarzer Rayon“ (TA, S. 46); „roter Mond“ (TA, S. 46, 47, 49, 50); „Onyx“ (TA, S. 50 f.); „Großindustrie“ (TA, S. 26 f., 74); „der Schöne“ (TA, S. 51); „Franz“ (TA, S. 53, 54); „Lippi Wiesel“ (TA, S. 79 – 83, 109); „der kleine Schanewsky“ (TA, S. 89 f.); „Mann aus der Großindustrie“ (TA, S. 26 f.); „der dunkelblaue Verheiratete“ (TA, S. 42 – 44)		

4 a) Versetzen Sie sich in die Rolle der von Ihnen bearbeiteten Figur. Stellen Sie sich vor, Sie werden von einem Reporter oder einer Reporterin über Doris interviewt, weil sie durch ihr Verhältnis mit dem Geschäftsmann Alexander einen gewissen Bekanntheitsgrad erreicht hat. Beschreiben Sie aus der Sicht dieser Figur Doris und Ihr Verhältnis zu ihr.

b) Reflektieren Sie mögliche Unterschiede zwischen der Selbstwahrnehmung von Doris und der Fremdwahrnehmung durch die von Ihnen untersuchte Figur.

Hubert – Brenner – Ernst – Karl

Doris' Beziehungen zu Männern miteinander vergleichen

1 Beschreiben und deuten Sie das Szenenbild im Hinblick auf die Lebenssituation der Protagonistin.

2 Analysieren und interpretieren Sie den Textauszug aus der Textausgabe, S. 10, Z. 14 – S. 12, Z. 29 unter dem Aspekt der besonderen Beziehung zwischen Doris und Hubert.

3 Erläutern Sie unter Einbeziehung weiterer Textstellen, welche Bedeutung Hubert für die Protagonistin hat.

4 Diskutieren Sie, ob sich aus den Erzählungen über Hubert ein Wunsch Doris' nach Liebe und einem bürgerlichen Leben ableiten lässt.

Fotografie einer Szene aus einer Inszenierung des Stücks „Das kunstseidene Mädchen" am Stadttheater Wilhelmshaven (2017/18, Regie: Olaf Strieb); links: Pianist Hans-Jürgen Osmers, rechts: Anna Gesewsky als Doris

5 ***Lernarrangement***
Bilden Sie Kleingruppen und gehen Sie arbeitsteilig vor.
a) Analysieren Sie Doris' Beziehungen zu Brenner, Ernst und Karl anhand folgender Textstellen:
- Brenner: Textausgabe, S. 56, Z. 24 – S. 72, Z. 3
- Ernst: Textausgabe, S. 90, Z. 26 – S. 127, Z. 19
- Karl: Textausgabe, S. 87, Z. 27 – S. 88, Z. 16; S. 89, Z. 4 – Z. 23; S. 129, Z. 23 – S. 130, Z. 24

b) Präsentieren Sie Ihre Ergebnisse im Plenum.

6 Vergleichen Sie Doris' Beziehungen zu den vier Männern miteinander, indem Sie Gemeinsamkeiten und Unterschiede in ihrer Einstellung oder in ihrem Verhalten ihnen gegenüber feststellen.

7 Reflektieren Sie die Bedeutung der „Männerbekanntschaften" für die Ich-Erzählerin. Beziehen Sie folgende Äußerungen in Ihre Überlegungen ein:

„Mit einem Fremden schlafen, der einen nichts angeht, ganz umsonst, macht eine Frau schlecht. Man muss wissen, wofür. Um Geld oder aus Liebe." (Textausgabe, S. 37, Z. 36 – S. 38, Z. 2)

„Und dann sitze ich hier allein und fühle nur immer: Gleich geh ich nach Haus. [...] ich bin was ganz Solides, und jedes Wort von mir ist eine Liebe für den Mann von meinem Leben." (ebda., S. 122, Z. 20 ff.)

„Und wenn man ein besonders großes Glück hat, dann wird man wie Therese. Dann sitzt man und spart und isst ganz wenig. Und hat eine Liebe." (ebda., S. 108, Z. 15 ff.)

„[...] man müsste sein mit einem, der mir gefällt. Gefällt, gefällt, gefällt." (ebda., S. 47, Z. 22)

„[...] Liebe ist zufällig zusammen betrunken sein und aufeinander Lust haben und sonst Quatsch." (ebda., S. 66, Z. 8 ff.)

„Wenn man Glück bei Männern haben will, muss man sich für dumm halten lassen." (ebda., S. 41, Z. 35 f.)

„Wenn eine junge Frau ohne Geld mit einem schläft ohne Geld, weil er glatte Haut hat und ihr gefällt, dann ist sie eine Hure und ein Schwein." (ebda., S. 50, Z. 24 ff.)

„Aber ich will schreiben wie Film“

Die narrative Gestaltung des Romans analysieren

Britta Focht als Doris im Solostück „Das kunstseidene Mädchen“ (März 2000, Stadthagen)

Es gibt unterschiedliche Möglichkeiten, einen literarischen Text zu erschließen. Ein erster Schritt, um die Gestaltung des Erzählens zu untersuchen, kann über die Beantwortung folgender W-Fragen erfolgen:

- **Wer** erzählt die Geschichte? (Erzähler/-in)
- **Wem** wird etwas erzählt? (Adressat/-in)
- **Wie** wird erzählt? (Sprachgestaltung/Erzählweise)
- **Warum** wird erzählt? (Erzählanlass/Motivation)
- **Welche** Wirkung ist beabsichtigt? (mögliche Intention des Autors/der Autorin)

Man kann sich dem narrativen Konstrukt des literarischen Textes aber auch über grafische Modelle wie diesem nähern:

Bedingungsfeld literarischen Erzählens

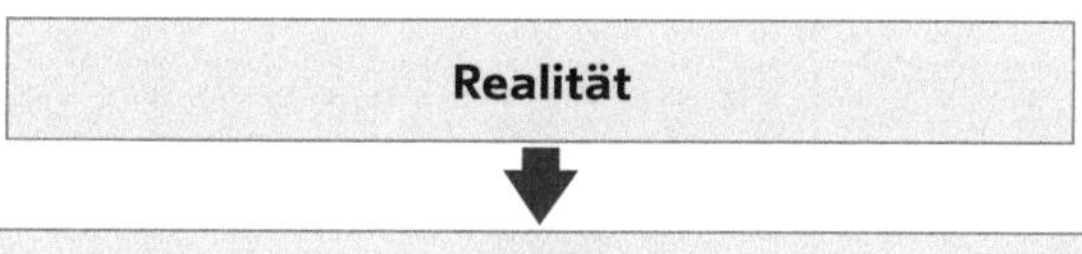

politische/gesellschaftliche Einflüsse → **Autor/Autorin** ← Biografie / ideologische/literarische Einflüsse

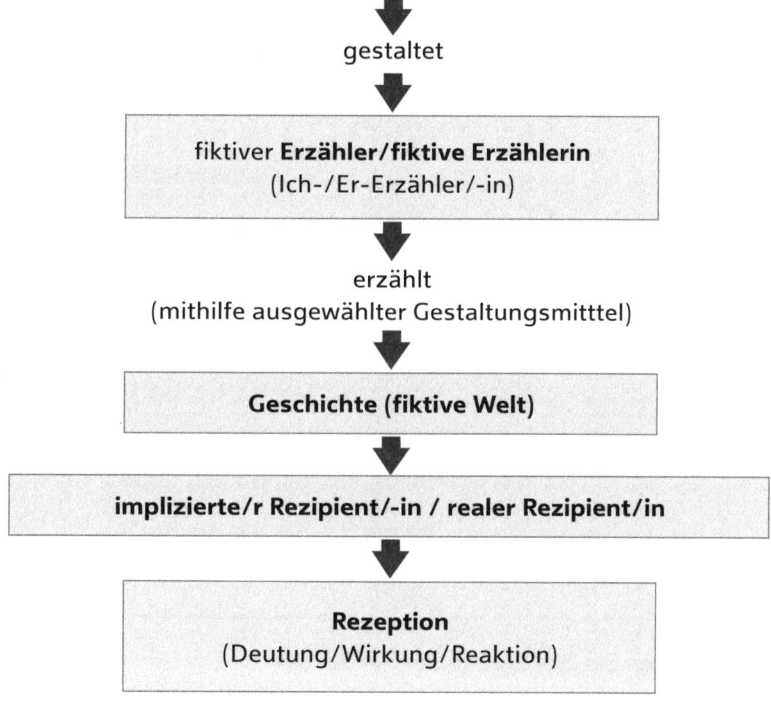

impliziter Rezipient/ implizite Rezipientin: Der Autor/die Autorin stellt sich beim Verfassen des Textes eine fiktive (zeitgenössische) Leserschaft vor, deren Kenntnisstand und Erwartungshorizont in die Textproduktion einfließen.

realer Rezipient / reale Rezipientin: Die reale Leserschaft in der wirklichen Welt, die ein literarisches Produkt tatsächlich „konsumiert“.

1 Erläutern Sie das Beziehungsgeflecht zwischen Autor/-in, Literaturprodukt und Leserschaft, indem Sie die oben genannten W-Fragen den entsprechenden Stellen in der Grafik zuordnen.

2 Arbeiten Sie mit Ihrem Sitznachbarn oder Ihrer Sitznachbarin zusammen.
a) Wenden Sie die Grafik „Bedingungsfeld literarischen Erzählens“ auf die kommunikative Situation im Roman „Das kunstseidene Mädchen“ an.
b) Erstellen Sie eine eigene Grafik, die Ihre Ergebnisse aus Aufgabe a) visualisiert.
c) Präsentieren und vergleichen Sie Ihre Ergebnisse im Plenum. Klären Sie mögliche Unterschiede.

Tipp zu Aufgabe 1: Einige W-Fragen lassen sich mehreren Stellen in der Grafik zuordnen.

3 Analysieren Sie den Textauszug der Textausgabe, S. 34, Z. 22 – S. 36, Z. 38, um die sprachliche und erzähltechnische Gestaltung des Romans exemplarisch zu erarbeiten.

a) Notieren Sie Ihre Ergebnisse in der folgenden Tabelle:

Erzählsituation	Textbelege	Wirkung
Erzählform:	„Wenn es klingelt, werde ich wahnsinnig." (S. 34, Z. 22) ...	Ich-Erzählerin (fiktive Figur) → vermittelt zwischen dem Erzählten und der Leserschaft den Erzählgegenstand
Erzählperspektive:		
Redeformen:		
Erzählzeit/ erzählte Zeit:		
Syntax:		
Wortwahl:		
rhetorische Mittel:		

b) Präsentieren Sie Ihre Ergebnisse im Plenum.

4 Stellen Sie auf der Grundlage Ihrer Ergebnisse und weiterer Textbelege begründet dar, welche erzähltechnischen und sprachlichen Gestaltungsmittel Sie als für den Roman typisch und stilprägend einschätzen.

5 Erläutern Sie, wie Doris ihr Ziel, zu schreiben „wie Film" (vgl. Kapitelüberschrift), konkret umsetzt.

6 Erläutern Sie, inwiefern der Roman von der Gestaltungsweise des traditionellen Romans (vgl. Karl Migner, Grundband I, S. 204 f.) abweicht. Beziehen Sie in Ihre Überlegungen auch ein, welche Wirkungsabsicht vermutlich mit dieser Darstellungsweise verbunden ist.

Irmgard Keun

Das kunstseidene Mädchen (Auszug, 1932)

Elli Blarr, die erste Frau, der die Polizei eine Konzession von Autodroschken erteilt hat, Berlin 1930

Sagt er mir: „Puppe, sei mir treu, ich muss dich diesen Abend dir selber überlassen." Tilli war nicht zu Hause. Ich ging in Lokale. Mein Feh. Ich mochte müde sein, es ging nicht.

Liebe Mutter, gestern war Sonntag, und da hast du vielleicht sicher Rotkohl gekocht, und hat es wieder im Zimmer so nach Essig gestunken? Aber meine Mutter nimmt immer den besten Essig.

Mein Kopf war ein leeres, schwirrendes Loch. Ich machte mir einen Traum und fuhr in einem Taxi eine hundertstundenlange Stunde hintereinander immerzu – ganz allein und durch lange Berliner Straßen. Da war ich ein Film und eine Wochenschau. Und tat das, weil ich sonst in Taxis fuhr nur immer mit Männern, die knutschten – und mit welchen, die ekelten mich, dann musste ich alle Kraft zur Ablenkung brauchen – und mit welchen, die mochte ich, dann war es ein fahrendes Weinlokalsofa und kein Taxi. Ich wollte mal richtig Taxi. Und sonst fuhr ich auch mal allein, wenn mir einer das Geld gab für nach Haus mit zu fahren – dann saß ich nur so mit halben Hintern auf dem Polster und immer stierenden Augen auf der Taxiuhr. Und bin heute allein Taxi gefahren wie reiche Leute – so zurückgelehnt und den Blick meines Auges zum Fenster raus – immer an Ecken Zigarrengeschäfte – und Kinos – der Kongress tanzt[1] – Lilian Harvey[2], die ist blond – Brodläden – und Nummern von Häusern mit Licht und ohne – und Schienen – gelbe Straßenbahnen glitten an mir vorbei, die Leute drin wussten, ich bin ein Glanz – ich sitze ganz hinten im Polster und gucke nicht, wie das hopst auf der Uhr – ich verbiete meinen Ohren, den Knack zu hören – blaue Lichter, rote Lichter, viele Millionen Lichter – Schaufenster – Kleider – aber keine Modelle – andere Autos fahren manchmal schneller – Bettladen – ein grünes Bett, das kein Bett ist, sondern moderner, dreht sich ringsherum immer wieder – in einem großen Glas wirbeln Federn – Leute gehen zu Fuß – das moderne Bett dreht sich – dreht sich.

Ich möchte gern furchtbar glücklich sein.

[1] „Der Kongress tanzt": Titel eines dt. UFA-Spielfilms (1931)

[2] Lilian Harvey: deutsch-britische Schauspielerin (1907–1968)

1 Ordnen Sie den Textauszug in den Handlungsverlauf ein und stellen Sie kurz die Situation der Protagonistin dar.

2 a) Markieren und benennen Sie die Textstellen, die grammatisch und sprachlich nicht der standardsprachlichen Norm entsprechen und erläutern Sie die damit verbundene Wirkung.
b) Erläutern Sie die Funktion der Leerstellen.

3 Analysieren und interpretieren Sie den Textauszug unter Berücksichtigung der Gestaltungsmittel. Deuten Sie in diesem Zusammenhang Doris' Aussage: „Da war ich ein Film und eine Wochenschau." (Z. 9)

4 Erläutern Sie die Bedeutung und den Symbolgehalt der in diesem Textauszug beschriebenen Szene für das Leben der Protagonistin.

5 ***Lernarrangement***
a) Bilden Sie zwei Gruppen und bearbeiten Sie in Ihrer Gruppe eine der folgenden Aufgaben:
- 1. Gruppe: Gestalten Sie den Inhalt des Textauszugs in Form eines traditionellen Erzählerberichts aus der Sicht eines auktorialen Erzählers bzw. einer auktorialen Erzählerin um. Füllen Sie dabei auch die Leerstellen.
- 2. Gruppe: Schreiben Sie den an die Mutter gerichteten Brief (vgl. Z. 4–6) zu Ende.

b) Beurteilen Sie Ihre Textproduktionen im Plenum bezüglich ihrer Form, ihres Inhaltes und ihrer Wirkung.

6 Reflektieren Sie, warum die Ich-Erzählerin nicht den vollständigen Inhalt ihres Briefes wiedergibt.

Die Zuverlässigkeit des Erzählens prüfen

Silvio Vietta

Silvio Vietta: emeritierter Professor für Literatur- und Kulturgeschichte an der Universität Hildesheim

Zur Typologie des modernen Erzählens nach Modi der Subjektivität (Auszug, 2007)

[...] Im konstitutiven[1] Akt des Erzählens werden Raum und Zeit, werden Personen und Handlungsmuster *entworfen*. Demgemäß muss eine moderne Erzähltheorie dem *Entwurfscharakter* der modernen Erzählwirklichkeit Rechnung tragen. [...]

Das *moderne Ich* des Romans, so sagen wir, ist eine *komplexe* Einheit und weiß dies. Das Ich ist selbst der Entstehungsort für *Gefühle* und die entsprechenden *Gefühlswelten*, für die *Imagination* und die entsprechenden *Vorstellungswelten*, die Erinnerung und ihre *Erinnerungswelten*, für die *sinnliche Wahrnehmung* und ihre *Wahrnehmungswelten*, für die *Assoziation* und ihre *Assoziationswelten*, für die *Reflexion* und ihre *Reflexionswelten*. Zum Teil sind diesen ganz unterschiedlichen Bewusstseinsfunktionen auch ganz unterschiedliche Gehirnareale zugeordnet. Wir sprechen im Folgenden in Bezug auf diese Bewusstseinsfunktionen von den *Modi* des Bewusstseins, bzw. der Subjektivität.

Wenn wir nun von einem komplexen Aufbau des Ich ausgehen, können wir sagen, dass den Modi und ihren unterschiedlichen Bewusstseinsfunktionen auch ganz *unterschiedliche Figuren*, bzw. *Protagonisten* entsprechen, die ihrerseits sehr unterschiedliche *Erfahrungswelten* entwerfen. Den unterschiedlichen Typen von Subjektivität, verkörpert in den unterschiedlichen Romanprotagonisten, entsprechen auch unterschiedliche Weltsichten. Und mit den unterschiedlichen Typen und Weltsichten wechselt auch die Typik des *Textes* (Vietta: Ästhetik der Moderne, S. 179 ff.).

Andersherum formuliert: Die Erzählwirklichkeit, die wir im Roman lesend vorfinden, ist immer die Erzählwirklichkeit in der *subjektiven Brechung* der *Romanfiguren* und somit *des Erzählers*. Was uns der Erzähler zeigt und allein zeigen kann, sind immer *subjektiv entworfene Welten*, und wenn sich der Erzähler mit seiner „Stimme" zustimmend oder distanzierend dazu verhält, ist das nur eine Äußerung einer Subjektivität unter anderen.

[1] **konstitutiv:** hier: die erzählte Welt hervorbringend

1 Geben Sie wieder, a) was Silvio Vietta über das „moderne Ich des Romans" (Z. 4) ausführt und b) welche Rückschlüsse er daraus für die „Erzählwirklichkeit" (Z. 3) zieht.

2 Erläutern Sie, welche Anforderungen an die Rezeption eines modernen Romans gestellt werden.

3 Setzen Sie sich damit auseinander, ob bzw. inwiefern die Ausführungen des Verfassers zum modernen Erzähler auf die Ich-Erzählerin Doris im Roman „Das kunstseidene Mädchen" zutreffen.

Im Roman „Das kunstseidene Mädchen" sind über die subjektive Perspektive hinaus auch widersprüchliche Aussagen der Ich-Erzählerin auszumachen, die nahelegen, den Wahrheitsgehalt bestimmter Erzählinhalte anzuzweifeln. Daher ist zu prüfen, ob Doris eine sogenannte „unzuverlässige Erzählerin" ist.

Matías Martínez/Michael Scheffel

Einführung in die Erzähltheorie (Auszug, 2009)

[...] *Unzuverlässiges Erzählen.* Allerdings müssen wir die oben aufgestellte These, dass die Behauptungen des Erzählers einen privilegierten Wahrheitsanspruch besitzen, einschränken. Es gibt auch Erzähler, deren Behauptungen, zumindest teil-

weise, als falsch gelten müssen mit Bezug auf das, was in der erzählten Welt der Fall ist. In solchen Fällen liegt ein *unzuverlässiger Erzähler* vor. Obwohl dieser Erzählertyp bereits in der antiken Romanliteratur zu finden ist [...], wurde die Unterscheidung zwischen zuverlässigem und unzuverlässigem Erzähler erst 1961 von Wayne C. Booth in die Erzähltheorie eingeführt: „I have called a narrator *reliable* when he speaks for or acts in accordance with the norms oft the work (which is to say, the implied author's norms), *unreliable* when he does not" (Booth, Rhetoric, S. 158 f.).
Der unzuverlässige Erzähler lässt sich am besten mit dem Begriff der Ironie erklären. Ironische Kommunikation verdoppelt das Kommunikat zwischen zwei Gesprächspartnern in eine explizite und eine implizite Botschaft. Die implizite Botschaft widerspricht der expliziten und soll vom Hörer als das ‚eigentlich Gemeinte' aufgefasst werden. Der Sprecher gibt dem Hörer den uneigentlichen Status seiner expliziten Botschaft durch Ironiesignale zu erkennen. In realer ironischer Kommunikation ist der Sprecher gleichermaßen Sender der expliziten wie der impliziten Botschaft. Freilich können der fiktionale Erzähler oder die Figuren auch in diesem Sinne ironisch sein. Die besonderen Möglichkeiten fiktionaler Texte werden jedoch erst dann genutzt, wenn die doppelte Botschaft der Ironie auf zwei verschiedene Sender verteilt ist. In diesem Fall kommuniziert der unzuverlässige Erzähler eine explizite Botschaft, während der Autor dem Leser implizit, sozusagen an dem Erzähler vorbei, eine andere, den Erzählerbehauptungen widersprechende Botschaft vermittelt. Die explizite Botschaft des Erzählers ist die nicht eigentlich gemeinte, die implizite des Autors hingegen die eigentlich gemeinte. Die Möglichkeit, in fiktionalen Texten den Standpunkt des Erzählers in dessen eigener Rede durch die implizite Vermittlung eines anderen Standpunktes zu unterlaufen, stellt zweifellos eine genuin literarische und wegen der Möglichkeit subtilster Nuancierungen besonders reizvolle Aufgabe für Autoren dar.
Es lassen sich verschiedene Arten unzuverlässigen Erzählens unterscheiden:
Theoretisch unzuverlässiges Erzählen. Für unzuverlässiges Erzählen bieten sich besonders Texte mit einem ‚dramatisierten' (Booth, *Rhetoric*, S. 151–153) oder intradiegetischen Erzähler (d.h. einem Erzähler, der ein Bewohner der erzählten Welt ist) an, weil ein Erzähler, der als Figur an der erzählten Welt teilnimmt, gegenüber den anderen Figuren nach dem logischen System der literarischen Fiktion nicht privilegiert ist. Selbst in diesen Fällen ist jedoch die Unzuverlässigkeit des Erzählers zumeist auf seine theoretischen Sätze[1] begrenzt, während seine mimetischen Sätze[2] vom Leser weiterhin für notwendig wahr gehalten werden. [...] Die Glaubwürdigkeit dieses Erzählers ist eingeschränkt, insofern er als individuelle Figur hervortritt; sie bleibt aber uneingeschränkt in Bezug auf seine mimetische Erzählfunktion.
Mimetisch teilweise unzuverlässiges Erzählen. Es gibt jedoch auch unzuverlässige Erzähler, bei denen nicht nur die theoretischen, sondern auch mimetische Sätze falsch oder zumindest irreführend sind. Der Roman *Zwischen neun und neun* (1918) des Österreichers Leo Perutz erzählt die Flucht des Wiener Studenten Stanislaus Demba vor der Polizei. Als er an einem Morgen um neun Uhr wegen Bücherdiebstahls festgenommen werden soll und bereits Handschellen angelegt bekommen hat, entkommt Demba der Polizei durch einen tollkühnen Sprung von einem Hausdach, irrt durch Wien und übersteht eine Reihe kritischer Verfolgungssituationen. Nachdem er schließlich einen Unterschlupf gefunden hat – es ist inzwischen neun Uhr abends –, kommt erneut die Polizei. Demba flieht wieder auf den Dachboden und stürzt sich hinunter auf die Straße. [...]
Am Ende des Romans stellt sich [...] heraus, dass Dembas Erlebnisse nach seiner Flucht – also der weitaus umfangreichste Teil der erzählten Handlung und der Erzählzeit – nur Phantasievorstellungen des Sterbenden waren, nachdem er zum ersten Mal versucht hatte, durch einen Sprung vom Hausdach der Polizei zu entkommen. Die erzählte Zeit von *Zwischen neun und neun* währt nicht die zwölf Stunden von neun Uhr morgens bis neun Uhr abends, sondern in Wahrheit nur wenige Minuten. Die mimetischen Sätze des extradiegetischen[3] oder auktorialen Erzählers,

[1] **theoretische Sätze:** Aussagen/Behauptungen des Erzählers/der Erzählerin, die (auch) außerhalb der erzählten Welt Gültigkeit besitzen

[2] **mimetische Sätze:** Aussagen über die erzählte Welt

[3] **extradiegetisches Erzählen:** Form des Erzählens, bei der der Erzähler kein Teil der erzählten Welt ist

die der Leser zunächst für unbezweifelbar wahr halten muss, enthüllen sich am Schluss des Romans als intern-fokalisierte Phantasievorstellungen in Dembas Bewusstsein. [...]
Aber warum verstehen wir eigentlich das Geschehen auf diese Weise? Die Selbstverständlichkeit, mit der wir bereit sind, am Ende von Perutz' Roman dasjenige Textverständnis über Bord zu werfen, das wir bis dahin, den gesamten Roman hindurch, als selbstverständlich vorausgesetzt haben, ist jedenfalls nicht quantitativ begründet: Die weitaus meisten mimetischen Erzählsätze dieses Romans stellen ja etwas als Tatsache hin, was wir nach der Lektüre des Schlusses nurmehr als reine Phantasievorstellungen des Protagonisten akzeptieren. Der Grund, weshalb wir nach der Lektüre der Schlusspointe sofort das neue Textverständnis akzeptieren und damit rückwirkend die gesamte Handlung uminterpretieren, liegt vielmehr darin, dass wir nur mit Hilfe dieser Lektüre aus dem Text eine *konsistente* erzählte Welt konstruieren können, die durch das Motiv des halluzinatorischen Abenteuers im Moment des Sterbens geprägt ist – andernfalls ergäbe sich nämlich ein unaufgelöster Widerspruch zwischen dem Hauptteil und dem Schluss des Romans. Umfassende Konsistenz ist eine konstitutive logische Norm des fiktionalen Erzählens.
Mimetisch unentscheidbares Erzählen. Die bisher beschriebenen Typen unzuverlässigen Erzählens beruhen auf der Voraussetzung, dass hinter der Rede des Erzählers eine stabile und eindeutig bestimmbare erzählte Welt erkennbar wird, mit Bezug auf die sich manche der Erzählerbehauptungen als unzuverlässig abheben lassen. Viele Texte der Moderne und Postmoderne lösen diesen festen Bezugspunkt auf, so dass der Eindruck der Unzuverlässigkeit hier nicht nur teilweise und vorübergehend entsteht, sondern unaufgelöst bestehen bleibt und sich eine grundsätzliche *Unentscheidbarkeit* bezüglich dessen, was in der erzählten Welt der Fall ist, verwandelt. Keine einzige Behauptung des Erzählers ist dann in ihrem Wahrheitswert entscheidbar, und keine einzige Tatsache der erzählten Welt steht definitiv fest. [...]

1 Erläutern Sie den Unterschied zwischen „mimetischen" und „theoretischen" Sätzen (Z. 37) nach Martínez/Scheffel.

2 Geben Sie in eigenen Worten wieder, welche drei Formen von unzuverlässigem Erzählen die Autoren unterscheiden.

3 Diskutieren Sie im Plenum, welche der drei Formen unzuverlässigen Erzählens im Roman „Das kunstseidene Mädchen" vorliegen könnte. Nutzen Sie hierzu folgenden Textauszug: TA, S. 102, Z. 30 – S. 103, Z. 12. Ergänzen Sie eigene Textbeispiele, die Ihre Zuordnung stützen.

Irmgard Keun

Das kunstseidene Mädchen (Auszug, 1932)

Wie er seine Frau kennen lernte, erzählt er, und dass sie so furchtbaren Ergeiz hat und eine ganz große Welt wollte und ihre Kunst, und von Tag zu Tag ist sie unruhiger geworden und verrückter und wahnsinnige Angst, älter zu werden und dann nichts gewesen zu sein als Frau von einem Mann in einer kleinen Wohnung. Und keine Selbstständigkeit und kein Schaffen. Und einen Abend waren sie beide bei einer spanischen Argentina, die tanzte, da ist sie vor neidischer Sehnsucht drei Tage krank geworden und musste zu Bett liegen. Und zuerst wollte sie ihn gar nicht, weil's ihr so schlecht ging, und sie wollte aus eigener Kraft und Selbstständigkeit. Schönes Theater wird sie ihm vorgemacht haben. So'n Mann glaubt ja alles. Dem was vorlügen, macht gar keinen Spaß – der glaubt ja alles ohne weiteres. Ich brauche da ganz andere, der ist mir zu leicht – wo ich doch mein Lügen künstlerisch entwickelt habe. Er fragt mich auch gar nichts mehr. Aber dass ich gründlich saubergemacht habe, hat er gesehen. Morgen wasch ich die Gardinen wegen dem vielen Rauch.

4 ***Lernarrangement***
Bilden Sie zwei Gruppen.
Die Autoren Martinez und Scheffel führen aus, dass die Ironie unzuverlässigen Erzählens auch darin begründet liegen könne, dass der/die Erzähler/-in eine „explizite Botschaft [sendet], während der Autor dem Leser implizit, sozusagen an dem Erzähler vorbei, eine andere, den Erzählerbehauptungen widersprechende Botschaft vermittelt" (EB, S. 115, Z. 22 ff.).

a) Analysieren Sie folgende Textauszüge, indem Sie derartige ‚doppelte Botschaften' an die Leserschaft herausarbeiten und in ihrer Funktion erläutern.
   - Gruppe 1: Textausgabe, S. 61, Z. 5 – S. 62, Z. 21
   - Gruppe 2: Textausgabe, S. 101, Z. 23 – S. 103, Z. 12

b) Präsentieren Sie Ihre Ergebnisse.

5 Setzen Sie sich mit der Frage auseinander, ob es sich bei Doris um ein *„moderne[s] Ich* des Romans" (EB, S. 114, Z. 4) nach Vietta oder um eine unzuverlässige Erzählerin nach Martinez/Scheffel handelt.

Den „Kinostil" als erzähltechnische Innovation kennenlernen

Alfred Döblin

An Romanautoren und ihre Kritiker. Berliner Programm
(Auszug, 1913)

Alfred Döblin (1878–1957): deutscher Psychiater, Schriftsteller und Romantheoretiker

Die Darstellung erfordert bei der ungeheuren Menge des Geformten einen Kinostil. In höchster Gedrängtheit und Präzision hat „die Fülle der Gesichte [...]" vorbeizuziehen. Der Sprache das Äußerste der Plastik und Lebendigkeit abzuringen. Der Erzählerschlendrian hat im Roman keinen Platz; man erzählt nicht, sondern baut. Der Erzähler hat eine bäurische Vertraulichkeit, Knappheit, Sparsamkeit der Worte ist nötig; frische Wendungen. Von Perioden, die das Nebeneinander des Komplexen wie das Hintereinander rasch zusammenzufassen erlauben, ist umfänglicher Gebrauch zu machen. Rapide Abläufe, Durcheinander in bloßen Stichworten; wie überhaupt an allen Stellen die höchste Exaktheit in suggestiven Wendungen zu erreichen gesucht werden muss. Das Ganze darf nicht erscheinen wie gesprochen, sondern wie vorhanden. Die Wortkunst muss sich negativ zeigen in dem, was sie vermeidet, ein fehlender Schmuck: im Fehlen der Absicht, im Fehlen des bloß sprachlich Schönen oder Schwunghaften, im Fernhalten der Manieriertheit. Bilder sind gefährlich und nur gelegentlich anzuwenden; man muss sich an die Einzigartigkeit jedes Vorgangs heranspüren, die Physiognomie und das besondere Wachstum eines Ereignisses begreifen und scharf und sachlich geben; Bilder sind bequem. Die Hegemonie des Autors ist zu brechen; nicht weit genug kann der Fanatismus der Selbstverleugnung getrieben werden. Oder der Fanatismus der Entäußerung: ich bin nicht ich, sondern die Straße, die Laternen, dies und dies Ereignis, weiter nichts. Das ist es, was ich den steinernen Stil nenne.

1 Erläutern Sie, was Alfred Döblin unter dem Begriff „Kinostil" (Z. 1) versteht und welche Forderungen er diesbezüglich an die Gestaltung literarischer Werke stellt.

2 Arbeiten Sie in Partnerarbeit.
Die Ich-Erzählerin Doris möchte „schreiben wie Film" (Textausgabe, S. 4, Z. 6), weil sie sich „in Bildern" (Textausgabe, S. 4, Z. 10) sieht.

a) Recherchieren oder rekapitulieren Sie die wichtigsten Mittel der Filmgestaltung.

b) Benennen Sie exemplarisch Textstellen aus dem Roman, an denen deutlich wird, dass sich die Erzählweise an filmischen Gestaltungsmitteln orientiert. Notieren Sie dahinter stichwortartig die Wirkung, die mit dieser Art der Darstellung jeweils erzielt wird.

c) Präsentieren Sie Ihre Ergebnisse und diskutieren Sie, ob in dem Roman „Das kunstseidene Mädchen“ Alfred Döblins Forderungen hinsichtlich eines „Kinostil[s]“ (Z. 1) bzw. „steinernen Stil[s]“ (Z. 20) erfüllt werden.

3 Neben filmischen Elementen enthält die Darstellung zahlreiche intertextuelle Bezüge.

a) Benennen Sie zwei bis drei Textbeispiele.

b) Erläutern Sie die Funktion der intertextuellen Bezüge für den Roman.

Stilmittel der Komik untersuchen

1 Tauschen Sie sich darüber aus, was für Sie persönlich guter Humor ist bzw. welche Situationen, Künstler/-innen, Witze oder Menschen Sie komisch finden.

2 Arbeiten Sie mit einem Partner/einer Partnerin zusammen. Wenden Sie sich den Begriffsdefinitionen im Informationskasten (S. 119) zu.

a) Klären Sie unbekannte Begriffe und räumen Sie mögliche Verständnisschwierigkeiten aus.

b) Prüfen Sie, ob sich die in den Lexikonartikeln formulierten Definitionen mit Ihrem eigenen Begriffsverständnis decken.

c) Erläutern Sie die wichtigsten Unterschiede zwischen den vier Begriffen „Komik“, „Humor“, „Ironie“ und „Satire“.

Komik, Humor, Ironie, Satire

Komik (zu griech. komos = nächtlicher Umzug fröhlicher Zecher unter Musikbegleitung; Gelage), die der → Tragik entgegengesetzte Weise des Welterlebens, eine zum Lachen reizende, harmlose Ungereimtheit, beruhend auf einem lächerlichen Missverhältnis von erstrebtem, erhabenem Schein und wirklichem, niedrigem Sein von Personen, Gegenständen, Worten, Ereignissen und Situationen. Der innere Widerspruch kann von vornherein offensichtlich sein oder plötzlich verblüffend zutage treten und ruft ein leichtes Unlustgefühl hervor, das im Lachen abgewendet und in Überlegenheitsgefühl gelöst wird. [...] [J]e nach den ihr zugrunde liegenden lächelnd verstehenden, gemüthaften oder beißend kritischen Haltungen ragt die K. in → Humor oder → Satire hinein und bildet die übergreifende Haltung der beiden Ausformungen. [...] Die Empfindung für das Komische ist abhängig von bestimmten Wertehaltungen und Lebensauffassungen [...]. (Aus: Gero von Wilpert: Sachwörterbuch der Literatur. 5. Aufl. Stuttgart: Alfred Kröner Verlag 1969, S. 396 f.)

Humor (lat. Feuchtigkeit: nach der antiken Säftetheorie ist die Stimmung abhängig vom Mischungsverhältnis der Körperelemente), Gemütsstimmung, die sich über die Unzulänglichkeiten des Menschenlebens wohlwollend, doch distanziert lächelnd erhebt und über das Niedrig-Komische, Unnatürliche hinweg zu einer gesunden und natürlichen Weltauffassung durchdringt, Mittel der Selbstkritik und der Selbstbehauptung im unsinnigen Dasein zugleich, durch milde, humane Nachsicht und erhabene Gelassenheit der direkten Betrachtung vom scharfen Spott der → Satire wie der uneigentlichen Redeweise der Ironie und der derben → Komik geschieden und entweder aus dem Grunde schlichter Kindereinfalt oder der Freiheit des Geistes und dem wiedererlangten seelischen Gleichgewicht nach schweren Erschütterungen hervorgegangen, stets mit philosophischer Lebensanschauung verbunden und durch seine Erhabenheit der Tragik verwandt. [...] (ebda., S. 340 f.)

Ironie (griech. eironeia = Verstellung), die komische Vernichtung eines berechtigt oder unberechtigt Anerkennung Fordernden, Erhabenen durch Spott, Enthüllung der Hinfälligkeit, Lächerlichmachung unter dem Schein der Ernsthaftigkeit, der Billigung oder gar des Lobes, die in Wirklichkeit das Gegenteil des Gesagten meint (→ Litotes) und sich zum Spott der gegnerischen Wertmaßstäbe bedient, doch dem intelligenten Hörer oder Leser als solcher erkennbar ist; [...] im Ggs. zum → Humor weniger versöhnlich als kritisch, je nach Grad vom Heiteren bis zur Bitterkeit (→ Sarkasmus). [...] (ebda. S. 361)

Satire (lat. satura, sc. Lanx, = 1. Mit verschiedenen Früchten gefüllte Opferschale, 2. Füllsel, von satur = satt, voll, oder von etrusk. satir = reden; [...]), Spott- und Strafgedicht, lit. Verspottung von Missständen, Unsitten, Anschauungen, Ereignissen, Personen [...] usw. je nach den Zeitumständen, allg. missbilligende Darstellung und Entlarvung des Kleinlichen, Schlechten, Ungesunden im Menschenleben und dessen Preisgabe an Verachtung, Entrüstung und Lächerlichkeit, in allen lit. Gattungen [...] und in allen Schärfegraden und Tonlagen je nach Haltung des Verfassers: bissig, zornig, ernst, pathetisch, ironisch, komisch, heiter, liebenswürdig. Stets ruft die S. durch Anprangerung der Laster die Leser zu Richtern auf, misst nach einem bewussten Maßstab das menschliche Treiben und hofft, durch Aufdeckung der Schäden e. Besserung zu bewirken. [...] (ebda., S. 671)

3 ***Lernarrangement***

Bilden Sie Kleingruppen.

a) Beschreiben Sie die zeitgenössische Karikatur aus dem Jahr 1920 möglichst genau.
b) Reflektieren Sie unter Rückgriff auf den Roman „Das kunstseidene Mädchen", worin die Komik dieser Karikatur besteht.
c) Verfassen Sie einen kurzen Artikel für den Literaturteil Ihrer Schülerzeitung, der mit der Karikatur abgedruckt werden soll. In dem Artikel soll die Frage beantwortet werden, inwiefern der Roman „Das kunstseidene Mädchen" satirische Elemente enthält. Gebrauchen Sie in Ihrem Artikel alle vier Begriffe aus dem Informationskasten und achten Sie auf eine korrekte Verwendung. Nutzen Sie Textzitate aus dem Roman, um Ihre Position zu stützen.
d) Stellen Sie sich gegenseitig Ihre Artikel vor.
e) Diskutieren Sie mögliche Unterschiede in den Wahrnehmungen zum satirischen Potential des Romans.

If We Only Spoke the Truth!

No. II.—"AT SUPPER"

Die Neue Sachlichkeit: 1918 – 1933

Den Roman literaturhistorisch einordnen

Frank Krause

Epochenbegriffe (Auszug, 2008)

Wie differenziert, verzweigt und verschachtelt Epochenmodelle auch immer sein mögen: Ein Geschichtsbewusstsein ist ohne sie nicht denkbar. Solange wir uns über die Vernünftigkeit von Grundbegriffen, die unser kulturelles Gedächtnis fundieren, verständigen wollen, gibt es zur wissenschaftlichen Epochenforschung keine Alternative. Daher unterzieht die literarhistorische Forschung die Epochenbegriffe, die sie schon im Selbstverständnis der Zeitgenossen oder in Rückblicken späterer Generationen vorfindet oder selbst erst entwickelt hat, immer wieder einer kritischen Prüfung. Der Anspruch eines Epochenbegriffs, die Geschichtlichkeit der unter ihn gefassten Texte zu erhellen, muss sich zum einen an den Sinnzusammenhängen der einzelnen Texte bewähren können. Wenn das epochale Allgemeine die Bedeutungen von Texten verzerrt, ihre Verwandtschaft übertreibt oder anders gelagerte Tendenzen der relevanten Texte eines Zeitraumes ausblendet, können Epochenbegriffe ihre Überzeugungskraft einbüßen – oder, was häufiger ist, eine genauere Definition des Begriffs, eine subtilere Unterscheidung seiner Nuancen oder eine präzisere Bestimmung der Bereiche seiner Geltung nach sich ziehen. Solche Probleme treten nicht nur im Anfangsstadium der Begriffsbildung auf; werden neue Fragen an die Überlieferung gestellt, die bislang vernachlässigte Texte einer Epoche in den Vordergrund rücken, muss gegebenenfalls auch ein etablierter Epochenbegriff revidiert werden. [...]
Auch literarhistorische Epochenkonstrukte sind dem historischen, oder genauer: dem wissenschafts- und kulturgeschichtlichen Wandel ausgesetzt. Solange die Verwandtschaft der unter den Begriff gefassten Texte aus einer Perspektive bestimmt wird, deren Überzeugungskraft vom fachhistorischen Methodenwandel unberührt bleibt, besteht meist kein Grund zur Überarbeitung des Begriffs. Oftmals sieht sich die Forschung jedoch dazu genötigt, die fachgeschichtlich fragwürdig gewordene Unterstellung jener Verwandtschaft aus einer neuen Sicht zu rechtfertigen. Epochenbegriffe, die sich langfristig durchsetzen, beziehen sich zumeist auf einen Kernbestand theoretisch unstrittiger Sinnzusammenhänge, deren besondere Geschichtlichkeit im Lichte gewandelter Methoden auf jeweils neue Weise bestimmt werden kann. Weil solche Begriffe dazu dienen, historische Sinnzusammenhänge erst zu entdecken, werden sie häufig auch als heuristische Kategorien (v. griech. heurískein, „finden“, „entdecken“) bezeichnet.
Kulturgeschichtlich setzt sich ein Epochenbegriff nur durch, wenn er sich auf einen Sinnzusammenhang bezieht, dessen Verständnis für die kritische Traditionsaneignung von Belang ist. Der vergleichsweise kurzfristige Wandel der Fragen, die eine Kultur an ihre Überlieferung richtet, rückt immer wieder andere Sinnzusammenhänge ins Blickfeld. Nur wenn Epochenbegriffe auch dazu beitragen, die Geschichtlichkeit dieser Zusammenhänge zu erhellen, sind sie kulturell lebendig. Ob die Sinnverwandtschaft, die ein methodisch überzeugender Begriff ins Auge fasst, mit den kulturgeschichtlich jeweils bedeutsamen Sinndimensionen der Überlieferung in einem inneren Zusammenhang steht, muss sich immer wieder neu zeigen. In diesem Prozess verschiebt sich oftmals auch das relative Gewicht einzelner epochendefinierender Merkmale.

1 Geben Sie wieder, welche Problematik der Verfasser hinsichtlich des Epochenbegriffs anspricht.

2 Erläutern Sie, warum in der Literaturwissenschaft – trotz aller Kritik – weiterhin mit Epochenbegriffen gearbeitet wird.

Ernst Piper

Gefährdete Stabilität 1924–1929
(Auszug, 2021)

Otto Dix (1891–1969): Portrait der Journalistin Sylvia von Harden (1926) im Kaffeehaus „Das Romanische Café" in Berlin (Treffpunkt der Schriftsteller/-innen und Intellektuellen)

Neue Sachlichkeit

Nicht nur in Berlin entstanden große Fabriken mit modernen Maschinen und hoher Produktivität durch den Einsatz von Fließbändern nach amerikanischem Vorbild. Mit dieser neuen Lebenswelt der Arbeiter und Arbeiterinnen beschäftigte sich die Kunstrichtung der Neuen Sachlichkeit. Eisenstahlkonstruktionen und Industrieanlagen rückten ins Bild, aber auch die Wohnquartiere der Bergarbeiter. Riesige Fabriken mit weit aufragenden Schornsteinen waren die Kathedralen der Moderne.

Künstler wie George Grosz oder Otto Dix stellten die Kritik an den gesellschaftlichen Verhältnissen ins Zentrum ihrer Arbeit. Auch Max Beckmann, der bedeutendste deutsche Maler jener Zeit, hat sich in vielen Arbeiten mit dem politischen Umbruch 1918/19 auseinandergesetzt und beispielsweise die Ermordung von Rosa Luxemburg und Karl Liebknecht dargestellt. Viele Schriftsteller machten soziale und wirtschaftliche Fragen zum Thema. Ein bedeutender Vertreter der Neuen Sachlichkeit war Hans Fallada, sein Roman „Kleiner Mann – was nun?" (1932), der die Weltwirtschaftskrise und ihre Folgen in den Blick nahm, brachte ihm Weltruhm ein.

Neue Formen der Literatur kamen auf. Dazu gehörte die von Bertolt Brecht so bezeichnete „Gebrauchslyrik", die nicht durch ihre Schönheit berühren, sondern durch Denkanstöße gesellschaftliche Veränderungen erzielen wollte. Neu war auch das Genre des Zeitromans, dessen besonders markantes Beispiel, Erich Maria Remarques Werk „Im Westen nichts Neues" (1929), die Schrecken des Ersten Weltkriegs noch einmal lebendig werden ließ. Dazu kam die Reportageliteratur, deren bekanntester Vertreter der „rasende Reporter" Egon Erwin Kisch war.

Der Ausdruck Neue Sachlichkeit, den der Kunsthistoriker Georg Friedrich Hartlaub prägte und der 1925 einer Ausstellung in der Kunsthalle Mannheim den Titel gab, bezeichnete die vorherrschenden Tendenzen der nachexpressionistischen Epoche so treffend, dass der Begriff sich rasch einbürgerte und auch auf alle anderen Kunstbereiche Anwendung fand. Die Neue Sachlichkeit war der genuine[1] Stil der Weimarer Republik. [...]

[1] **genuin:** hier: echt, unverfälscht

1 Benennen Sie ...
a) ... welche Themen die Kunstschaffenden der literarischen Strömung „Neue Sachlichkeit" in den Mittelpunkt ihrer Arbeiten stellen und
b) ... warum sie diese Themen bevorzugt behandeln.

2 Erläutern Sie, welche im Text genannten Merkmale der „Neuen Sachlichkeit" auf den Roman „Das kunstseidene Mädchen" zutreffen.

Erich Troß

Die neue Sachlichkeit (Auszug, 1925)

Dessau, Meisterhäuser in der Ebertallee (1926–1928 erbaut von Walter Gropius): Haus Feininger

Deutschland überwindet die Folgen des Kriegsjahrzehnts und gesundet. Die seelischen Krisen finden ihr Ende. Die Expressionisten fühlen in sich selbst nicht mehr das alte Feuer: wie sollen andere davon entflammt werden? Das religiöse Pathos wirkt übertrieben: die großen Worte von neuem Humanismus und umfassender Synthese klingen den Ohren der Menschen von 1925 überlaut. Die Wissenschaft wird verlässig und exakt. Der Buchhandel aber meldet Absatzschwierigkeiten: die gewohnten Leistungen des Geistes werden nicht mehr gesucht. Wir leben in einer nüchternen, klareren und ehrlicheren Welt und fühlen uns wohl darin. Es handelt sich um kein Gegenspiel der Halbgenerationen, wie Menschen der Jugendbewegung aus dem schlechten Gewissen der Aufrührer gegen den Vater glauben, die nun auf den Gegenschlag derer warten, die nach ihnen kommen. Die lebendigen Menschen der Zeit selbst suchen nach den Stürmen Häuser zu bauen; sie wollen das Maß, die lebendige und klare Ordnung der Dinge. So können sie die völlige Abkehr vom Geist, die allerdings droht, den zu starken Pendelausschlag, eine vernichtende Renaissance des Stumpfsinns verhüten.

Die Problematik der Zeit muss nüchtern geklärt werden. Der Krieg hat die letzten organischen, aus den naiven Zeiten überlieferten Bindungen in ihrer Wesenlosigkeit enthüllt, die Einsamkeit des Menschen klargestellt, der den rechten Ausgleich zwischen seinem bergungslosen, unindividuellen, zweckrationalen Arbeitsleben und einem prunklosen, den Schein hassenden, schweigsamen Glauben finden muss. Im Kriegsjahrzehnt aber wurde dieser innere Ausgleich des bewussten Lebenskreises fast von niemandem gefunden. „Aktivisten" und „Synthetiker"[1] gaben sich gegenseitig recht und unrecht und erfüllten mit ihrem Lärm die Welt. Im Vordergrunde des Zeithorizonts standen die „Aktivisten" der Politik und Wirtschaft, Menschen, die die Ruhelosigkeit ihres Ichs durch Taten gleich welcher Art zufriedenstellten, die nach dem Bruch der Zwischenbindungen jeden Zusammenhang mit dem Gewissen, den totalen Interessen, ja mit der ruhig wägenden Überlegung verloren hatten. Die gleiche Ruhelosigkeit und Fragwürdigkeit des Ichs aber trieb andere in religiös-sehnsüchtige Exaltiertheit[2]. Religiosität und Aktivität bilden zusammen die Ganzheit des menschlichen Seins; ihre Wechselwirkung hätte auf einer höheren abstrakteren Ebene wiedergefunden werden müssen; tatsächlich erstarrten die einen in losgelöster Aktivität, die anderen in tatscheuer Sehnsucht – zur inneren Ruhe, zur berechtigten Tat, zur Sachlichkeit fand keiner. [...]

Die Kunst kehrt sich schon heute zum Gegenstand. Sie überwindet die „barocke" Phase des unendlichen Ausdrucks und sieht den gewaltigen Gott in den Quanten. Führend ist heute die Architektur (Holland, Bauhaus usw.). Sie will, wie einer ihrer besten Köpfe, J. P. Oud (Rotterdam) sagt, vor allem sachlich sein, in dieser Sachlichkeit jedoch schon das Höhere erleben. Im schärfsten Gegensatz zu den untechnischen form- und farblosen Erzeugnissen augenblicklicher Eingebung, so wie wir sie kennen, wird sie die ihr gestellte Aufgabe in vollkommener Hingabe an das Ziel auf eine beinahe unpersönliche, technisch gestaltende Weise zu Organismen von klarer Form und von reinem Verhältnis gestalten.

[1] **Synthetiker:** Künstler, die eine geistige Eingebung erfahren haben

[2] **Exaltiertheit:** Überspanntheit

Tipp: Informieren Sie sich zusätzlich im Grundband I, S. 261 und S. 345 über die „Neue Sachlichkeit".

1 Geben Sie thesenartig die Ausführungen des Verfassers über die „Neue Sachlichkeit" wieder.

2 Erläutern Sie, inwiefern die neue Kunstströmung aus der Sicht des Verfassers auch als Kritik an der zeitgenössischen Kunst und als Ausdruck eines neuen Zeitgeistes zu verstehen ist.

Gedichte aus der Strömung „Neue Sachlichkeit“ interpretieren

Mascha Kaléko

Großstadtliebe (1930)

Man lernt sich irgendwo ganz flüchtig kennen
Und gibt sich irgendwann ein Rendezvous.
Ein Irgendwas – ’s ist nicht genau zu nennen –
Verführt dazu, sich gar nicht mehr zu trennen.
Beim zweiten Himbeereis sagt man sich ‚du‘.

Man hat sich lieb und ahnt im Grau der Tage
Das Leuchten froher Abendstunden schon.
Man teilt die Alltagssorgen und die Plage,
Man teilt die Freuden der Gehaltszulage,
... Das übrige besorgt das Telephon.

Man trifft sich im Gewühl der Großstadtstraßen.
Zu Hause geht es nicht. Man wohnt möbliert.
– Durch das Gewirr von Lärm und Autorasen
– Vorbei am Klatsch der Tanten und der Basen
Geht man zu zweien still und unberührt.

Man küßt sich dann und wann auf stillen Bänken,
– Beziehungsweise auf dem Paddelboot.
Erotik muß auf Sonntag sich beschränken.
... Wer denkt daran, an später noch zu denken?
Man spricht konkret und wird nur selten rot.

Man schenkt sich keine Rosen und Narzissen,
Man schickt auch keinen Pagen sich ins Haus.
– Hat man genug von Weekendfahrt und Küssen,
Läßt mans einander durch die Reichspost wissen
Per Stenographenschrift ein Wörtchen: ‚aus‘!

(Originale Rechtschreibung)

Mascha Kaléko (1907–1975), jüdische deutschsprachige Dichterin aus Österreich-Ungarn; lebte ab 1925 in Berlin; 1935 Schreibverbot; 1938 Flucht vor den Nationalsozialisten ins Exil

1 Tauschen Sie sich über Ihre Assoziationen und Empfindungen zum Titel „Großstadtliebe“ aus.

2 Beschreiben Sie die Situation, in der sich die Personen im Gedicht „Großstadtliebe“ befinden. Beantworten Sie in diesem Zusammenhang die Frage, wer mit „Man“ (V. 1) gemeint ist.

3 Stellen Sie dar, wie die Lebenswirklichkeit der Personen in dem Gedicht wiedergegeben wird.

4 Gestalten Sie einen zum Gedicht passsenden Monolog aus der Sicht eines der beiden Partner.

5 Stellen Sie sich Ihre Monologe gegenseitig vor.

6 Beurteilen Sie Ihre Textproduktionen im Plenum nach Form und Inhalt.

Erich Kästner

Sachliche Romanze (1928)

Als sie einander acht Jahre kannten
(und man darf sagen: sie kannten sich gut),
kam ihre Liebe plötzlich abhanden.
Wie andern Leuten ein Stock oder Hut.

Sie waren traurig, betrugen sich heiter,
versuchten Küsse, als ob nichts sei,
und sahen sich an und wußten nicht weiter.
Da weinte sie schließlich. Und er stand dabei.

Vom Fenster aus konnte man Schiffen winken.
Er sagte, es wäre schon Viertel nach Vier
und Zeit, irgendwo Kaffee zu trinken.
Nebenan übte ein Mensch Klavier.

Sie gingen ins kleinste Cafe am Ort
und rührten in ihren Tassen.
Am Abend saßen sie immer noch dort.
Sie saßen allein, und sie sprachen kein Wort
und konnten es einfach nicht fassen.

Erich Kästner (1899–1974), deutscher Schriftsteller, Publizist und Dichter der Neuen Sachlichkeit; populär v. a. auch durch seine Kinderbücher, z. B. „Das doppelte Lottchen" oder „Emil und die Detektive".

1 Beschreiben Sie die Situation des Paares in dem Gedicht „Sachliche Romanze". Beziehen Sie den Titel des Gedichtes in Ihre Ausführungen ein.

2 Ordnen Sie die Gedichte „Großstadtliebe" und „Sachliche Romanze" in den historischen Kontext und in die literarische Strömung der „Neuen Sachlichkeit" ein.

3 Interpretieren Sie eines der beiden Gedichte nach formalen und inhaltlichen Aspekten.

4 Erläutern Sie, welche Parallelen zwischen den in den Gedichten dargestellten Beziehungen und den Beziehungen der Protagonistin Doris zu erkennen sind.

Einen Romanauszug aus der „Neuen Sachlichkeit" interpretieren

Erich Kästner

Der Gang vor die Hunde (Auszug, 1931)

Erstes Kapitel

*Ein Kellner als Orakel * Der andere geht trotzdem hin * Ein Institut für geistige Annäherung*

Fabian saß in einem Café namens Spalteholz und las die Schlagzeilen der Abendblätter: Englisches Luftschiff explodiert über Beauvais, Strychnin lagert neben Linsen, Neunjähriges Mädchen aus dem Fenster gesprungen, Abermals erfolglose Ministerpräsidentenwahl, Der Mord im Lainzer Tiergarten, Skandal im Städtischen Beschaffungsamt, Die künstliche Stimme in der Westentasche, Ruhrkohlenabsatz läßt nach, Die Geschenke für Reichsbahndirektor Neumann, Elefanten auf dem Bürgersteig, Nervosität an den Kaffeemärkten, Skandal um Clara Bow, Bevorstehender Streik von 140 000 Metallarbeitern, Verbrecherdrama in Chikago, Verhandlungen in Moskau über das Holzdumping, Starhembergjäger rebellieren. Das tägliche Pensum. Nichts Besonderes.

Bei dem Werk „Der Gang vor die Hunde“ handelt es sich um die Rekonstruktion der Urfassung des Romans „Fabian“ von Erich Kästner, den Sven Hanuschek 2013 im Atrium-Verlag herausgab. Der Roman wurde 2021 von Dominik Graf verfilmt, mit Tom Schilling als „Fabian“ in der Hauptrolle.

Er nahm einen Schluck Kaffee und fuhr zusammen. Das Zeug schmeckte nach Zucker. Seitdem er, zehn Jahre war das her, in der Mensa am Oranienburger Tor dreimal wöchentlich Nudeln mit Saccharin hinuntergewürgt hatte, verabscheute er Süßes. Er zündete sich eilig eine Zigarette an und rief den Kellner.

„Womit kann ich dienen?“, fragte der.

„Antworten Sie mir auf eine Frage.“

„Bitteschön.“

„Soll ich hingehen oder nicht?“

„Wohin mein Herr?“

„Sie sollen nicht fragen. Sie sollen antworten. Soll ich hingehen oder nicht?“

Der Kellner kratzte sich unsichtbar hinter den Ohren. Dann trat er von einem Plattfuß auf den anderen und meinte verlegen: „Das beste wird sein, Sie gehen nicht hin. Sicher ist sicher, mein Herr.“

Fabian nickte: „Gut. Ich werde hingehen. Zahlen.“

„Aber ich habe Ihnen doch abgeraten?“

„Deshalb gehe ich ja hin! Bitte zahlen!“

„Wenn ich zugeraten hätte, wären Sie nicht gegangen?“

„Dann auch. Bitte zahlen!“

„Das versteh ich nicht“, erklärte der Kellner ärgerlich. „Warum haben Sie mich dann überhaupt gefragt?“

„Wenn ich das wüßte“, antwortete Fabian.

„Eine Tasse Kaffee, ein Butterbrot, fünfzig, dreißig, achtzig, neunzig Pfennig“, deklamierte der Andere.

Fabian legte eine Mark auf den Tisch und ging. Er hatte keine Ahnung, wo er sich befand. Wenn man am Wittenbergplatz auf den Autobus 1 klettert, an der Potsdamer Brücke in eine Straßenbahn umsteigt, ohne deren Nummer zu lesen, und zwanzig Minuten später den Wagen verläßt, weil plötzlich eine Frau drinsitzt, die Friedrich dem Großen ähnelt, kann man wirklich nicht wissen, wo man ist.

Er folgte drei hastig marschierenden Arbeitern und geriet über Holzbohlen stolpernd, an Bauzäunen und grauen Stundenhotels entlang, zum Bahnhof Jannowitzbrücke. Im Zug holte er die Adresse heraus, die ihm Bertuch, der Bürochef, aufgeschrieben hatte: Schlüterstraße 23. Frau Sommer. Er fuhr bis zum Zoo. Auf der Joachimsthaler Straße fragte ihn ein dünnbeiniges, wippendes Fräulein, wie er darüber dächte. Er beschied das Anerbieten abschlägig, drohte mit dem Finger und entkam.

Die Stadt glich einem Rummelplatz. Die Häuserfronten waren mit buntem Licht beschmiert, und die Sterne am Himmel konnten sich schämen. Ein Flugzeug knatterte über die Dächer. Plötzlich regnete es Aluminiumtaler. Die Passanten blickten hoch, lachten und bückten sich. Fabian dachte flüchtig an jenes Märchen, in dem ein kleines Mädchen sein Hemd hochhebt, um das Kleingeld aufzufangen, das vom Himmel fällt. Dann holte er von der steifen Krempe eines fremden Hutes einen Taler herunter. „Besucht die Erotikbar, Nollendorfplatz 3. Schöne Frauen, Nacktplastiken, Pension Condor im gleichen Hause“, stand darauf. Fabian hatte mit einem Male die Vorstellung, er fliege dort oben im Aeroplan und sehe auf sich hinunter, auf den jungen Mann in der Joachimsthaler Straße, im Gewimmel der Menge, im Lichtkreis der Laternen und Schaufenster, im Straßengewirr der fiebrig entzündeten Nacht.

* Die Redaktion weist darauf hin, dass die Wortwahl aus heutiger Sicht diskriminierend ist und im Rahmen eines sprachsensiblen Deutschunterrichts entsprechend kritisch hinterfragt werden sollte. Der Abdruck der Begriffe erfolgt aus urheberrechtlichen Gründen.

Wie klein der Mann war. Und mit wem war er identisch! Er überquerte den Kurfürstendamm. An einem Giebel rollte eine Leuchtfigur, ein Türkenjunge* war es, mit den elektrischen Augäpfeln. Da stieß jemand heftig gegen Fabians Stiefelabsatz. Er drehte sich mißbilligend um. Es war die Straßenbahn gewesen. Der Schaffner fluchte.
„Passense auf!", schrie der Polizist.
Fabian zog den Hut und sagte: „Werde mir Mühe geben."

In der Schlüterstraße öffnete ein grünlivrierter Liliputaner*, erklomm eine zierliche Leiter, half dem Besucher aus dem Mantel und verschwand. Kaum war der kleine Grüne weg, rauschte eine üppige Dame, bestimmt Frau Sommer, durch den Vorhang und sagte: „Darf ich Sie in mein Büro führen." Fabian folgte.
„Mir wurde Ihr Klub von einem gewissen Herrn Bertuch empfohlen."
Sie blätterte in einem Heft und nickte. „Bertuch, Friedrich Georg, Bürochef, 40 Jahre, mittelgroß brünett, Karlstraße 9, musikliebend, bevorzugt schlanke Blondinen nicht über fünfundzwanzig Jahre alt."
„Das ist er!"
„Herr Bertuch verkehrt seit Oktober bei mir und war in dieser Zeit fünfmal anwesend."
„Das spricht für Ihr Institut."
„Die Anmeldegebühr beträgt 20 Mark. Jeder Besuch kostet zehn Mark extra."
„Hier sind dreißig Mark." Fabian legte das Geld auf den Schreibtisch. Die üppige Dame steckte die Scheine in eine Schublade, nahm einen Federhalter und sagte: „Die Personalien?"
„Fabian, Jakob, 32 Jahre alt, Beruf wechselnd, zur Zeit Reklamefachmann, Schaperstraße 17, herzkrank, Haarfarbe braun. Was müssen Sie noch wissen?"
„Haben Sie hinsichtlich der Damen bestimmte Wünsche?"

1 Analysieren Sie den Romananfang und stellen Sie dar, wie der Protagonist Fabian eingeführt wird und was die Rezipienten/-innen über ihn und seine Ankunft in Berlin erfahren.

2 Begründen Sie, warum der Roman „Der Gang vor die Hunde" der Neuen Sachlichkeit zuzuordnen ist.

3 Vergleichen Sie die Darstellung von Berlin in dem Textauszug mit den Beschreibungen der Großstadt aus dem Roman „Das kunstseidene Mädchen".
a) Stellen Sie unter Einbeziehung von Textbelegen dar, welche Gemeinsamkeiten und Unterschiede Sie erkennen.
b) Erläutern Sie die jeweiligen Wirkung der Großstadtbeschreibungen.

Sabina Becker

Neue Sachlichkeit im Roman (Auszug, 1995)

Orientierung an Zeitlichkeit und Faktizität qualifizieren die besprochenen Romane als Zeitromane, als solche erfüllen sie die Forderungen nach Authentizität der Darstellung, nach Aktualität und Gesellschaftsanalyse. Alle Texte sind demzufolge soziale Romane, die auf die Darstellung der sozioökonomischen Realität wie auch der Befindlichkeit und Mentalität einer Generation oder einer Klasse abzielen. [...]
In scharfer Abgrenzung zum Spätexpressionismus sehen sich die neusachlichen AutorInnen als Beobachter und „Berichterstatt[er]"[1]. [...] Statt utopischen, messianischen Zukunftsvisionen liefert er [der Autor] trockene Berichterstattung und eine analysierende „Vivisektion der Zeit"[2]. Obwohl sich diese Verschiebung in der Mehrheit der Romane mit einer am Alltag orientierten, nüchternen und auf Verständlichkeit abhebenden Sprache sowie mit dem Verzicht auf die fabulierende und artistische Ausgestaltung der Romane verbindet, verzichten keineswegs alle AutorInnen

[1] Alfred Kerr über Marieluise Fleißer, in: Berliner Tageblatt vom 26.04.1926, S. 37.

[2] Erik Reger: Das wachsame Hähnchen. Ein polemischer Roman (1932). Hamburg 1984, S. 9

gleichermaßen auf die poetische Dimension der Literatur zugunsten ihrer funktionalen, publizistisch-essayistischen Bestimmung. [...]
Die Mehrheit der AutorInnen vermittelt den authentischen und dokumentarischen Charakter ihrer Aussagen [...] zum einen durch den Verzicht auf ‚kulturaristokratische' Konzepte sowie auf einen bildungsbürgerlichen Anspruch zugunsten von Unmittelbarkeit und Massenwirksamkeit der Literatur (Kästner, Fallada). In dieser Gruppe verbindet sich die individuell-subjektive Perspektive mit dem Authentizitätsanspruch; das individuelle Erlebnis und die eigene Beteiligung werden als Voraussetzung der Beobachtung sowie als Strategien gewertet, die die Zuverlässigkeit der Aussagen verbürgen (Keun, Kästner, Renn, z.T. Roth). Zum anderen betreibt man die Relativierung des fiktionalen Charakters der Romane durch die Hervorhebung ihres Gebrauchswerts, der durch die Annäherung an das journalistische Medium eingelöst wird, durch die Ausbildung einer ‚Präzisionsästhetik'[3] also, die ihre Kriterien der genauen Beobachtung und exakten Schilderung aus dem journalistischen Schreiben bezieht [...]. Diese Verbindung von fiktionalem und journalistischem Schreiben bedingt die Zurückdrängung des fabulierenden Erzählstils zugunsten einer beobachtenden, gestischen Schreibweise, die den traditionellen allwissenden Erzähler durch den beobachtenden ‚Berichterstatter' ersetzt.
[...] [D]ie sozialengagierte, aktualitätsbezogene Darstellung gesellschaftlicher Realität und soziopsychischer Mentalität impliziert den Verzicht auf die Ausgestaltung im Sinne des traditionellen Erzählens, mithin die Aufgabe der Konzentration auf die Helden, der konsequenten Verfolgung von deren Schicksal sowie der umfassenden psychischen Durchleuchtung der Person. Statt dessen beschränkt man sich auf die Darstellung kurzer Lebensabschnitte, wobei die Figuren nicht als Individuen, sondern als soziale Typen verstanden werden, deren Lebensumstände, Bewusstsein und Schicksal exemplarisch für eine gesellschaftliche Gruppe stehen. Nicht das individuelle, sondern das ‚Zeitschicksal'[4] ist von Interesse. In der Regel werden weder die Vorgeschichte einer Person noch ihr weiterer Werdegang über partielle Hinweise hinaus offengelegt. [...]
Diese [die ErzählerInnen] bleiben stets an das Bewusstsein der Figuren gebunden, womit überdies die angestrebte Enthaltung von parteipolitischen Argumentationen und Wertungen in Form von ErzählerInnenkommentaren garantiert ist. [...]
Die Neue Sachlichkeit muss als die letzte Phase jener literarischen Moderne verstanden werden, die sich in Auseinandersetzung mit den Prozessen der Industrialisierung und Urbanisierung seit 1890 konstituiert. Bereits in ihrer Entstehungsphase argumentiert diese Moderne infolge ihres Bemühens um die Ausbildung einer der industrialisierten Lebenswelt adäquaten urbanen Literatur mit Begriffen wie Wahrheit, Objektivität, Beobachtung der äußeren Wirklichkeit, Antisubjektivismus und Antipsychologismus. [...]
Die ökonomische Krise, besonders in ihren Auswirkungen auf die Klasse der Angestellten, erweist sich als wichtigstes neusachliches Sujet nach 1929. [...]
Die Romananalysen zeigen, dass die Literatur der Neuen Sachlichkeit mit Kriterien wie Technikbegeisterung und Objektorientierung, Zerstreuungs- und Revuekultur nicht zu fassen ist; keiner der besprochenen Romane verherrlicht in unkritischer Weise diese kulturindustriellen Tendenzen. [...] Der Genuss des großstädtischen Amüsierbetriebs bleibt zumeist ein Ausnahmeereignis, das man sich, sei es aus finanziellen oder sonstigen Gründen, nur selten leistet. Sind Sport [...], Girlkultur[...] und Massenkultur [...], Film [...], Technisierung, Kapitalisierung und Rationalisierung der Gesellschaft [...] Sujets, so werden sie gerade im Hinblick auf die ihnen innerhalb des Produktionsprozesses zugeschriebenen Funktionen kritisch hinterfragt. [...]
Wenngleich nicht in jedem Werk mit der gleichen Konsequenz und Schärfe, so verbürgt die Kategorie der ‚Sachlichkeit' doch den kritischen Blick auf diese Prozesse wie auch die reflexive Haltung gegenüber der politischen und sozialen Realität. Der sachliche, analytische Blick wird Voraussetzung für die kritische Hinterfragung der versachlichten Arbeit im rationalisierten System [...].

[3] Erik Reger: Kleine Schriften. 2 Bände. Hrsg. von Eduard Schütz. Band 1. Berlin 1993, S. 61

[4] Gabriele Tergit: Etwas Seltenes überhaupt. Erinnerungen. Frankfurt/Main, Berlin1983, S. 79.

1 Fassen Sie die im Text genannten typischen Merkmale der „Neuen Sachlichkeit" im Roman und die Aussagen zu deren Wirkungsabsicht zusammen.

2 a) Erläutern Sie die Aussage der Autorin, dass „Figuren nicht als Individuen, sondern als soziale Typen verstanden werden, deren Lebensumstände, Bewusstsein und Schicksal exemplarisch für eine gesellschaftliche Gruppe stehen." (Z. 36 ff.).
b) Überprüfen Sie, ob bzw. inwiefern diese Aussage auch auf das Figurenpersonal im Roman „Das kunstseidene Mädchen" zutrifft.

3 Begründen Sie auf der Grundlage Ihrer bisherigen Kenntnisse, warum der Roman „Das kunstseidene Mädchen" literaturgeschichtlich der Neuen Sachlichkeit zuzuordnen ist.

Erich Kästner

Der Gang vor die Hunde (1931)

Nachwort für die Sittenrichter

Dieses Buch ist nichts für Konfirmanden, ganz gleich, wie alt sie sind. Der Autor weist wiederholt auf die anatomische Verschiedenheit der Geschlechter hin. Er lässt in verschiedenen Kapiteln völlig unbekleidete Damen und andere Frauen herumlaufen. Er deutet wiederholt jenen Vorgang an, den man, temperamentloserweise, Beischlaf nennt. Er trägt nicht einmal Bedenken abnorme Spielarten des Geschlechtslebens zu erwähnen. Er unterlässt nichts, was die Sittenrichter zu der Bemerkung veranlassen könnte: Dieser Mensch ist ein Schweinigel.

Der Autor antwortet hierauf: Ich bin ein Moralist!

Durch Erfahrungen am eigenen Leib und durch sonstige Beobachtungen unterrichtet, sah er ein, dass die Erotik in seinem Buch beträchtlichen Raum beanspruchen musste. Nicht, weil er das Leben photographieren wollte, denn das wollte und tat er nicht. Aber ihm lag außerordentlich daran, die Proportionen des Lebens zu wahren, das er darstellte. Sein Respekt vor dieser Aufgabe war möglicherweise ausgeprägter als sein Zartgefühl. Er fand das ganz in Ordnung.

Die Sittenrichter, die männlichen, die weiblichen und sächlichen, sind wieder einmal sehr betriebsam geworden. Sie rennen, zahllos wie Gerichtsvollzieher, durch die Gegend und kleben psychoanalytisch geschult, wie sie sind, ihre Feigenblätter über jedes Schlüsselloch und auf jeden Spazierstock. Doch sie stolpern nicht nur über die sekundären Geschlechtsmerkmale. Sie werden dem Autor nicht nur vorwerfen, er sei ein Pornograph. Sie werden auch behaupten, er sei ein Pessimist, und das gilt bei den Sittenrichtern sämtlicher Parteien und Reichsverbände als das Ärgste, was man einem Menschen nachsagen kann. Sie wollen, dass jeder Bürger seine Hoffnungen im Topf hat. Und je leichter diese Hoffnungen wiegen, umso mehr suchen sie ihm davon zu liefern. Und weil ihnen dazu nichts mehr einfällt, was, wenn die Leute daran herumkochen, Bouillon gibt, und weil das, was ihnen früher einfiel, von den Menschen längst auf den Misthaufen der Geschichte geworfen wurde, fragen sich die Sittenrichter: Wozu haben wir die Angestellten der Fantasie, die Schriftsteller?

Der Autor antwortet hierauf: Ich bin ein Moralist!

Er sieht eine einzige Hoffnung, und die nennt er. Er sieht, dass die Zeitgenossen, störrisch wie Esel, rückwerts laufen, einem klaffenden Abgrund entgegen, in dem Platz für sämtliche Völker Europas ist. Und so ruft er, wie eine Reihe Anderer vor ihm: Achtung, beim Absturz linke Hand am Griff!

Wenn die Menschen nicht gescheiter werden (und zwar jeder höchstselber, nicht immer nur der Andere) und wenn sie es nicht vorziehen, endlich vorwärts zu marschieren, vom Abgrund fort, der Vernunft entgegen: Wo, um alles in der Welt, ist denn noch eine ehrliche Hoffnung? Eine Hoffnung, bei der ein anständiger Kerl ebenso aufrichtig schwören kann wie beim Haupt seiner Mutter?

Der Autor liebt die Offenheit und verehrt die Wahrheit. Er hat mit der von ihm geliebten Offenheit einen Zustand geschildert und er hat, angesichts der von ihm verehrten Wahrheit eine Meinung dargestellt. Darum sollten sich die Sittenrichter, ehe sie sein Buch im Primäraffekt erdolchen, dessen erinnern, was er im Nachwort wiederholt versichert.
Er sagte wiederholt, er sei ein Moralist.

(Originale Rechtschreibung)

1 Informieren Sie sich a) über Leben und Werk Erich Kästners und b) über den Inhalt des Romans „Der Gang vor die Hunde". Halten Sie die wichtigsten Ergebnisse Ihrer Recherche in Stichworten auf den folgenden Schreiblinien fest.

Leben und Werk Erich Kästners: ______________________________

Inhalt des Romans: ______________________________

2 Analysieren Sie das „Nachwort für die Sittenrichter", indem Sie den Standpunkt des Schriftstellers darstellen und erläutern.

3 Diskutieren Sie, ob Erich Kästner und Irmgard Keun mit ihren Romanen „Der Gang vor die Hunde" und „Das kunstseidene Mädchen" ähnliche Zielsetzungen verfolgen.

Tanz auf dem Vulkan

Das Lebensgefühl der Goldenen Zwanziger nachempfinden

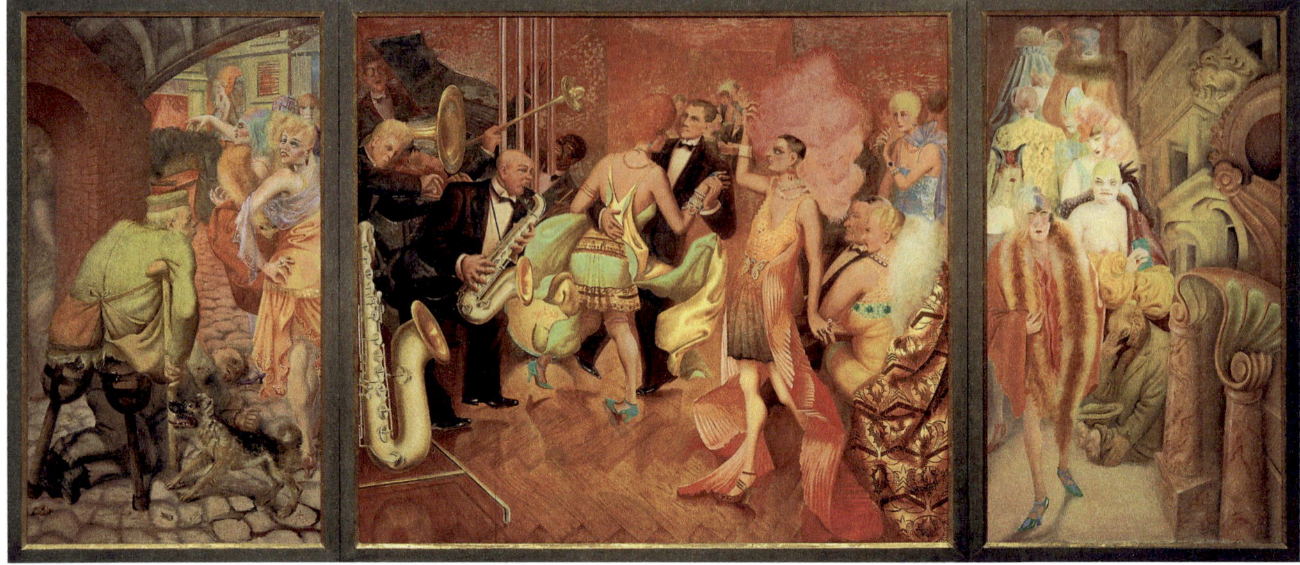

Otto Dix: Großstadt (1927/28)

Kurt Pinthus

Die Überfülle des Erlebens (Auszug, 1925)

Welch ein Trommelfeuer von bisher ungeahnten Ungeheuerlichkeiten prasselt seit einem Jahrzehnt auf unsere Nerven nieder! Trotz sicherlich erhöhter Reizbarkeit sind durch diese täglichen Sensationen unsere Nerven trainiert und abgehärtet wie die Muskulatur eines Boxers gegen die schärfsten Schläge. [...] Man male sich zum Vergleich nur aus, wie ein Zeitgenosse Goethes oder ein Mensch des Biedermeier seinen Tag in Stille verbrachte, und durch welche Mengen von Lärm, Erregungen, Anregungen heute jeder Durchschnittsmensch täglich sich durchzukämpfen hat, mit der Hin- und Rückfahrt zur Arbeitsstätte, mit dem gefährlichen Tumult der von Verkehrsmitteln wimmelnden Straßen, mit Telefon, Lichtreklame, tausendfachen Geräuschen und Aufmerksamkeitsablenkungen. Wer heute zwischen dreißig und vierzig Jahre alt ist, hat noch gesehen, wie die ersten elektrischen Bahnen zu fahren begannen, hat die ersten Autos erblickt, hat die jahrtausendelang für unmöglich gehaltene Eroberung der Luft in rascher Folge mitgemacht, hat die sich rapid übersteigernden Schnelligkeitsrekorde all dieser Entfernungsüberwinder, Eisenbahnen, Riesendampfer, Luftschiffe, Aeroplane miterlebt. [...] Wie ungeheuer hat sich der Bewusstseinskreis jedes Einzelnen erweitert durch die Erschließung der Erdoberfläche und die neuen Mitteilungsmöglichkeiten: Schnellpresse, Kino, Radio, Grammophon, Funktelegrafie. Stimmen längst Verstorbener erklingen; Länder, die wir kaum dem Namen nach kennen, rauschen an uns vorbei, als ob wir selbst sie durchschweiften. Der jahrzehntelang vergeblich umkämpfte Südpol ward, innerhalb 34 Tagen, gleich zweimal entdeckt, und der sagenhafte Nordpol wird bald von jedermann auf der Luftreise von Japan nach Deutschland überflogen werden können. Vor kurzem noch ungeahnte Möglichkeiten der Elektrizitätsausnutzung, unheilbare Krankheiten, Diphtherie, Syphilis, Zuckerkrankheit durch neuentdeckte Mittel heilbar geworden, das unsichtbare Innere unseres Körpers durch die Röntgenstrahlen klar vor Augen gelegt, all diese „Wunder“ sind Alltäglichkeiten geworden. Im Jahre 1913 noch erließ eine Zeitschrift ein Preisausschreiben: „Welche Nachricht würde sie am meisten verblüffen?“ Wie harmlos erschienen die Antworten gegen die Ereignisse, die kurz darauf einsetzten. Der Krieg begann sich über Erde, Luft und

Wasser zu verbreiten, mit Vernichtungsmöglichkeiten, die die Phantasie auch der exzentrischsten Dichter nicht zu ersinnen gewesen war. Unsere Heere überfluteten Europa; Dutzende von Millionen Menschen hungerten jahrelang; aus Siegesbewusstsein stürzten wir in Niederlage und Revolution; Kaiser, Könige und Fürsten wurden dutzendweise entthront. Wer soll noch durch Menschenunglück erschüttert werden, der erlebte, dass vier Millionen Menschen durch Menschenhand im Krieg umgebracht wurden? Die Länder erbebten von Attentaten und Revolten; politische und soziale Ideen, von denen unsere Großeltern noch nichts ahnten, wuchsen über die Menschheit und veränderten das Antlitz der Völker und der Erde. Das Geld, einziger Maßstab realen Besitzes, verlor seinen Wert und eroberte ihn wieder. Staatengebilde brachen zusammen; Konferenzen versuchten vergeblich der Welt eine Neuordnung zu geben. Die urälteste Monarchie der Erde, China, ward Republik [...] und Maschinen, Maschinen eroberten unsere Planetenkruste. Zusammengeballt in zwei Jahrzehnte erlebten wir mehr als zwei Jahrtausende vor uns. Was haben wir noch zu erwarten, zu erleben? Vermögen wir uns noch zu wundern?

1 a) Beschreiben Sie das Bild „Großstadt" von Otto Dix.
b) Erläutern Sie, welches Bild das Triptychon von der Gesellschaft der Weimarer Republik zeichnet.

2 Analysieren Sie den Textauszug, indem Sie erläutern, was Pinthus als „Überfülle des menschlichen Erlebens" (Überschrift) bezeichnet.

3 Setzen Sie Ihre Ergebnisse mit dem Romaninhalt in Beziehung, indem Sie prüfen, ob in der Darstellung der großstädtischen Lebenswirklichkeit der Protagonistin Doris von einer „Überfülle des Erlebens" gesprochen werden kann.

Ernst Piper

Gefährdete Stabilität 1924–1929 (Auszug, 2021)

Ernst Piper (*1952): Historiker, Inhaber einer Literaturagentur; 1916 Ernennung zum apl. Professor für Neuere Geschichte an der Universität Potsdam.

Josephine Baker (1906–1975) mit ihrem berühmten Bananenrock; 1925 trat sie erstmalig in Paris auf, 1926 in Berlin

Goldene Zwanziger Jahre

Nachdem die Weimarer Demokratie die totalitäre Herausforderung von links und rechts abgewehrt hatte, folgte die „hochkonjunkturelle Mittelphase der Republik" (Hans-Ulrich Wehler). Diese Jahre von 1924 bis 1929 waren durch wirtschaftliche Stabilität gekennzeichnet und zugleich durch eine enorme Vielfalt künstlerischer, kultureller und auch wissenschaftlicher Leistungen. In der Weimarer Zeit gingen insgesamt 14 Nobelpreise in den Kategorien Chemie, Physik und Medizin an deutsche Wissenschaftler, darunter 1921 an Albert Einstein. 1929 bekam Thomas Mann den Nobelpreis für Literatur.

Geprägt war diese Zeitspanne durch eine wahre Explosion an Kunst und Kultur, ein ekstatisches neues Lebensgefühl und neue Formen der Massenkultur. Der Ausgangspunkt für die „Roaring Twenties" waren die USA, jener Staat, der als die eigentliche Siegermacht des Weltkriegs nun eine zunehmend prominentere Rolle auf der Weltbühne spielte. Von dort kam die Jazzmusik, die zu Beginn des Jahrhunderts in den Südstaaten der USA entstanden war und vor allem von Afroamerikanern gespielt wurde. 1927 entstand in den USA der erste Tonfilm. Josephine Baker war der erste afroamerikanische Weltstar. Mit 19 Jahren kam sie 1925 zur Uraufführung der „Revue Nègre“ nach Paris und machte den Charleston, einen exaltierten und provokativen Gesellschaftstanz, in Europa populär. Am 14. Januar 1926 trat Baker erstmals in Berlin auf. Ihre Tanzdarbietungen, bei denen sie zumeist äußerst spärlich bekleidet auftrat, erregten großes Aufsehen und zogen Auftrittsverbote, unter anderem in München und Wien, nach sich.

Die deutsche Hauptstadt bot die Bühne für radikale künstlerische Experimente, Ausschweifungen aller Art, eine homosexuelle Subkultur und Raum für das „dritte Geschlecht“. Der gleichnamige Roman des Schriftstellers Ernst von Wolzogen und das 1904 veröffentlichte Sachbuch des Sexualforschers Magnus Hirschfeld „Berlins drittes Geschlecht“ erfreuten sich großer Popularität. Beliebt waren zudem die Modedroge Kokain, Nachtclubs, Großkinos, Varietés und Tanzlokale, wie das 1926 eröffnete „Moka Efti“, das durch die Fernsehserie „Babylon Berlin“ jüngst zu Nachruhm gekommen ist.

Alfred Döblin beschrieb in seinem Roman „Berlin Alexanderplatz“ (1929) in expressiver Sprache die Geschichte des Lohnarbeiters Franz Biberkopf, der versucht, sich nach seiner Haftentlassung eine neue Existenz aufzubauen, dabei im Moloch der Großstadt aber erneut auf die schiefe Bahn gerät. 1927 produzierte Fritz Lang seinen monumentalen expressionistischen Stummfilm „Metropolis“, der eine Zweiklassengesellschaft in einer futuristischen Großstadt zeigt. Die Oberschicht lebt in absolutem Luxus, während die Arbeiterklasse in großen unterirdischen Hallen an riesigen Maschinen schuftet, um dieses Luxusleben zu ermöglichen. Es gehört nicht viel Phantasie dazu, hier an Berlin zu denken. Die Stadt hatte durch die Schaffung der Einheitsgemeinde Groß-Berlin 1920 ihre Fläche verdreizehnfacht und war nun flächenmäßig nach Los Angeles die zweitgrößte Stadt der Welt. Berlin war Europas größte Industriestadt, Unternehmen wie die Borsig-Maschinenbau-Werke, die pharmazeutische Firma Schering, die Agfa, Herstellerin für chemische Präparate zu fotografischen Zwecken, und der Elektrokonzern AEG wurden hier gegründet. Die Maschinen- und Telegrafenbau-Fabrik Siemens & Halske-AG prägte einen ganzen Stadtteil, die „Siemensstadt“, Berlin wandelte sich von „Spreeathen“ zu „Spreechicago“ (Walther Rathenau). 1924 wurde der Flughafen Tempelhof eröffnet, im gleichen Jahr fand erstmals die Internationale Funkausstellung statt.

1 Geben Sie zentrale Inhaltsaspekte des Textes über die Zeit der „Goldene[n] Zwanziger Jahre“ (Z. 1) wieder.

2 Begründen Sie, warum diese Zeit gemeinhin als „Tanz auf dem Vulkan“ (Kapitelüberschrift) bezeichnet wird.

3 Erläutern Sie, wie der Roman „Das kunstseidene Mädchen“ die Lebensverhältnisse im Berlin der 1920er-Jahre abbildet. Konkretisieren Sie Ihre Ausführungen mithilfe von Textbelegen.

4 Diskutieren Sie, ob Großstädte wie Berlin heute noch immer eine so starke Anziehungskraft auf die Menschen ausüben wie in den 1920er-Jahren.

Arnulf Scriba

Kunst und Kultur (Auszug, 2014)

So grau die politische Wirklichkeit der Weimarer Republik war, so glanzvoll waren ihre Kunst und Kultur, die frei von Zensur zur Entfaltung gelangen konnten und in den 1920er-Jahren einen rasanten Aufschwung erlebten. Viele Künstler brachen mit überkommenen Formen und Strukturen und übten mit den Mitteln eines politisch-aggressiven Realismus scharfe Gesellschaftskritik an den Missständen der Zeit. Bis dahin unbekannte Formen der Massenkultur entfalteten sich nach amerikanischem

Vorbild in einem rasanten Tempo. Kinos erlebten einen stürmischen Aufschwung. Sportveranstaltungen zogen erstmals ein Massenpublikum an. In der verbreiteten Erinnerungskultur stehen diese Jahre für Aufbruchstimmung und kulturelle Experimentierfreudigkeit, für ausschweifende Partys und ungestillte Vergnügungssucht, für Verruchtheit und sexuelle Freizügigkeit. Vor allem Musik und Tanzvergnügen gehörten zum Lebensstil der „Goldenen Zwanziger", die allerdings so golden nur für wenige Reiche waren. Neben der großstädtischen Avantgarde, die heute Inbegriff der Weimarer Kultur ist, existierte aber auch eine bürgerliche Kultur, die von der Moderne unbeeindruckt ihre Ideale pflegte.

Aufbruchstimmung und Avantgarde

Die Nachkriegsjahre waren die Zeit der Radikalität und des Experimentierens mit avantgardistischen Stilrichtungen. Zu Anfang der 1920er-Jahre stellten die expressionistischen Künstler in Theater und Malerei Menschen als Marionetten, Maschinen oder als „Masse" dar. Viele vom Ersten Weltkrieg desillusionierte Künstler bekämpften provokant die Relikte der wilhelminischen Gesellschaft, die sich in der jungen Republik behauptet hatten. Schonungslos sezierte beispielsweise George Grosz in seiner Bildermappe „Ecce Homo" die Phänomene der Zeit, während auch andere Maler wie Heinrich Zille versuchten, Armut und Hunger bildlich zu beschreiben. [...]

Politik und Kultur waren aufs engste verwoben, und oft stellte sich der künstlerische Innovationsgeist in den Dienst einer politischen Partei. [...]

Die Maler der Neuen Sachlichkeit versuchten ein scharfes Bild der Wirklichkeit zu skizzieren und lösten damit das Pathos der früheren Weimarer Jahre ab. In der Architektur und im Design trat eine kühle Nüchternheit in den Vordergrund. Zum Symbol der ästhetischen Moderne wurde das in Weimar gegründete Bauhaus mit seinem betont nüchternen Programm. Das neusachliche Theater feierte mit Carl Zuckmayers „Der fröhliche Weinberg" (1925) und „Der Hauptmann von Köpenick" (1930) große Publikumserfolge. Linkes politisches Theater agierte in der Weimarer Republik vor allem auf den Bühnen von Erwin Piscator. Von Berlin aus trat Bertolt Brechts Stück „Die Dreigroschenoper" ihren Siegeszug an – gesellschaftskritische Unterhaltung im modernen Gewand, wie sie zum Ende der Republik auch viele Filme und Kinos boten.

Georg Grosz: „Dämmerung" (1922)

Otto Dix: „Porträt des Rechtsanwalts Hugo Simons", 1929

Literatur und Film

Die Literatur erlebte ab der Mitte der 20er Jahre eine Blütezeit. Zu einem vielgelesenen Klassiker avancierte der 1924 erschienene Roman „Der Zauberberg" von Thomas Mann. 1929 erhielt Mann den Literaturnobelpreis, allerdings vornehmlich für sein Prosawerk „Die Buddenbrooks" von 1901. Weltruf erlangte 1927 auch Hermann Hesse mit „Der Steppenwolf". Gesellschaftskritische Unterhaltung boten die anspruchsvollen Sozialreportagen von Egon Erwin Kischs „Rasendem Reporter" (1925). Aus der Generation der Frontsoldaten beschrieben Ludwig Renn in „Krieg" (1928) und Erich Maria Remarque in „Im Westen nichts Neues" (1929) die Schrecken des Ersten Weltkrieges. Das vielfältige kulturelle und literarische Leben in der Weimarer Republik erlaubte es auch schreibenden Frauen, ein neues Selbstbewusstsein zu entwickeln. Vor allem Berlin als Stadt mit den meisten Verlagen, Zeitschriften, Theatern und Cafés übte eine große Anziehungskraft aus.

Zentraler Treffpunkt für Künstler war das Romanische Café gegenüber der Kaiser-Wilhelm-Gedächtniskirche (heute: Europa-Center). Hier wurden neue Texte verfasst, vorgetragen und diskutiert. Regisseure, Literaten, Schauspieler, Kunsthändler und Maler machten die kulturelle Szene unüberschaubar.
Die Anonymität der Großstadt erleichterte es Frauen, sich von der traditionellen Rollenzuweisung zu distanzieren und neue Lebensformen zu entwickeln. Ungehemmt von Prüderie und hierarchisierten gesellschaftlichen Normen wie zu Wilhelminischer Zeit konnten Frauen und Männer bisher weitgehend unbekannte Lebensentwürfe ausprobieren. Neu war es, sexuelle Themen anzusprechen und zu diskutieren. Schriftstellerinnen wie Vicki Baum zeichneten das Bild der „Neuen Frau“ als kritische und selbstbewusste Protagonistin, die im Berufsleben die gleichen Leistungen wie ihre männlichen Kollegen erbringt und fester Bestandteil einer modernen, großstädtischen Massenkultur ist, die sich in einem rasanten Tempo – vorangetrieben durch die Ausbildung moderner Massenmedien – entfaltete. Die Printmedien erlebten ebenso wie die Kinos einen stürmischen Aufschwung. Die visuelle Erfahrung erreichte ein Massenpublikum, Ende der 20er Jahre gingen in Deutschland täglich etwa zwei Millionen Menschen in über 5 000 Kinos. Die Universum Film AG (UFA) in Potsdam-Babelsberg entwickelte sich nach Hollywood zum zweitgrößten Filmimperium der Welt, wo internationale Klassiker wie der 1927 uraufgeführte Stummfilm „Metropolis“ produziert wurden. 1930 gelang Marlene Dietrich mit dem ersten großen deutschen Tonfilm „Der blaue Engel“ der Durchbruch zum Weltstar.

Sport und Tanzvergnügen

Auch der Sport zog in der Weimarer Republik ein Massenpublikum an. Zum Fußball, im Kaiserreich noch als „undeutsche Fußlümmelei“ verspottet, strömten wöchentlich Hunderttausende in die Stadien. Rad- und Autorennen zogen ebenso wie Boxveranstaltungen riesige Zuschauermengen an, die Kämpfe von Max Schmeling verfolgten Millionen Zuhörer an den Radiogeräten. Das neue Medium Rundfunk trat ab 1923 unaufhaltsam seinen Vormarsch an, innerhalb von zehn Jahren erhöhte sich die Zahl der in Deutschland angemeldeten Rundfunkgeräte von knapp 10 000 auf über 5,4 Millionen. [...]
Die Radioprogramme folgten einem Massengeschmack und förderten die Verbreitung schnell abwechselnder Unterhaltungsschlager und Gesellschaftstänze. Zum Lebensstil der Zwanziger gehörten vor allem die Tanzvergnügen. Der Charleston wurde zum beliebtesten amerikanischen Modetanz in Deutschland. Für seine Verbreitung sorgten nicht zuletzt die „Chocolate Kiddies“ mit Musik von Duke Ellington (1899–1974), die ab Mai 1925 als eines der ersten amerikanischen Jazzorchester in Berlin auftraten. Der Revuestar Josephine Baker gastierte 1927 mit ihrer „Charleston Jazzband“ in Berlin und sorgte durch ihren „wilden“ Tanzstil sowie ihre leichte Bekleidung mit Bananenröckchen für Aufregung. Die Prüderie des wilhelminischen Deutschlands machte – zumindest in den Großstädten – einer nie gekannten, hemmungslosen Vergnügungssucht mit sexueller Freizügigkeit Platz, die in Schlagertexten, großen Nacktrevuen und Darbietungen in kleinen Kabaretts ihren Ausdruck fand. Vor allem der Jazz infizierte die Vergnügungshungrigen. Revuen und Tanzlokale schossen in den Großstädten wie Pilze aus dem Boden. Die für die Tänze notwendige Bewegungsfreiheit hatte die „Neue Frau“ in knielangen Hemdkleidern. Das Leben pulsierte, es pulsierte in den Großstädten und vor allem in Berlin, dem kulturellem Zentrum Deutschlands und neben Paris und London die europäische Kulturmetropole schlechthin. Die mit 4,3 Millionen Einwohner drittgrößte Stadt der Welt zog Talente und „Glücksritter“ aus ganz Europa geradezu magisch an. „Jeder einmal in Berlin!“ lautete der 1928 entstandene weltweit erste Werbeslogan für Stadttourismus.

1 Stellen Sie die im Textauszug angesprochenen kulturellen Veränderungen in den 1920er-Jahren dar.

2 Beurteilen Sie, welchen Einfluss diese Veränderungen auf das Leben des Einzelnen hatten.

3 Analysieren und interpretieren Sie den folgenden Textauszug Ihrer Lektüre, in dem die Protagonistin von ihrem Umgang mit der „geistigen Elite" (Textausgabe, S. 61, Z. 18) erzählt: Textausgabe, S. 61, Z. 5 – S. 62, Z. 21.

4 Deuten Sie den Erzählabschnitt auch daraufhin, welche Schlussfolgerungen sich bezüglich des Bildungsstands der Protagonistin ziehen lassen.

Sich mit den Auswirkungen der Weltwirtschaftskrise auseinandersetzen

1 ***Lernarrangement***
Im Rahmen einer literarischen Projektwoche hat sich Ihre Klasse für eine Ausstellung zum Roman „Das kunstseidene Mädchen" entschieden. Ihre Aufgabe ist es, für eine Stellwand im Foyer der Schule einen Text von ca. 400 Wörtern zu verfassen. Der Text soll die Frage beantworten, wie der Roman die Weltwirtschaftskrise (Ende der 1920er-Jahre bis Anfang der 1930er-Jahre) verarbeitet.
a) Verfassen Sie den Text. Nutzen Sie hierzu die Materialien 1–7 und Zitate aus dem Roman.
b) Stellen Sie sich Ihre Texte gegenseitig im Plenum vor und beurteilen Sie sie nach Form und Inhalt.

Material 1 (161 Wörter)

Arnulf Scriba

Wirtschaftskrise und Depression (Auszug, 2014)

Die rauschenden Partys der „Goldenen Zwanziger" endeten abrupt mit der Weltwirtschaftskrise. Hunderttausende sahen sich auf der Straße des wirtschaftlichen und sozialen Niederganges dahinschreiten: arbeitslos, perspektivlos, hoffnungslos. Die Verelendung der Bevölkerung spiegelte sich ungeschminkt in der Kunst wider: Hunger und Tristesse wurden zu Bildthemen der Milieumalerei und der Photographie. Romane wie Alfred Döblins „Berlin Alexanderplatz" (1929) oder Hans Falladas „Kleiner Mann was nun?" (1932) thematisierten die Not und den alltäglichen Überlebenskampf der Bevölkerung.
Die proletarische Kultur war noch in großen Teilen „links", aber die Anhängerschaft der rechten Heilsverkünder wuchs stetig. Der politische Kampf zwischen Kommunisten und Nationalsozialisten wurde auch zum Kulturkampf, die Weltanschauungen konkurrierten auf Bühnen und in Zeitschriften miteinander. Kurt Tucholsky wandte sich 1929 mit einem für den rechten politischen Gegner zynischen „Deutschland, Deutschland über alles" gegen Nationalismus und Militarismus. In diesen letzten Jahren der Republik entstanden, sozusagen beflügelt durch die Konfrontation mit den Nationalsozialisten, einige ihrer interessantesten Werke. Die Machtübernahme der Nationalsozialisten beendete 1933 die kulturelle Vielfalt in Deutschland schlagartig.

Material 2

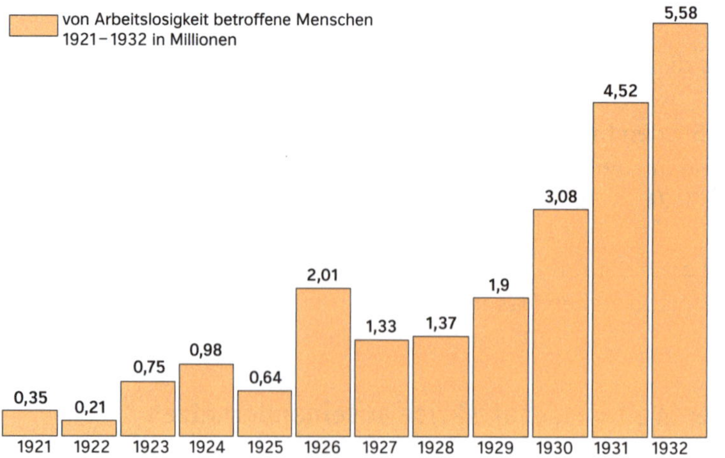

Zahlen nach „Statistisches Jahrbuch des Dritten Reichs“, 19939/1940

Arbeitslose Menschen in Deutschland 1921 – 1932
Nach dem sogenannten Schwarzen Freitag, dem Börsenkrach vom 25. Oktober 1929 in Folge massiver Kursverluste an der New Yorker Börse am Vortag, wurden die kurzfristigen amerikanischen Kredite abgezogen. Vor allem in Deutschland führte die einsetzende Weltwirtschaftskrise zu Firmenzusammenbrüchen und Massenentlassungen.

Material 3

Arbeitslose Stenotypistin sucht Arbeit, Berlin 1930

Material 4 (126 Wörter)

Wolf Stegemann

Sechs Millionen gemeldete Arbeitslose (Auszug, 2015)

Die Zahl der bei den Arbeitsämtern gemeldeten Arbeitslosen erreichte im Februar 1932 mit 6,128 Millionen ihren Höchststand (1925 waren es nur 400 000). Zusammen mit den drei Millionen Kurzarbeitern waren Zweidrittel aller arbeitsfähigen Deutschen von der Wirtschaftskrise betroffen. Die Unterstützungszahlungen waren nach der Dauer der Arbeitslosigkeit gestaffelt: Zunächst wurde aus der Arbeitslosenversicherung eine Hauptunterstützung gezahlt, die zu gleichen Teilen von Arbeitgebern und Arbeitnehmern finanziert wurde. Nach Auslaufen der Hauptunterstützung setzte eine Krisenunterstützung ein, die zu Vierfünftel vom Reich und zu Einfünftel von den Gemeinden aufgebracht werden musste. Nach dieser Haupt- und Krisenunterstützung erhielt der Arbeitslose nach weiteren sechs Monaten eine erheblich reduzierte Fürsorgeunterstützung von der Gemeinde. Im Februar 1931 bekamen 43 Prozent Arbeitslosenversicherung, 21 Prozent Krisenfürsorge, 23 Prozent Gemeindefürsorge und 13 Prozent erhielten überhaupt keine Unterstützung.

Material 5

Georg Grosz: „Hunger“ (1924)

Material 6

Schlange von Arbeitslosen im Hof des Arbeitsamtes Hannover, Mai 1932.
Foto: Walter Ballhause (1911–1991), Deutsches Historisches Museum, Berlin

Material 7 (289 Wörter)

Oliver Schweinoch, Arnulf Scriba

Die Weltwirtschaftskrise (Auszug, 2022)

Im Winter 1929/30 geriet Deutschland in den Strudel der sich aus dem Zusammenbruch der New Yorker Börse im Oktober 1929 entwickelnden Weltwirtschaftskrise. Der Kapitalstrom nach Deutschland versiegte, als die für die deutsche Wirtschaft so dringend benötigten ausländischen Kredite abgezogen wurden. In den USA und in Europa setzte sich zunehmend nationaler Protektionismus durch, das Welthandelsvolumen fiel von 1929 bis zum Tiefpunkt der Rezession 1932 um 25 Prozent. Der deutsche Warenexport sank in demselben Zeitraum von 13,5 auf 5,7 Milliarden Reichsmark, da der Außenhandel ebenso rapide zurück ging wie die Industrieproduktion des Deutschen Reichs, die um circa 40 Prozent fiel.

Firmenzusammenbrüche, Bankenschließungen und Massenarbeitslosigkeit waren die Folgen der Weltwirtschaftskrise. Zwischen September 1929 und Anfang 1933 stieg die Zahl der Erwerbslosen in Deutschland von 1,3 auf über sechs Millionen. Das Realeinkommen sank um ein Drittel, Armut und Kriminalität nahmen sprunghaft zu. Massenverelendung kennzeichnete in der Wirtschaftskrise das Alltagsleben breiter Bevölkerungsschichten. [...] Für ältere Menschen bestand keinerlei Hoffnung auf eine Anstellung. Auch jüngere Arbeitslose mussten jede Chance eines kleinen Verdienstes ergreifen, um dem gefürchteten sozialen Abstieg und der Obdachlosigkeit zu entgehen. Viele Menschen erkannten nur im Freitod einen Ausweg aus ihrer existenziellen Not. Andere versuchten, durch Heimarbeit, Hausieren und Tauschgeschäfte den täglichen Überlebenskampf zu gewinnen oder zogen als Straßenmusikanten von Haus zu Haus.

Deflationspolitik
Die dramatische Verelendung war auch eine Folge der harten Sparpolitik durch Reichskanzler Heinrich Brüning (Zentrum) als Reaktion auf die Weltwirtschaftskrise. [...] Es wurden etliche Steuern und Abgaben erhöht sowie neue Steuern eingeführt, öffentliche Ausgaben reduziert und eingestellt, Gehälter und Renten gekürzt, Versicherungsleistungen eingeschränkt. [...]

Staatskrise
Die allgemeine Katastrophenstimmung veränderte zunehmend die politischen Rahmenbedingungen. Aus der Wirtschaftskrise wurde eine Staatskrise. Mit Erfolg entfesselten die Gegner der Weimarer Republik von rechts und links eine beispiellose Agitation gegen die demokratische Ordnung. [...]

Den Umgang der Protagonistin mit dem aufziehenden Nationalsozialismus analysieren

Frankreichs Ministerpräsident Pierre Laval und Außenminister Aristide Briand grüßen im September 1931 vom Balkon des Hotels Adlon in Berlin eine schaulustige Menge.

1 Als Doris in Berlin eintrifft, wird sie von einer Menschenmenge bis zum Hotel Adlon mitgerissen. Analysieren Sie den Textauszug Textausgabe, S. 41, Z. 37 – S. 43, Z. 7, und stellen Sie dar, wie Doris den Besuch der französischen Staatsmänner in Berlin erlebt.

2 Deuten Sie Doris' Äußerung: „[...] in mir stiegen mächtige Gedanken auf und ein Drang, Bescheid zu erfahren über die Politik und was die Staatsmännischen wollten und alles." (Textausgabe, S. 42, Z. 28 ff.)

3 Benennen Sie weitere Textstellen, die zeigen, wie Doris die politischen Verhältnisse in Berlin wahrnimmt.

4 Reflektieren Sie, wie in dem Roman „Das kunstseidene Mädchen" tagespolitische Ereignisse und der erstarkende Nationalsozialismus angesprochen und von der Ich-Erzählerin eingeordnet werden.

Die Stadt als Ort der Entfremdung, aber auch als Ort der Entfaltung begreifen

Erich Kästner

Besuch vom Lande (1929)

Sie stehen verstört am Potsdamer Platz.
Und finden Berlin zu laut.
Die Nacht glüht auf in Kilowatts.
Ein Fräulein sagt heiser: „Komm mit, mein Schatz!"
Und zeigt entsetzlich viel Haut.

Sie wissen vor Staunen nicht aus und nicht ein.
Sie stehen und wundern sich bloß.
Die Bahnen rasseln. Die Autos schrein.
Sie möchten am liebsten zu Hause sein.
Und finden Berlin zu groß.

Es klingt, als ob die Großstadt stöhnt,
weil irgendwer sie schilt.
Die Häuser funkeln. Die U-Bahn dröhnt.
Sie sind alles so gar nicht gewöhnt.
Und finden Berlin zu wild.

Sie machen vor Angst die Beine krumm.
Sie machen alles verkehrt.
Sie lächeln bestürzt. Und sie warten dumm.
Und stehn auf dem Potsdamer Platz herum,
bis man sie überfährt.

Ansichtskarte von Berlin: Potsdamer Platz mit Verkehrsturm, 1928

1 Beschreiben Sie die Situation und das Empfinden der Besucher aus dem Gedicht „Besuch vom Lande" bei ihrer Ankunft in Berlin.

2 Interpretieren Sie das Gedicht.

3 Erläutern Sie die mögliche Intention des Gedichtes.

Paul Boldt

Auf der Terrasse des Café Josty (1912)

Der Potsdamer Platz in ewigem Gebrüll
Vergletschert alle hallenden Lawinen
Der Straßentakte: Trams auf Eisenschienen
Automobile und den Menschenmüll.

Die Menschen rinnen über den Asphalt,
Ameisenemsig, wie Eidechsen flink.
Stirne und Hände, von Gedanken blink,
schwimmen wie Sonnenlicht durch dunklen Wald.

Nachtregen hüllt den Platz in eine Höhle,
Wo Fledermäuse, weiß, mit Flügeln schlagen
Und lila Quallen liegen – bunte Öle;

Die mehren sich, zerschnitten von den Wagen. –
Aufspritzt Berlin, des Tages glitzernd Nest,
Vom Rauch der Nacht wie Eiter einer Pest.

Postkarte: „Gruß aus Café Josty", um 1900

1 Vergleichen Sie das Gedicht „Auf der Terrasse des Café Josty“ mit dem Gedicht „Besuch vom Lande“, indem Sie Unterschiede und Gemeinsamkeiten in Form und Inhalt herausarbeiten. Erläutern Sie, welche Bilder von Berlin in den Gedichten vermittelt werden und wie die Wahl dieser Bilder zu begründen ist.

2 Erläutern Sie, welche Eindrücke Doris nach ihrer Ankunft in Berlin schildert (Textausgabe, S. 39, Z. 3 – S. 40, Z. 11) und welche Erwartungen sie an das Leben in der Stadt knüpft.

3 Beurteilen Sie die Erwartungshaltung der Protagonistin vor dem Hintergrund ihrer realen Lebenswirklichkeit.

4 Tauschen Sie sich darüber aus, ob Sie die in den Gedichten und im Roman geschilderten Empfindungen gegenüber Großstädten nachvollziehen können.

Ute Frevert

Urbane Gefühle (Auszug, 2019)

1903 schrieb der Berliner Soziologe und Philosoph Georg Simmel in einem Text über „die Großstädte und das Geistesleben“ von der breitflächigen Versachlichung und Rationalisierung sozialer Beziehungen im urbanen Raum. Sei das „Seelenleben“ in Kleinstädten und auf dem Land vom „Gemüt und gefühlsmäßigen Beziehungen“ geprägt, reagiere der Großstädter „statt mit dem Gemüte“ mit dem Verstand, nicht zuletzt deshalb, um sich vor den emotionalen Zumutungen der Urbanität zu schützen. Zu solchen Zumutungen zählte Simmel die rasante Beschleunigung, Multiperspektivität und Reizüberflutung, gegen die sich der Großstädter durch „Blasiertheit“ und Reserve wehre.

Simmels Diagnose wurde damals von vielen anderen Beobachtern geteilt. „Kühl bleiben, um jeden Preis“: So beschrieb ein Mediziner die typische Verhaltensanweisung des Großstadtmenschen, der die Tendenzen der Moderne am sichtbarsten verkörpere. Aber hat, kritische Gegenfrage, die moderne Urbanität tatsächlich primär versachlichend gewirkt? Hat sie nicht auch neue Gefühle und Leidenschaften kultiviert? Hat sie nicht, gerade durch ihre räumliche Verdichtung, durch die Vielfalt öffentlicher Arenen und eine entsprechende Infrastruktur, Gefühlen ein neues Forum gegeben? Und hat nicht gerade dieses Forum dazu beigetragen, dass der öffentliche Raum viel stärker von kraftvollen Emotionen bevölkert war, als man das von kleinräumigeren Lebensweisen kannte?

Politische Emotionen

Ein Beispiel wäre die Politik, die sich in Großstädten ganz neue Veranstaltungsformate und Kommunikationsformen schuf. Der politische „Massenmarkt“ (Hans Rosenberg), wie er mit der Verbreiterung des Wahlrechts und den Parlamentarisierungsprozessen des späten 19. Jahrhunderts entstand, produzierte Leidenschaften unerhörten Ausmaßes. Sie machten sich umso massiver Laut, je agonaler Politik wurde, je höher ihr Streitwert war und je mehr Menschen damit in Berührung kamen. Demokratische Partizipation und Emotionalisierung gingen Hand in Hand. Im Kampf um Zustimmung buchstabierten sich, wie die Früh- und Spätjahre der Weimarer Republik zeigten, die politischen Gegensätze und Feindschaften scharf und unversöhnlich aus. Das ließ sich an den Parlamentsdebatten, die in Zeitungen abgedruckt und kommentiert wurden, ebenso ablesen wie an der Straßenpolitik, die gerade in Großstädten an Bedeutung gewann und zunehmend gewaltsame Formen annahm. Auch in Kneipen war Politik ein Dauerthema, das jederzeit für hitzige Auseinandersetzungen gut war und die Gefühle zum Kochen brachte. Von Blasiertheit und Reserve war hier wenig zu spüren, und von den versachlichenden Tendenzen der modernen Großstadt auch nicht.

Vergnügungssucht der Großstadtmenschen

Aber nicht nur politische Gefühle fanden in großen Städten einen Resonanzraum. Auch höchst private Gefühle kamen hier auf andere, neue Weise zur Geltung. Bereits um 1900 war die sprichwörtliche Vergnügungssucht der Großstadtmenschen in aller Munde. Zahlreiche Restaurants, Bars, Cafés, Theater und Varietés luden zu „Amusement“ und „müßigem Zeitvertreib“ ein. In den 1920er Jahren entwickelten sich die Kinopaläste zu Anziehungspunkten, die nicht nur die „kleinen Ladenmädchen“ faszinierten. Selbst Geringverdiener ließen sich hier in andere Vorstellungswelten entführen. Man träumte von fernen Sehnsuchtsorten und schwärmte für ebenso unerreichbare Leinwandstars. Mädchen wollten nicht mehr Prinzessinnen werden, sondern so wie Greta Garbo sein.

Das Varietétheater „Scala“ in Berlin, Fotografie 1939

Liebe und Sexualität

Auch die Liebe fühlte sich in Großstädten anders an. Der Markt war groß, und der Zufall spielte eine nicht unwichtige Rolle. Menschen, die einander früher nie begegnet wären, trafen in den urbanen Verdichtungszonen absichtslos aufeinander. Sie konnten ihre Beziehung sehr viel unbeobachteter beginnen und führen, als es in kleineren Städten oder auf dem Lande möglich war. Parks und belebte Geschäftsstraßen boten sich zum Flanieren und Flirten an, in Stundenhotels oder Studentenbuden kam man sich körperlich näher. Eine solche Nähe ließ sich auch auf dem städtischen Prostitutionsmarkt kaufen. Aber man konnte sie auch seriöser herbeiführen, indem man eine Zeitungsannonce aufgab und gezielt auf die Suche ging. Diese Art der Partnerwahl machte die Liebe tatsächlich zur Privatsache, weil weder Eltern noch Verwandte oder Freunde mitredeten.

Das war für Männer, die Männer liebten, und Frauen, die Frauen liebten, noch viel bedeutsamer. Obwohl ihre Liebe offiziell unter Strafe stand, konnten sie sie in der Großstadt, wenn auch verdeckt, leben. Hier gab es homosexuelle Zeitschriften mit Kontaktanzeigen, ebenso wie stadtbekannte Treffpunkte, die gerade wegen ihrer „Verruchtheit“ oft auch außerhalb der „Szene“ beliebt waren.

Auch das Wissen über Liebe und Sexualität war in Großstädten leichter erhältlich. In den 1920er Jahren öffneten Beratungsstellen, die Paare über Sexualität und Verhütung aufklärten und bei ungewollten Schwangerschaften Rat wussten.

Die „Masse“

Und wie stand es um die negativen Seiten großstädtischen Lebens? Schon zu Beginn des 20. Jahrhunderts sprach Simmel von der „Steigerung des Nervenlebens, die aus dem raschen und ununterbrochenen Wechsel äußerer und innerer Eindrücke hervorgeht“. Dieser stete Wechsel mache den Großstädter überreizt und ruhelos. Erbitterte Konkurrenz um karge Ressourcen, der immer schnellere Zeittakt der Arbeit sowie deren zunehmende Mechanisierung zerrütteten das Nervenkostüm und brächten seelische Krankheiten in ungeahnter Zahl hervor. Das rief die Nervenärzte und Psychologen auf den Plan. Ihnen begegnete man nicht nur in Krankenhäusern und freier Praxis, sondern auch in großen Fabriken, wo sie sich mit der „Psychophysik“ der Arbeit und der Arbeiter beschäftigten. Mit ihnen gewann der Blick nach innen, die Aufmerksamkeit für Empfindungen und Gefühle professionelle Verstärkung.

Was die Experten besonders interessierte, war das Spannungsverhältnis zwischen den Einzelnen und der „Masse“. In der Großstadt gehe, so Friedrich Nietzsche abfällig,

das Individuum in der „Herde“ auf. Selbst als bürgerlicher Passant konnte man Teil einer Masse sein oder werden, wie Oswald Spengler 1922 beobachtete: „Eine zufällige Menge wird auf der Straße zusammengeballt, sie hat ein Bewusstsein, ein Fühlen, eine Sprache, bis die kurzlebige Seele erlischt und jeder seines Weges geht“, etwa anlässlich eines Verkehrsunfalls oder einer Polizeiaktion. Auch im Sportstadion, als Publikum bei den immer beliebter werdenden Boxkämpfen oder Sechstagerennen, waren solche Massengefühle zu haben.
Für viele Zeitgenossen stellten sie eine Quelle der Irritation dar. Dass man sein Ich in der Masse verlor oder zumindest einschneidend veränderte, alarmierte. Man entdeckte Gefühle in sich, die man sonst nicht bemerkt oder zugelassen hatte; man entwickelte sie in einer Intensität, die den Einzelnen oft überwältigte. Das schreckte ab, zog aber auch an. Denn anders als Simmel meinte, ging es Großstadtbewohnern nicht nur darum, sich mit Blasiertheit gegen die zudringlichen Reize des Metropolenlebens abzuschotten. Sie sehnten sich zugleich nach starken, lebendigen Gefühlen, die Kraft, Aktivität und Vitalität verbürgten.

1 ***Lernarrangement***
Bilden Sie Gruppen und arbeiten Sie arbeitsteilig.
a) Geben Sie die Kernaussagen des Textes mit eigenen Worten wieder.
b) Erläutern Sie die im Text genannten Chancen und Nachteile des Großstadtlebens.
c) Arbeiten Sie heraus, ob die Protagonistin Doris eher einen nüchternen oder einen emotionalen Umgang mit den Herausforderungen des Großstadtlebens pflegt.
d) Beurteilen Sie, ob die Großstadt im „kunstseidenen Mädchen“ eher als Ort der Entfaltung oder als Ort der Entfremdung präsentiert wird.
e) Präsentieren Sie Ihre Arbeitsergebnisse im Plenum.

Den Einfluss der Massenmedien auf die Literatur untersuchen

Ernst Piper

Gefährdete Stabilität 1924–1929 (Auszug, 2021)

Massenmedien

Die Populärkultur der Weimarer Republik war gekennzeichnet durch die modernen Massenmedien, die damals an Wirkungsmacht gewannen und vielfach bis heute das Alltagsleben beeinflussen. Der Film etablierte sich als Massenmedium. Es gab 5000 Kinos in Deutschland, die täglich von zwei Millionen Menschen besucht wurden. In den 1920er-Jahren wurden in Deutschland mehr Filme produziert als in allen anderen europäischen Staaten zusammen. Hier wirkten Regisseure wie Friedrich Wilhelm Murnau, Ernst Lubitsch, Fritz Lang, Josef von Sternberg, die ihre Karriere in Hollywood fortsetzten und dort einen bedeutenden Beitrag zur Entwicklung des amerikanischen Films leisteten. Zu nennen ist auch Billy Wilder, der 1933 vor den Nationalsozialisten fliehen musste.
Das Radio, das zuvor schon zur Übermittlung von Nachrichten eingesetzt worden war, nahm im Oktober 1923 seinen Sendebetrieb auf. Zuerst gab es nur 10000 Teilnehmer, zehn Jahre später waren es dann schon 5,4 Millionen. Das

Marlene Dietrich als Lola Lola in „Der blaue Engel“ (1930)

wichtigste Massenmedium war nach wie vor die Presse, die sich schon im 19. Jahrhundert entwickelt hatte. 1928 gab es in Deutschland 3356 Tageszeitungen, davon allein 147 in Berlin. Allerdings hatten nur 26 Zeitungen, also weniger als ein Prozent, eine Auflage von mehr als 100000 Exemplaren. Große Pressehäuser waren Mosse, Ullstein und Scherl. Während die Verlage Mosse und Ullstein der demokratischen Republik positiv gegenüberstanden, geriet der konservative Verlag von August Scherl in Folge wirtschaftlicher Schwierigkeiten schon 1916 unter die Kontrolle von Alfred Hugenberg, der damals noch bei Krupp tätig war. Nach Kriegsende hatte er die DNVP mitbegründet und zehn Jahre später wurde er ihr Vorsitzender. Mit großem Geschick baute Hugenberg den Scherl Verlag zu einem nationalistisch-antidemokratisch ausgerichteten Konzern aus, dem nicht nur etliche Zeitungen gehörten, sondern der darüber hinaus mit seinem Korrespondenz-Dienst nahezu die Hälfte aller deutschen Zeitungen mit Nachrichten belieferte. Mit der Entwicklung des Fotojournalismus gewannen auch illustrierte Zeitungen zunehmend an Bedeutung. Die „Berliner Illustrirte Zeitung“ (BIZ), die im Ullstein Verlag erschien, gab es schon seit 1894. In den 1920er-Jahren erreichte sie eine Auflage von fast zwei Millionen Exemplaren.

1 Stellen Sie dar, wie sich die Akkumulation der Massenmedien auf das Leben der Menschen in der Weimarer Republik auswirkt.

2 Deuten Sie die Aussage der Protagonistin: „[...] dann hebe ich meine Arme wie eine Bühne und schiebe die große Schiebetür auseinander und bin eine Bühne“ (Textausgabe, S. 74, Z. 34f.).

3 Diskutieren Sie, ob Massenmedien positiv zu bewerten sind oder auch negative Aspekte zu nennen sind.

Alfred Döblin

Literatur und Rundfunk (Redeauszug, 1929)

Da tritt nun im ersten Viertel des 20. Jahrhunderts überraschend der Rundfunk auf und bietet uns, die wir mit Haut und Haaren Schriftsteller sind, aber nicht Sprachsteller, - und bietet uns wieder das akustische Medium, den eigentlichen Mutterboden jeder Literatur. [...] Es ist zwar die mündliche Sprache, die lebende Sprache, die dort am Mikrophon gesprochen werden kann, aber das Radio zeigt sich doch sofort als künstliches, sehr künstliches technisches Mittel; denn unsere mündliche Sprache lebt vom Kontakt zwischen Redner und Hörer. [...] Immerhin wird hier der Literatur wieder die tönende Sprache angeboten, und das ist ein großer Gewinn [...]. Es ist ein Vorteil, der ausgenützt werden muss. Es heißt jetzt Dinge machen, die gesprochen werden, die tönen. Jeder, der schreibt, weiß, dass dies Veränderungen bis in die Substanz des Werkes hinein im Gefolge hat.

Eine junge Frau hört Radio, Fotografie, 1930

1 Geben Sie wieder, welche Berührungspunkte Alfred Döblin zwischen Literatur und Rundfunk sieht.

2 Reflektieren Sie, inwiefern der Rundfunk als Konkurrenz für Literaturschaffende zu begreifen ist.

3 Diskutieren Sie, welche mediale Konkurrenz literarische Texte und ihre Autorinnen und Autoren heute haben.

Ich-Suche und Emanzipation von gesellschaftlichen Rollenerwartungen

Den Typus der ‚Neuen Frau' kennenlernen

Roland März

Sonja (Max Herrmann-Neisse im Hintergrund),1928

„Die apartesten, gepflegtesten und auch die schönsten Frauen, die mir bei meinen wechselnden Aufenthalten in Europa begegneten, waren die Berlinerinnen" – so hat der Maler Christian Schad den Typus der Berlinerin gesehen und mit den Porträts der „Lotte" (Sprengel Museum Hannover) und der „Sonja" im Jahre 1928 in unvergleichlicher Noblesse auch gemalt.

Sonja, die Sekretärin, verkehrte im berühmten Künstler- und Literatentreff des „Romanischen Cafés" an der Gedächtniskirche, das auch die Kulisse für ihr Porträt bildet. Die „Großaufnahme" einer emanzipierten Berliner Angestellten, die sich schick gemacht hat in ihrem schwarzen Hängerkleidchen mit Seidenschal, am Oberarm Haut schimmern lässt, die Beine lässig übereinander geschlagen, die Zigarettenspitze in der grazilen Hand, „Camel" ist up to date.

Ein Frauenantlitz, herb, streng und knabenhaft schön: schwarzbrauner Bubikopf mit schmachtender, in die Stirn fallender Locke, über den großen, verschatteten Augen die Schwingung scharf ausradierter Augenbrauen. Neben dem phallischen Flaschenhals an Sonjas Schulter eine aufgeblätterte, rosafarbene Kamelie aus Seide, eine Andeutung erotischen Flairs. Hinter der melancholisch hellwachen Schönen der Nacht sitzen zwei Männer. Der nur angeschnittene Glatzkopf ist der Dichter Max-Herrmann Neisse, eine „nosferatu"-hafte Gestalt mit bizarrem Fledermausohr. Mit ihm „ist in diesem Bild Sonja der Hinweis auf ein Lokal mit etwas literarischer Atmosphäre gegeben – und damit auf den Kreis, in dem die ‚andere' Berlinerin sich zu Hause fühlte." (Christian Schad). Weiter entfernt von ihr sitzt der Mann im roten Jackett, angeblich soll der Dargestellte Felix Bryk sein. Im Hintergrund sind florale Art-Déco-Kulissen eingefügt, der kahle Gang führt in eine großstädtische Situation des Ungefähren und der Verlorenheit. Wie ein Modedesigner hat der Maler dann im rechten, schwarzen Ärmel sein Signum als Schlusspunkt gesetzt: SCHAD 28.

Christian Schad: Sonja (Max Herrmann-Neisse im Hintergrund), 1928

Christian Schad porträtierte mit seiner Sonja eine Berlinerin „vor" den Männern: jung, intelligent, modisch, schön und selbstbewusst. Eine urbane Schönheit, die in ihrer feinfrostigen Coolness auch Distanz gebietet. In dieser zeitlosen „Klassefrau" aus einfachen Verhältnissen steckt bei allem neusachlichen Zeitgeist der „Goldenen Zwanziger Jahre" auch etwas vom Aristokratismus der Johanna von Aragonien, den Schad so sehr an Raffaelo Santi und den Malern der Renaissance schätzte. Mit seinem exemplarischen Großstadtgewächs der Berlinerin „Sonja" gibt Schad ein kühl sondiertes Typusporträt über das speziell Individuelle hinaus, in dem die soziale Charakterisierung aber bewusst ausgespart bleibt: „Mein Interesse gilt dem inneren Wesen des Menschen. Das pragmatische, äußere Geschehen interessiert mich weniger."

1 a) Beschreiben Sie das Bild „Sonja" von Christian Schad.
b) Schildern Sie die Wirkung, die das Bild auf Sie ausübt.

2 Fassen Sie die Informationen des Textes über das „exemplarische[.] Großstadtgewächs der Berlinerin ‚Sonja'" (Z. 39) zusammen.

3 Vergleichen Sie die Romanfigur Doris mit der Beschreibung Sonjas und beantworten Sie die Frage, ob ihre Darstellung in dem Roman „Das kunstseidene Mädchen" auch dem Bild der ‚typischen Berlinerin' ihrer Zeit entspricht.

4 Diskutieren Sie, ob man im 21. Jahrhundert auch noch von der ‚typischen Berlinerin' sprechen kann. Stellen Sie in diesem Zusammenhang eine These zu der Frage auf, wodurch derartige Stereotypen entstehen.

Susanne Herzog

Die Neue Frau (Auszug, 2014)

Der industriellen und technologischen Revolution schloss sich zu Beginn des 20. Jahrhunderts eine Umgestaltung der Gesellschaft an. Ausdruck des gesellschaftlichen Modernisierungsprozesses im Kaiserreich war auch ein verändertes Rollenverständnis der Geschlechter. Viele Frauen organisierten sich verstärkt innerhalb der Frauenbewegung für das Erlangen von politischen, sozialen und zivilen Bürgerrechten. Auf kultureller Ebene thematisierte zunächst die Literatur die neue Frauenrolle und ihr Auftreten in der Öffentlichkeit. In Romanen von Schriftstellerinnen der Jahrhundertwende wurde der Typus der Neuen Frau zuerst vorgestellt, die als Protagonistin ihr Leben selbstständig und selbstbewusst in die Hand nahm, um es aktiv zu gestalten. In der traditionsbewussten Gesellschaft des Kaiserreichs waren diese modernen Ideen allerdings nur von einer sehr geringen Zahl von Frauen umsetzbar.

Der Erste Weltkrieg bedeutete für viele Frauen im politischen und sozialen Sinn eine einschneidende Zäsur. Frauen übernahmen neue Aufgaben in der Gesellschaft und in der Arbeitswelt. Bedingt durch die Abwesenheit der Männer an der Front fand zumindest in Großstädten bei einer Vielzahl von Frauen ein grundlegender Wandel der sexuellen Moral statt. Nach dem Ende des Krieges machte die um sich greifende Aufbruchstimmung nicht vor den Türen privater Häuser Halt: Die Zahl der Ehescheidungen nahm 1919 sprunghaft zu. Betroffen davon waren überproportional häufig die übereilt geschlossenen Ehen während des Krieges. Aber auch viele Langverheiratete hatten sich durch das hinziehende Getrenntsein emotional voneinander distanziert.

Nach Kriegsende 1918 und der Rückkehr der Frontsoldaten wurde die Mehrzahl der Frauen aus dem öffentlichen Leben wieder zurückgedrängt. Mit der Einführung des Wahlrechts für Frauen zu Beginn der Weimarer Republik erfüllte sich aber eine von der Frauenbewegung seit langem aufgestellte politische Hauptforderung. Auch im Alltagsbereich boten sich in den 20er Jahren für eine kleine Gruppe von jungen und ungebundenen Frauen neue Möglichkeiten zu bisher unvorstellbaren Lebensplanungen. Veränderte Moralvorstellungen und ein neues weibliches Selbstverständnis boten die Grundlagen für das Erscheinen der sogenannten Neuen Frau im städtischen Alltag.

Eine kleine, elitäre Gruppe der weiblichen Bevölkerung, zumeist um die Jahrhundertwende geborene Akademikerinnen, Journalistinnen, Schriftstellerinnen, Tänzerinnen oder Künstlerinnen, waren die Protagonistinnen der Neuen Frau. Vor allem in den Großstädten ansässig, brachen sie mit dem traditionellen weiblichen Lebensstil ihrer Mütter, lebten und wirkten jenseits der konventionellen Auffassung von Ehe und weiblichem Bezugsfeld. Vielmehr wollten sie einen Beruf ausüben und in einer „ebenbürtigen Beziehung" leben, was aber keinesfalls die Institution der Ehe oder den Wunsch nach Familie ausschloss. Das Frauenbild der radikalen Frauenbewegung, welches sich auch fundamental von den alten Konventionen unter-

schied, lehnte die Neue Frau als altmodisch ab. Ihr Frauenbild streifte vielmehr den Nimbus des Politischen ab und fokussierte sich auf die kulturelle Selbstdarstellung und auf ein neues Selbstverständnis der Frau in der Weimarer Republik.
Häufig entstammte die Neue Frau großbürgerlichen oder adeligen Kreisen. Nur sie hatten die finanziellen Möglichkeiten, einen normabweichenden Lebensstil zu führen und an dem uneingeschränkten Konsum der neuesten Mode sowie an Kultur, Unterhaltung und Freizeit teilzunehmen. Häufig übten sie moderne, aus dem angloamerikanischen Raum eingeführte Sportarten wie Tennis oder Golf aus, drangen so auch beim Sport in männliche Domänen ein und entwickelten ein neues Selbstverständnis zu ihrem Körper. Das Image der Neuen Frau wirkte aber auch jenseits der gebildeten Elite. Es waren zumeist die weiblichen Angestellten, die sogenannten Tippmamsells, die den Trendsetterinnen nachzueifern trachteten. Die Werbung, Romane wie „Stud. chem. Helene Wilfüer" von Vicki Baum und vor allem Zeitschriften wie „Die Dame" oder „Elegante Welt" brachten das Bild der Neuen Frau in die Öffentlichkeit. Bubikopf, Zigaretten aufgesteckt im Spitz und knielange Röcke wurden vor allem in den „Goldenen Zwanzigern" zu den Modeerscheinungen einer neuartigen Massenkultur.

1 Erläutern Sie, welche gesellschaftlichen Umbrüche für den Wandel des Rollenverständnisses von Frauen verantwortlich sind.

2 a) Reflektieren Sie die gesellschaftliche Relevanz und Problematik, die sich aus dem veränderten Rollenbewusstsein der „neuen Frau" bilden.
b) Reflektieren Sie das gesellschaftliche Potenzial, das aus dem neuen Rollenbild und Rollenbewusstsein entsteht.

Erich Fromm (1900–1980): deutsch-US-amerikanischer Psychoanalytiker, Philosoph und Sozialpsychologe; er verließ 1933 Deutschland und emigrierte 1934 in die USA.

Erich Fromm

Erscheinungsbild der modernen Frau (1929)

Zum Zeitpunkt unserer Untersuchung waren kurze Röcke, Seidenstrümpfe und der Bubikopf weit verbreitet und in der Bevölkerung überwiegend akzeptiert. Diese modischen Erscheinungen standen mit allgemeinen Emanzipationsversuchen der Frau im Zusammenhang; eine größere Freiheit der sozialen Position sowie der sexuellen Normen ist hier ebenso festzuhalten wie die stärkere Beteiligung am Sport oder die allmählich wachsende Bewegungsfreiheit der Frau.
Von früheren und späteren Richtungen unterschied sich die Mode der zwanziger Jahre in mehrfacher Hinsicht: Die konventionelle Unterscheidung zwischen Mann und Frau war oft ebenso verwischt wie die Unterschiede zwischen älteren und jüngeren Frauen, und insgesamt ging es um eine Aufhebung der individuellen Rollendifferenzen sowie der damit korrespondierenden traditionellen Vorstellungen. Diese Einstellung manifestierte sich am deutlichsten im Bubikopf, weniger ausgeprägt in der Rocklänge und praktisch gar nicht in Seidenstrümpfen, die darüber hinaus für viele Menschen einen unerreichbaren Luxus darstellten.

Mode der 1920er-Jahre

Südwest Presse, Ulm

Die neue Frau (Auszug, 1993)

Eine junge Frau arbeitet bei der Telefonvermittlung, 1920er-Jahre

Die „neue Frau“ war das Ergebnis der Umbruchsituation nach dem Ersten Weltkrieg, dem Zusammenbruch des Deutschen Kaiserreiches und der Errichtung einer Republik. In dieser turbulenten Zeit entstand eine Schicht von Arbeiterinnen und Angestellten, die direkt nach der Schule ins Erwerbsleben traten. Ein großer Teil der Frauen arbeitete zwar nach wie vor als unbezahlte Arbeitskraft im Haushalt, in der Landwirtschaft oder im Familienunternehmen, aber stilbildend war der neue mädchenhafte Frauentyp der Büroangestellten, der im Schlager besungen wurde, in Filmen Hauptrollen spielte und in Zeitschriften und Romanen als Ideal vorgestellt wurde. [...]
Fließbandarbeit und eine Ausweitung des Dienstleistungssektors boten Frauen neue Möglichkeiten der außerhäuslichen Arbeit [...].
So gingen die jungen Frauen in Fabriken und Büros, wo Effizienz und Produktivität Einzug hielten. Sie fanden Arbeit in automatisierten Büros und hinter den Verkaufstheken der neu entstandenen Ladenketten. Man brauchte junge, fixe Arbeitskräfte in den Telefonzentralen und in den Amtsstuben einer sich ausweitenden Bürokratie. [...]
1930 verdiente eine weibliche Angestellte im Durchschnitt 146 Mark brutto, sodass den meisten nichts anderes übrig blieb, als bei den Eltern zu wohnen. 50 Prozent der aus einfachen Verhältnissen stammenden Verkäuferinnen hatten nicht mal ein eigenes Bett.

Arnulf Scriba

„Neue Frauen“ (Auszug, 2014)

Arbeitsersparnis im Haushalt kam vielfach den 35,6 Prozent Frauen zugute, die Mitte der Zwanziger Jahre einer Erwerbstätigkeit nachgingen, vornehmlich als Hausangestellte, Fließbandarbeiterin, Verkäuferin, Sekretärin oder Stenotypistin. Selten hingegen waren jene emanzipierten Frauen anzutreffen, die in akademischen oder freien Berufen Karriere machten. Sie entsprachen dem von der Werbung propagierten Leitbild der modisch gekleideten „Neuen Frauen“ mit kurzgeschnittenem Bubikopf, die es verstand, sich männliche Symbole wie Rauchen, Sporttreiben oder Autofahren anzueignen. Ihr Drang nach einer bewussten Lebensplanung sollte dabei einhergehen mit einer modernen Einstellung zur Sexualität sowie dem Wunsch nach Geburtenregelung und legalem Schwangerschaftsabbruch. Abtreibungen, zumeist vorgenommen von Laien, waren vor allem Teil des proletarischen Frauenalltags. Einer illegalen Abtreibung, die in der Weimarer Republik jährlich bei bis zu einer Million Fällen lag, unterzogen sich die meisten Frauen nicht zum ersten Mal. Die Abwendung nichtehelicher Schwangerschaften war der häufigste Anlass zu Eheschließungen. Trotz größerer Möglichkeiten zur „Selbständigkeit“ lag der Lebensschwerpunkt der meisten Frauen in der Weimarer Republik nach wie vor im Haushalt und in der Familie, vor allem in den Dörfern.
Viele Jugendlichen gehörten der sogenannten verlorenen Generation an, die einschneidende Erfahrungen in den Schützengräben des Ersten Weltkrieges sammelte oder ohne Väter aufwachsen musste. Die ihr nachfolgende „überflüssige Generation“ musste ab 1929 zumeist die bittere Erfahrung machen, während der Weltwirtschaftskrise auf einem überfüllten Arbeitsmarkt nicht Fuß fassen zu können. Anfang 1931 waren in Deutschland rund fünf Millionen Menschen als arbeitslos

registriert. Das soziale System der Weimarer Republik war den Folgen der Wirtschaftskrise nicht gewachsen. Massenverelendung kennzeichneten die Alltagssituation breiter Bevölkerungsschichten. Resignation und Verzweifelung waren Begleiterscheinungen der Krise, in der Tausende ihr als nutzlos empfundenes Leben freiwillig beendeten. Um dem gefürchteten sozialen Abstieg und der Obdachlosigkeit zu entgehen, mussten Arbeitslose jede Gelegenheit eines kleinen Verdienstes ergreifen. Viele sahen nun in Adolf Hitler „die letzte Hoffnung" auf Arbeit und Auskommen. Unter den Bedingungen der Angst und Hoffnungslosigkeit von Millionen Menschen entfalteten die Nationalsozialisten ab 1930 eine hasserfüllte Propaganda gegen Republik und Demokratie bisher unbekannten Ausmaßes, deren Erfolg ihnen den Weg zur Machtübernahme 1933 ebnete.

1 ***Lernarrangement***

a) Analysieren Sie die Texte (E. Fromm, Südwest Presse, A. Scriba) arbeitsteilig, indem Sie die Informationen über die Lage der Frauen in der Weimarer Republik wiedergeben:
- Gruppe 1: „Erscheinungsbild der modernen Frau" (S. 146)
- Gruppe 2: „Die neue Frau" (S. 147)
- Gruppe 3: „Neue Frauen" (S. 147 f.)

b) Präsentieren Sie Ihre Ergebnisse und führen Sie diese zusammen.

2 Erläutern Sie, welche Bedeutung die sozio-ökonomischen Kontextbedingungen für die Emanzipationsbewegung der Frauen in der Weimarer Republik hatten.

3 Setzen Sie sich arbeitsteilig mit der Lebenssituation der weiblichen Figuren in dem Roman „Das kunstseidene Mädchen" auseinander: a) Doris, b) Doris' Mutter, c) Therese, d) Tilli, c) Hulla. Stellen Sie unter Einbeziehung von Textbelegen dar, welches Frauenbild sie verkörpern.

4 Präsentieren Sie Ihre Ergebnisse.

Jost Hermand/Frank Trommler

Liebe und Sexualität (Auszug, 1978)

Georg Scholz: „Die Schwestern" (1928, Ölgemälde, Privatbesitz)

Und so bleibt das neue Leitbild der Frau weitgehend das des Vamps oder des Flappers, das heißt das der Sexbombe oder des kessen Modetyps, weil sich solche Leitbilder noch am ehesten in die großstädtische Vergnügungs- und Sportindustrie integrieren ließen. Neu an diesen Leitbildern ist – im Gegensatz zu bisherigen maskulinen Typisierungen des Weiblichen – lediglich die große Sachlichkeit. [...] Wenn man spricht, sind eher Dinge wie Vergnügen, Abwechslung, Genuss oder sportlicher Flirt. Aber man spricht über solche Dinge überhaupt nicht mehr so viel wie früher, da man die seelische Entblößung scheut. ‚Bloß keine Sentimentalitäten!', liest man immer wieder. Liebe, Leidenschaft, Eifersucht, ja das ganze Gerede von Treue, seelischer Verbunden-

heit oder gar Ewigkeit: All das galt in diesen Kreisen als veraltet, bürgerlich, geschmacklos oder peinlich. Auch in diesen Dingen, welche die ältere Generation viel zu wichtig genommen habe, gab man sich Mühe, endlich sachlich zu werden, das heißt den Akzent vom Menschlichen auf das Sachliche, vom Seelischen auf das Körperliche zu verschieben. Während früher bürgerliche Liebespaare – jedenfalls in der Literatur – beim ersten Kuss gleich an die Ewigkeit gedacht hatten, wollte man jetzt von solchen Dingen nicht mehr so viel Aufhebens machen und sie eher von der leichten Seite nehmen. [...]
Und so pries man schließlich in aller Offenheit die genießerischen, erotischen und sexuellen Aspekte jenes modernen Liebes-Lebens, das auf dem Prinzip der ‚kleinen Erlebnisse' beruhe, wie sich Charlotte Graetz 1925 im Tagebuch ausdrückte. Treue sei kein Wort mehr, liest man immer wieder, sondern basiere lediglich auf Einfalls- oder Temperamentlosigkeit. Wer sexuelle Bedürfnisse habe, sollte sie auch befriedigen! Dies sei nicht nur genussreich, sondern auch gesund.

1 Geben Sie wieder, wie sich das Bewusstsein von Liebe und Sexualität in der Weimarer Republik geändert hat.

2 Erläutern Sie, welche Rolle Liebe und Sexualität in dem Roman „Das kunstseidene Mädchen" spielen.

Die Autorin Irmgard Keun als ‚Neue Frau' einordnen

Birgit Böllinger

Irmgard Keun: Das kunstseidene Mädchen (Auszug, 2015)

Fotografie der Autorin Irmgard Keun (1905-1982), 1932

Sie vertrat die falschen Ansichten. Sie hatte eine Meinung. Und: Sie war selbstbewusst und frei. Alles, was eine Frau in Nazi-Deutschland nicht sein durfte. So musste auch Irmgard Keun (1905-1982) den Unrechtsstaat verlassen – kurz, nachdem sie mit dem „kunstseidenen Mädchen", ihrem zweiten Buch, einen Sensationserfolg erzielt hatte. Aber die darin geschilderte Frauenfigur passte eben so gar nicht zum Frauenideal des Dritten Reiches: Zu kess, zu flatterhaft, zu eigenständig – das ist die 18-jährige Doris, die Kunst- und Halbseidene, die in der Metropole Berlin unbedingt „ein Glanz" werden möchte.
[...] Irmgard Keun war sicher nicht das, was man eine in sich ruhende Persönlichkeit nennen könnte – zu temperamentvoll, zu sprunghaft, zu lebenslustig und lebenshungrig.
Wenn man Glück mit den Männern haben will, muss man sich für dumm halten lassen.
Und manches Mal auch mutig bis hin zum Übermut: Ihr erster Roman „Gilgi – eine von uns" (1931) machte sie über Nacht berühmt, 1932 folgt der Bestseller „Das kunstseidene Mädchen", 1933 werden ihre Bücher von den Nazis beschlagnahmt und verboten. Bevor Keun jedoch ins Exil flüchtet (und dort Joseph Roth, ihrem Schicksalsmann, wie unter anderem auch in Weidermanns „Ostende" beschrieben, begegnet), legt sie sich mit der Zensur an: Sie erhebt Schadensersatzklage wegen des Verdienstausfalls, den sie durch die Beschlagnahmung ihrer Bücher erlitten habe. Zugleich aber beantragt sie auch die Aufnahme in die Reichschrifttumskammer. Auch das ist ein wenig kunstseidene Doris – die Hin- und Hergerissenheit zwischen den Möglichkeiten und dem Notwendigen. Manches wird später zurechtgebogen von ihr selbst und überhöht – eine Gestapo-Haft erlebte sie nie, auch nicht Folter und Verhöre.
Die Keun-Biografin Hiltrud Häntzschel schreibt in ihrer Monographie (Rowohlt Taschenbuch) über Irmgard Keun:

„Irmgard Keun hatte zur Wahrheit ihrer Lebensumstände ein ganz spezielles Verhältnis: mal aufrichtig, mal leichtsinnig, mal erfinderisch aus Sehnsucht nach Erfolg, mal phantasievoll aus Lust, unehrlich aus Not, mal verschwiegen aus Schonung."
Ganz so, wie auch das kunstseidene Mädchen war.
In ihrer Heimat kann sie nicht mehr arbeiten, verlassen will sie sie jedoch ebenfalls nicht. 1936 ist es jedoch unumgänglich, Irmgard Keun flieht in das Exil. Es folgen Wanderjahre, Existenzsorgen, zudem ein zunehmender Alkohol- und Tablettenmissbrauch, vor allem aber treibt Irmgard Keun die Sorge um die im Deutschen Reich zurückgebliebene Mutter und das Heimweh um. 1940 kehrt sie heimlich – aber von den Nazis wohl durchaus wahrgenommen – nach Deutschland zurück, überlebt in der Illegalität. Nach Kriegsende fällt es ihr, wie vielen anderen Autoren der Weimarer Republik auch, schwer, im Literaturbetrieb wieder Fuß zu fassen.

Kunstseidene wird Trümmerfrau
Eigentlich wäre „Das kunstseidene Mädchen" auch eine Frau der zweiten Nachkriegszeit in Deutschland – eine, die sich durchschlagen muss, durchaus selbstbewusst und frech, die aus der Not heraus versucht, das Beste aus ihren Lebensumständen zu machen, eine Frau, die „ihren Mann" steht. Aber es scheint, als habe die neue Zeit keinen Raum für diese schnodderige Sprache mehr, keinen Sinn mehr für diesen Stil, der doch eng auch mit den „Roaring Twenties" verknüpft ist. Das Frauenbild der Weimarer Republik hat ausgedient, die Kunstseidene wird zur Trümmerfrau.
Bei Irmgard Keun im wahrsten Sinne des Wortes – sie verarmt immer mehr, lebt kurzfristig in einem zerbombten Haus, immer weiter geplagt von ihren Abhängigkeiten. Kurze Phasen von Produktivität wechseln sich mit Krankenhausaufenthalten ab, 1966 wird sie dann für Jahre in die Psychiatrie eingewiesen. Nach ihrer Entlassung 1972 erlebt sie wenigstens in ihren letzten Lebensjahren als Schriftstellerin neue Beachtung – sie wird als Stimme der Weimarer Republik von Jürgen Serke im Rahmen seiner Recherche für seine verdienstvolle Stern-Serie „Die verbrannten Dichter" wiederentdeckt, ihre Bücher werden wieder aufgelegt und erfahren erneut größeres Interesse. 1982 stirbt Irmgard Keun in Köln.
Was von ihr bleibt?
Ihre Romane, nicht nur „Das kunstseidene Mädchen", auch die „Gilgi" oder das bedrückende Buch „Nach Mitternacht". Eine Frauenstimme, die klingt zwischen Lebenshunger und Verzweiflung.

1 Geben Sie die zentralen Aussagen des Textes zum Leben und Werk Irmgard Keuns wieder.

2 Vergleichen Sie die Beschreibungen Keuns im Text mit den Beschreibungen der Protagonistin Doris aus ihrem Roman, indem sie Parallelen in Charakter und Lebenslauf darlegen.

3 Diskutieren Sie, ob und inwiefern die Ähnlichkeit der Autorin mit ihrer Figur für die Rezeption des Romans von Bedeutung ist.

Presse- und Kritikerstimmen

Sich mit Rezensionen auseinandersetzen

Friedrich Weissinger

Ein typisches Abbild unserer Zeit (Auszug, 1932)

Fotografie aus einer Szene der Aufführung von „Das kunstseidene Mädchen" im Jungen Theater, Göttingen, 2023

Irmgard Keuns neues Buch gehört, ebenso wie ihr erstes, ‚Gilgi, eine von uns', zu jenen literarischen Erzeugnissen, vor denen die gemeinhin üblichen Kriterien restlos versagen. Die Autorin, wir betonen das ausdrücklich – ist nicht so sehr Gestalterin als Sprachrohr jener Zeitschicksale, von denen sie zu berichten weiß, und da sie es mit Klugheit, Güte und einem Humor tut, der tiefer gegründet ist, hat sie das Echo eines außergewöhnlichen Erfolges. Doris [...] will ein *Glanz* werden, aufsteigen [...] bis sie plötzlich so etwas wie Liebe empfindet, ein wirkliches Gefühl, süß und beglückend, aber zu traumhaft unwahrscheinlich, um von Bestand zu sein. Sie, die aus den Tiefen der Gesellschaft kommt und einmal in ihr Tagebuch die naiv ergreifenden Sätze schreibt: *... immerzu sind in meinem Leben Dinge, die ich nicht weiß, und immer muss ich tun, als ob, und bin manchmal müde vor lauter aufpassen ...*, wagt es nicht, den Mann an sich zu fesseln, der ‚gebildet' ist und überhaupt so anders, als sie es bisher gewohnt war. Denn – *so richtige Gefühle – das sollte man nur mit seinesgleichen, denn sonst geht es glatt schief.* So wie das Buch ausklingt, voll hoffnungsvoller Resignation, mit einer müden Verzweiflung, die nicht weiß, wohin und was zu tun, ist es mehr als eine Humoreske, ja, mehr als eine Satire, weil es sich weder banal-erheiternd noch ätzend-gesellschaftskritisch gibt; es ist mit der Doppelbödigkeit seines Humors ein typisches Abbild unserer Zeit, weniger dessen, was sie an gewichtiger Problematik enthält, als ihrer kleinsten Nöte, ihrer heimlichen Sehnsüchte, ihres tiefen Glücksverlangens, das immer unerfüllt zu bleiben verdammt ist. Und es will mir scheinen, als ob Irmgard Keun auch da, wo sie Vorbilder hat, dieses Zeithaft-Typische stärker ausgesprochen hätte, eindringlicher, befreiter von den Schicksalen romanhaft-romantischer Zufälle, als etwa Anita Loos' ‚Blondinen bevorzugt', so sehr wie sich der Vergleich aufdrängt. Von Plagiat zu sprechen in einer Zeit, die angesichts der Unmöglichkeit, kollektives Schicksal heute schon endgültig und einmalig zu gestalten, den Begriff des geistigen Eigentums einer Revision unterziehen und sich vor individualistischer Überspannung nach dieser Richtung hüten sollte, verbietet sich umso mehr, wenn es sich, wie in diesem Fall, nur um geringfügige Anklänge handelt, die die Grundkonzeption des Buches in keiner Weise berühren. Eine Dichterin, deren Einfühlungskraft so überzeugend ist, dass die Illusion der Lebensechtheit dieser Aufzeichnungen immer gewahrt bleibt, kann verlangen, dass die Selbstständigkeit ihrer Leistung auch von einer unerbittlichen Literaturkritik anerkannt wird.

1 Stellen Sie dar, wie der zeitgenössische Rezensent den Roman „Das kunstseidene Mädchen" beurteilt.

2 Erläutern Sie, warum er den Roman als „typisches Abbild" (Überschrift) seiner Zeit liest.

3 Nehmen Sie Stellung zu dieser Rezension und beziehen Sie hierzu folgendes Zitat von Arnold Strauss (1902 – 1965) über Irmgard Keun aus dem Jahr 1934 ein:

„Alle haben schreckliche Angst vor diesem jungen, im Tiefsten unsicheren und scheuen Geschöpf, weil sie im Grunde nicht den Worten, sondern den Gedanken der Menschen lauscht und es sehr unheimlich ist, auf seine Gedanken, statt auf seine Worte Antworten zu bekommen, zumal von einer Humoristin."

4 ***Lernarrangement***
Bilden Sie Arbeitsgruppen und arbeiten Sie arbeitsteilig.
Friedrich Weissinger geht in seiner Rezension auch auf den Plagiatsvorwurf ein, der nach Erscheinen des Romans erhoben wurde.
a) Recherchieren Sie zum Sachverhalt des Plagiat-Vorwurfes.
b) Präsentieren Sie Ihre Ergebnisse unter Angabe der von Ihnen genutzten Quellen.

5 Reflektieren Sie, warum der Roman „Das kunstseidene Mädchen" 1932 so erfolgreich war.

Meta Scheele

Der Götze Materie (Auszug, 1932)

War schon das erstgenannte Buch eine unerträgliche Mischung von Sentimentalität und gemeiner Sinnlichkeit, so geht es in diesem Buche noch um einige Stufen tiefer in den Schmutz hinein, wie der konfektionöse Titel schon vermuten lässt. [...] All dies würde einem nicht so sehr auf die Nerven fallen, wenn nicht dahinter jener verderbliche Zerstörungstrieb stände, der nur Schaden anrichten will [...], zu zeigen, wie sich alles um die Seidenhemden und den Pelzmantel dreht.

1 Beurteilen Sie, ob die Verfasserin dem Roman mit ihrem Urteil gerecht wird.

Frank Schäfer

Schreiben wie Filme (taz, 14.01.2006)

Irmgard Keuns Roman „Das kunstseidene Mädchen" liegt nun endlich wieder in seiner ursprünglichen und kühnen Fassung von 1932 vor. Eine Entdeckung

Doris, die Heldin aus Irmgard Keuns 1932 erschienenem Roman „Das kunstseidene Mädchen" ist ein Phänotyp, eine typische Repräsentantin der neuen Klasse der „Angestellten", wie sie Siegfried Kracauer kurz zuvor, 1930, erstmals in soziologischen Kategorien beschrieben hatte. Keuns Roman liest sich zunächst wie eine Illustration seiner Thesen. Die Oberflächlichkeit, Konsumgeilheit, Libertinage, die Bildungsdefizite der Menschen „aus dem neuesten Deutschland" – Doris führt das alles vor. Zugleich manifestiert sich in ihrer Person ein neues weibliches Rollenmodell: die selbstständige, urbane, selbstbewusste „neue Frau", so das zeitgenössische Schlagwort, die den konservativen Kerlen der Weimarer Republik das Fürchten lehrte. Wenn da nur nicht ihre kleinbürgerliche Herkunft wäre. Keuns Simplicissima weiß um ihre geringe Bildung und empfindet sie schmerzlich, kompensiert das aber, indem sie die Männer reihenweise anspitzt. Ihr strategisches Kalkül in erotischen Dingen erlaubt ihr immer wieder Machtdemonstrationen, die für Momente alle Standes-, Bildungs- und Einkommensunterschiede aufheben. Nie für lange. Schließlich bricht sie aus, macht Ernst mit ihrer Karriere, kündigt ihren Job als Stenotypistin nach einer libidinösen Annäherung ihres ältlichen Chefs, geht zum Theater, stiehlt einen Pelzmantel und flüchtet nach Berlin, wo sie nach stürmischen Zeiten doch noch die wahre, aufrichtige Liebe kennen lernt. Am Schluss knickt Doris also ein – und mit ihr Irmgard Keun. Sie findet kurzzeitig ein kleines Glück als dem arbeitenden Mann dienende, sparsame Hausfrau, die ihre Träume vom „Glanz" vergessen hat. Der Roman endet zwar offen, aber die Abkehr vom „Neue Frau"-Paradigma wird deutlich insinuiert[1]. Trotz dieses konservativen Backlashs am Romanende spuckte die deutschnationale Presse Gift und Galle. Was nicht zuletzt an Keuns eruptivem, vom Expressionismus beeinflussten Staccato-Stil lag, der die Distanzlosigkeit und Plötzlichkeit des Erlebens, vor allem die Überwältigung durch die auf Doris einstürzenden vielfältigen Eindrücke verbürgt. Es bleibt keine Zeit für richtige Syntax, alles will schnell mit stenografiert

[1] **insinuiert:** angedeutet

sein, und so sind diese Sätze notwendig kaputt, überfordert von den Ansprüchen und Anfällen der Realität.

Die Leistungsfähigkeit dieser Textur zeigt sich vor allem, wenn Doris durchs zeitgenössische Berlin streift. Sie fängt die Stimmungen der Stadt ein, das politische Tagesgeschehen, die hohe Arbeitslosigkeit, Massenaufläufe, Unruhen, marodierende SA-Horden, den offenen Antisemitismus – und die Topografie selbst. Einem blinden Nachbarn beschreibt sie für eine Weile ihre Exkursionen, und so wird sie zum Medium, passt sie ihre Erlebnisberichte mimetisch dem Gesehenen an. Doris will „schreiben wie Film", und genau das ist das hier. Ein mit der Handkamera eingefangener, verwackelter, gehetzter, mit schnellen Schnitten und Überblendungen experimentierender Dokumentarfilm. Musikfetzen, aufblendende Autoscheinwerfer, Kinoreklame, Schaufenster – die Erzählerin redet sich für ihren blinden Nachbarn in eine hyperwache, alles erfassende Ekstase.

Nationalsozialistisch gesinnte Studenten räumen öffentliche Bibliotheken aus, um die Bücher am 10. Mai 1933 vor der Berliner Staatsoper zu verbrennen. (Berlin 1933, Margit Horvath Stiftung)

Schon im Frühjahr 1933 stand das Buch auf der schwarzen Liste der Nazis. „Asphaltliteratur"[2] war das Verdikt[3] – und das war Keuns Prosa tatsächlich. Schnell, hart, urban, einer ästhetischen Moderne verpflichtet, die in kürzester Zeit aus Deutschland exilieren musste – und noch dazu von einer gegen alle Ideologeme gefeiten humanistischen Unbestechlichkeit. Die Reichsverordnung „Zum Schutz von Volk und Staat" bot die Handhabe, den Roman im August des Jahres zu beschlagnahmen und am 13. Oktober zu vernichten.

Das Ausland ließ sich davon nicht beeindrucken. Im selben Jahr erschienen Übersetzungen ins Französische, Englische, Ungarische und Dänische, 1934 ins Polnische. Irmgard Keun war eine Bestsellerautorin. Die Tantiemen ermöglichten ihr eine Weile das Abenteurerleben, das sie nun gezwungen zu führen war. Ebenso mutig wie die Lage verkennend strengt sie noch 1935 eine Schadenersatzklage gegen die Nazis an, wegen der Beschlagnahmung ihrer Bücher durch die Geheime Staatspolizei. Ganz dreist beantragt sie ein Jahr später, um wieder publizieren zu können, die Aufnahme in die Reichsschrifttumskammer. Natürlich bewirkt das alles nichts, sie wird von der Gestapo verhört und flüchtet ins belgische Exil nach Ostende. Sie hat ein Verhältnis mit Joseph Roth, reist mit ihm quer durch Europa und schreibt drei weitere Romane, die in Amsterdamer Exil-Verlagen erscheinen. Nach einem USA-Besuch wird sie 1940 in Amsterdam vom Einmarsch der Deutschen überrascht, sie inszeniert ihren Selbstmord mit einer Anzeige im *Daily Telegraph*, umgarnt einen SS-Offizier, der ihr gefälschte Papiere besorgt, und kehrt ins Deutsche Reich zurück, wo sie bis zum Kriegsende bei ihren Eltern in Köln ausharrt.

Die erste Neuausgabe des „Kunstseidenen Mädchens" 1951 war eine zensierte. Wer auch immer der Zensor war – vermutlich sie selbst –, glättete den Text, domestizierte die defekte, aber nichtsdestominder fließende, wendige und reiche Kunstsprache und nahm ihr damit viel von ihrer Kühnheit und dem ursprünglichen Suggestionspotenzial. Zwölf Jahre Blubo-Kunst[4] und ästhetisches Biedermeier hatten ihre Spuren hinterlassen. Nun kann man das Original wieder lesen – und sollte das tun.

[2] **Asphaltliteratur:** Begriff der Nationalsozialisten im Dritten Reich für großstädtische Literatur, die ihrer Auffassung nach nicht heimatlich verwurzelt war.

[3] **Verdikt:** Urteil

[4] **Blubo-Kunst:** Blut-und-Boden-Kunst; ideologisch geprägte völkische Heimatkunst während des Dritten Reichs, diente als Propagandamittel der Nationalsozialisten

1 Analysieren Sie den Text, indem Sie die Argumentation des Verfassers in ihrer Wirkungsabsicht darstellen und erläutern.

2 Nehmen Sie Stellung zur These des Autors, Doris verkörpere zwar ein „neues weibliches Rollenmodell" (Z. 7), vollziehe jedoch zum Ende des Romans hin einen „konservativen Backlash[.]" (Z. 22).

3 ***Lernarrangement***
Bilden Sie Arbeitsgruppen.

a) Erläutern Sie auf der Grundlage Ihres Kontextwissens und Ihrer Textkenntnisse, warum „Das kunstseidene Mädchen" in Teilen der Weimarer Gesellschaft als Provokation empfunden wurde.
b) Recherchieren Sie in geeigneten Quellen, was genau unter „‚Asphaltliteratur'" (Z. 47) zu verstehen ist und welche Literatur von den Nationalsozialisten favorisiert wurde.
c) Erläutern Sie, was diese Klassifikation für die Werke Keuns und für sie persönlich bedeutete.
d) Recherchieren Sie, welche Schriftsteller und Schriftstellerinnen ebenfalls von dieser Zuordnung betroffen waren und wie sich daraufhin kulturelles und literarisches Schaffen in Deutschland veränderte.

Dieter Wunderlich

Irmgard Keun: Das kunstseidene Mädchen (Auszug, 2009)

Eine Handlung gibt es in dem Roman „Das kunstseidene Mädchen" nur rudimentär. Irmgard Keun lässt nach einer kurzen Einführung die Protagonistin in einer Art Tagebuch über ihre Erlebnisse, Beobachtungen und Erfahrungen vom Sommer 1931 bis Anfang 1932 erzählen. „Ende des Sommers und die mittlere Stadt", „Später Herbst – und die große Stadt", „Sehr viel Winter und ein Wartesaal" lauten die Überschriften der drei Teile des Buches. Vor allem durch die Sprache ist es Irmgard Keun gelungen, das kunstseidene Mädchen zu charakterisieren und ungemein lebendig und authentisch wirken zu lassen. Doris redet, wie ihr der Schnabel gewachsen ist – und in dieser von Grammatikfehlern wimmelnden schnoddrigen Sprache schreibt sie auch. Das ungebildete Mädchen ahnt nicht, dass diese Ausdrucksweise expressionistisch ist. Heute könnte man auch sagen, die Darstellung wirkt wie mit einer wackligen Handkamera gefilmt. Ebenso faszinierend wie die ungewohnte Sprache ist die Figur. Das kunstseidene Mädchen ist naiv und gewitzt zugleich, auf seinen Vorteil bedacht, aber auch bereit, anderen Menschen selbstlos zu helfen. Als Schreibkraft in Köln hält es die ehrgeizige Achtzehnjährige nicht lange aus; sie will in der glamourösen Metropole Berlin ihren Weg machen, und weil sie nichts gelernt hat, führt er durch die Betten von Männern. Auch wenn sie sich hin und wieder dumm stellt, um die Eitelkeit von Verehrern auszunutzen, besteht sie darauf, geachtet zu werden. Der Traum vom mondänen Leben weicht zwar bald einem Existenzkampf, aber auch als Obdachlose bleibt Doris eine selbstbewusste Frau. Die Doppelmoral der Spießbürger ist ihr zuwider. Ungeachtet einiger Pauschalurteile verfügt das kunstseidene Mädchen über eine erstaunliche Menschenkenntnis. Wie treffsicher die Protagonistin psychologische Vorgänge beschreibt, trägt maßgeblich zum Lesevergnügen bei. Obwohl der Roman 1931/32 spielt und über siebzig Jahre alt ist, wirkt er überhaupt nicht altmodisch. Man kann „Das kunstseidene Mädchen" der Neuen Sachlichkeit zuordnen. Es geht um das kontrastreiche Leben in einer Großstadt, zum Beispiel einen antisemitischen Großindustriellen, der seine Gattin betrügt und seine Geliebte verwöhnt, aber auch um Arbeitslosigkeit, Not und Prostitution. „Das kunstseidene Mädchen" ist nicht düster, sondern ein durch pointierten Sprachwitz funkelnder tragikomischer Roman. Kurt Tucholsky schrieb in der „Weltbühne" über Irmgard Keun: „Sie hat Humor wie ein dicker Mann, Grazie wie eine Frau, Herz, Verstand und Gefühl. Sie ist etwas, was es noch niemals gegeben hat, eine deutsche Humoristin." [...]

1 Stellen Sie dar, welche Aspekte Dieter Wunderlich in seiner Beurteilung des Romans „Das kunstseidene Mädchen" besonders hervorhebt und wie er diese begründet.

2 Prüfen Sie, ob Sie sich Wunderlichs Urteil anschließen können oder eine andere Meinung vertreten.

Peter Kümmel

Über Das kunstseidene Mädchen (2018)

Ein unbegleitetes hübsches junges Mädchen kommt ins Berlin der frühen dreißiger Jahre – und verliert sich fast. Davon handelt, in einem Satz, *Das kunstseidene Mädchen*. Auch der Leser dieses Romans geht in Irmgard Keuns Sprache erst mal verloren – ungefähr wie ein Kleinstädter, der in eine Metropole reist. Zu viel ballt sich auf engem Raum, und es geht alles zu schnell. So entsteht ein Luxusproblem: Der sprachliche Überfluss hemmt den Lesefluss. Man kann sich an jedem Satz weiden, und in den Metaphern möchte man versinken.

Daraus ergibt sich ein Tempo-Problem. Die Geschichte fliegt dahin, aber immerzu findet der Leser Formulierungen, die die Synapsen zum Glühen bringen, paradiesische kleine Satznester, Töpfe voller Gold. Man will an diesen Oasen verweilen – und wird überholt und abgehängt und zur Eile getrieben von einer Erzählerin, mit deren Ungeduld man nicht Schritt halten kann.

Nur ein paar Beispiele für Irmgard Keuns jagende Sprachkunst (man könnte endlos zitieren). Über die Frauen auf dem Kurfürstendamm schreibt Doris, das kunstseidene Mädchen: „Sehr viel glänzende schwarze Haare und Nachtaugen so tief im Kopf." An den Frauen vorbei fahren Omnibusse – „wie Aussichtstürme, die rennen". Köln, von wo Doris stammt, hat wenig gemein mit Berlin, wo Doris landet. Woran das liegt? Die Straßen Kölns, sagt Doris, waren „wie verwandt zusammen". Von den Straßen Berlins hingegen gibt es so viele, „dass sie sich gegenseitig nicht kennen".

Aber es sind nicht nur die Beschreibungen des städtischen Raumes, in denen Doris / Irmgard Keun Traumhaftes gelingt. Zu größter Form läuft sie auf, wenn sie das Leben in den Räumen beschreibt, die Figuren, die darin nach Liebe, Glanz, Orientierung suchen.

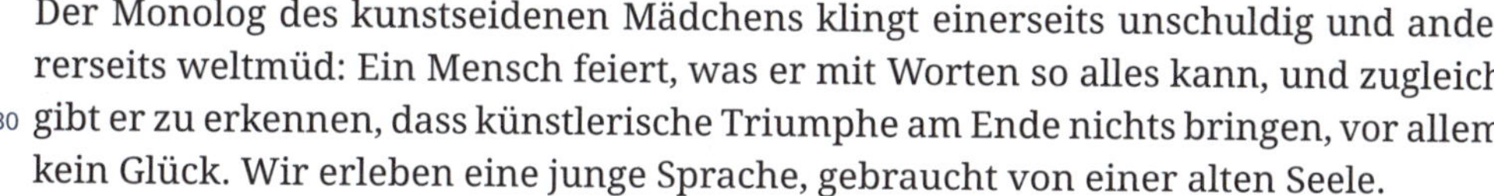

Der Monolog des kunstseidenen Mädchens klingt einerseits unschuldig und andererseits weltmüd: Ein Mensch feiert, was er mit Worten so alles kann, und zugleich gibt er zu erkennen, dass künstlerische Triumphe am Ende nichts bringen, vor allem kein Glück. Wir erleben eine junge Sprache, gebraucht von einer alten Seele.

1 Geben Sie den Inhalt des Textauszugs stichwortartig in Form von Kernaussagen wieder.

2 Analysieren Sie den Textauszug in Bezug auf die Argumentationsführung und die sprachlichen Gestaltungsmittel.

3 Nehmen Sie Stellung zur Position des Autors.

4 a) Verfassen Sie einen Leserbrief für eine Schülerzeitung/Tageszeitung zu folgendem Thema: „Sollte Irmgard Keuns Roman ‚Das kunstseidene Mädchen' von Schülerinnen und Schülern der gymnasialen Oberstufe gelesen werden?".

Gestalten Sie Ihren Leserbrief auf der Grundlage Ihres Expertenwissens und Ihrer persönlichen Leseerfahrung. Berücksichtigen Sie auch die verschiedenen Aspekte, die von den Rezensenten und Rezensentinnen ausgeführt wurden. Der Text sollte ca. 600 Wörter umfassen und eine begründete sowie nachvollziehbare Positionierung erkennen lassen.

b) Präsentieren Sie Ihre Ergebnisse im Plenum.

E

In dem Modul zu Joachim Ringelnatz: „...liner Roma..." (S. 156–176) wird auf **folgende Textausgabe** (= TA) Bezug genommen: Joachim Ringelnatz: ...liner Roma... . In: Ders.: Nervosipopel / ...liner Roma.... Hrsg. v. Karl-Maria Guth. Berlin: Hoffenberg 2014, S. 44–74

Joachim Ringelnatz: „...liner Roma..." (1924)

Erste Annäherung an den „Großstadtroman"

Über Bild- und Textimpulse in die Beschäftigung mit dem Roman einsteigen

Der Großstadtroman „...liner Roma..." entstand bereits 1919, wurde von Ringelnatz 1923 aber noch einmal stark überarbeitet und 1924 veröffentlicht. Der befremdliche Titel steht programmatisch als Fragment für „Berliner Romane".

Hochbahnstrecke an der Dennewitzstraße in Berlin, 1905

„Am Zoo ist eine Stelle. Da fährt die dunkelqualmende Stadtbahn über den menschensaugenden Viadukt. Fährt mitten in ein fünfstöckiges Mietshaus hinein, hindurch und an einer düsteren fensterlosen Häuserwand entlang, die riesig und seltsam gegen den Himmel absticht, der eigentlich zwielichtgrau und von sturmflüchtigen Regenwolken bedeckt sein muss, damit das Bild heiße: ‚Großstadtelend!'" ...
(Textausgabe, S. 52)

„Diese Zeit war wie geschaffen für Ringelnatz und er für sie. Er stürzt sich hinein, sie ist ihm ein Meer [...] für seinen Durst nach der Vielheit der Erscheinungen und Erlebnisse."
(Herbert Günther)

1 Betrachten Sie das Foto und äußern Sie Ihre spontanen Assoziationen dazu.

2 Setzen Sie Ihre ersten Leseeindrücke zum Roman „...liner Roma..." mit den Zitaten auf dieser Seite und dem Foto in Beziehung.

E

Informationen über Leben und Werk des Autors sammeln

Joachim Ringelnatz (1883–1934)

Joachim Ringelnatz wird am 7. August 1883 im sächsischen Wurzen als Hans Gustav Bötticher in eine bürgerliche, aber künstlerisch ambitionierte Familie hineingeboren. In der Schule hat er große Probleme, auch wegen seines Äußeren, das ihm oft Spott und Hänseleien einträgt. Er bewundert seinen Vater, der ihm aber seine Anerkennung weitgehend verweigert. Schon mit 18 Jahren heuert er als Schiffsjunge an. Das Meer sollte ihn zeitlebens faszinieren und inspirieren, aber er übt zahlreiche Nebenberufe aus, die seine Zeit als Seemann immer wieder unterbrechen. Von 1909 bis 1914 tritt er regelmäßig in der Münchner Künstlerkneipe „Simplicissimus" auf und verkehrt in dem Dadaismus nahestehenden Kreisen. Wie viele Künstler der damaligen Zeit begeistert er sich 1914 zunächst für den Krieg und meldet sich freiwillig zur Marine, distanziert sich aber zunehmend von dieser Begeisterung. 1919 tauscht er seinen bürgerlichen Namen gegen den Künstlernamen „Joachim Ringelnatz" ein, unter dem er bekannt wird. In München lernt er seine spätere Frau Leonharda Pieper, genannt Muschelkalk, kennen, die er 1920 heiratet. Das Paar lebt, von ständiger Geldnot geplagt, offiziell zur Untermiete in München; erst 1930 erfolgt der Umzug nach Berlin.

Unterdessen ist Ringelnatz' Leben weiterhin von Rastlosigkeit geprägt und er verdient seinen Lebensunterhalt für sich und seine Frau als reisender Vortragskünstler. Muschelkalk unterstützt ihn nach Kräften und führt die Geschäfte. In Berlin erwirbt er sich in Kabarett- und Künstlerkreisen einen Namen. Nach und nach stellt sich ein gewisser Erfolg ein, nicht nur als Kabarettist, sondern auch als Schriftsteller, Maler und Verfasser von Radiobeiträgen. Ab 1933 erteilen ihm die Nationalsozialisten Auftrittsverbote. Seine Bücher fallen der Bücherverbrennung zum Opfer. Das Ehepaar Ringelnatz verarmt. Am 17. November 1934 stirbt Joachim Ringelnatz an Tuberkulose. Sein Name bleibt vor allem verbunden mit seinen zahlreichen zumeist lustigen Gedichten, Nonsensversen und Limericks. Die ernsthafte Seite seines Werkes ist weitaus weniger bekannt.

1 Recherchieren Sie weitere Informationen zu Joachim Ringelnatz und seinen Werken, die Ihnen interessant oder bedeutsam erscheinen, und ergänzen Sie diese.

2 Nehmen Sie vor dem Hintergrund Ihrer Recherchen Stellung zu der Frage, inwieweit Joachim Ringelnatz als typischer Vertreter seiner Zeit gelten kann.

E

Die Stadt als Metapher

Sich über den historischen Kontext informieren

Joachim Ringelnatz: Hafenkneipe (Restaurant Südwester), 1933

George Grosz: Konstruktion (ohne Titel), 1920

1 Informieren Sie sich über die historische Bedeutung des Jahres 1923 für Deutschland.
a) Erstellen Sie hierzu eine Mindmap.

Otto Dix: Streichholzhändler, 1920

b) Bereiten Sie ein Handout/Kurzreferat zu diesem Thema vor.

2 a) Benennen Sie wiederkehrende Themen und Motive, die sich durch den Roman ziehen.
b) Setzen Sie diese mit den Bildern und Ihren Kenntnissen zur Weimarer Republik in Beziehung.

E

Den Aufbau und das inhaltliche Gerüst des Romans nachvollziehen

1 a) Beschreiben Sie den gesamten Text hinsichtlich seiner Gliederung. Welches Bauprinzip lässt sich erkennen?

b) Charakterisieren Sie die einleitenden Abschnitte (in Kursivschrift unter den Kapitelziffern) und stellen Sie Vermutungen hinsichtlich der Textsorten und der Funktion an.

2 ***Lernarrangement***

Der Kurs teilt sich in vier Gruppen A, B, C und D. Bei sehr großen Lerngruppen können die Gruppen auch doppelt besetzt werden.

Der Romantext wird unter den Gruppen verteilt:

- Die Gruppe A bearbeitet die Kapitel 1 bis 3 (Textausgabe, S. 44–49)
- Die Gruppe B bearbeitet die Kapitel 4 bis 6 (Textausgabe, S. 50–58)
- Die Gruppe C bearbeitet die Kapitel 7 bis 9 (Textausgabe, S. 58–66)
- Die Gruppe D bearbeitet die Kapitel 10 bis 12 (Textausgabe, S. 66–74)

a) Bearbeiten Sie in Ihrer Gruppe den Text, indem Sie für jedes Kapitel die folgenden Fragen beantworten:
   - Welche handelnden Figuren treten auf?
   - Wo findet die Handlung statt? (Schauplätze)
   - Welche Ereignisse oder Handlungselemente sind erkennbar?

b) Füllen Sie die untenstehende Tabelle aus. Setzen Sie ggf. Fragezeichen in die einzelnen Tabellenfelder.

c) Präsentieren Sie sich gegenseitig Ihre Gruppenergebnisse. Erstellen Sie abschließend eine für die gesamte Lerngruppe digital verfügbare Gesamttabelle.

Kap.	Figuren	Schauplätze	Handlung / Ereignisse / Beobachtungen zum Text
1			
2			
3			
4			

E

Kap.	Figuren	Schauplätze	Handlung / Ereignisse / Beobachtungen zum Text
5			
6			
7			
8			
9			
10			
11			
12			

3 Formulieren Sie eine knappe Inhaltsangabe zum gesamten Text.

4 a) Benennen Sie die Schwierigkeiten, die Sie bei der Erarbeitung der Inhaltswiedergabe hatten.
b) Finden Sie mögliche Gründe für diese Schwierigkeiten.
c) Diskutieren Sie, inwiefern diese Schwierigkeiten sich auch auf das Leseverständnis auswirken.

E

Die Figurengestaltung untersuchen

1 Erstellen Sie auf der Grundlage der zuvor erarbeiteten Tabelle (vgl. S. 159 f.) eine Liste der Figuren und ordnen Sie diese nach Hauptfiguren, Nebenfiguren und ‚Statisten'.

2 a) Sammeln Sie zur Figur Gustav Gastein Informationen, die Ihnen wichtig erscheinen, und belegen Sie diese am Text.
b) Wählen Sie eine weitere Figur aus und verfahren Sie wie in a).
c) Tragen Sie die Informationen zu den Figuren zusammen.

3 Erstellen Sie ein Schaubild, in dem Sie die Beziehungen zwischen den Figuren visualisieren.

4 Setzen Sie das folgende Zitat von Karl Migner mit dem Roman „...liner Roma..." in Beziehung und erläutern Sie es im Hinblick auf die Figurengestaltung.

„Die Heldenfigur inmitten einer ihr keineswegs mehr selbstverständlich vertrauten Umwelt, die Heldenfigur in unter Umständen keineswegs mehr schlüssig erklärbaren Aktionen, die Heldenfigur in oftmals unvollständiger, beispielsweise auf bestimmte Verhaltensweisen reduzierter Gestaltung tritt immer mehr in den Mittelpunkt des modernen Romans."

TIPP:
Ein längerer Auszug aus Migners Abhandlung „Theorie des modernen Romans" findet sich in Grundband I, S. 204 f.

Die Großstadt als Protagonistin des Romans erkennen

Die Großstadt tritt als Schauplatz erzählender Literatur parallel zur Entstehung großstädtisch geprägter Lebensräume auf den Plan. Schon in den Werken Theodor Fontanes nimmt der Schauplatz Berlin einen großen Raum ein. Aber anders als in London oder Paris setzt in Berlin erst ab ca. 1850 eine rasante Entwicklung zur Großstadt mit ihren typischen wirtschaftlichen und (sozio-)-kulturellen Ausprägungen der Moderne ein und rückt damit in den Fokus literarischer Produktion.

Stefanie Stockhorst

Intermediale Erzählstrategien im urbanen Kontext. Mediale Grenzüberschreitungen in Großstadtromanen der Weimarer Republik (Auszug, 2009)

Bereits um 1900 beginnt im Medium der Literatur eine umfassende Thematisierung der städtischen Kultur, mit der die Ausbildung spezifischer, meist negativ besetzter Großstadtnarrative einhergeht. Dazu gehören typischerweise die Sitten- und Seelenlosigkeit, ferner Kommerz und Konsum, Luxus und Rausch, Prostitution und Verbrechen, Pathologie und Abnormität, Technisierung und Rationalisierung sowie Vermassung und Anonymität. Als Sammelbegriff für die Lebensbedingungen im städtischen Milieu etablierte sich der Terminus ‚Moloch'. Das jedenfalls in dieser Form relativ junge Biotop ‚Großstadt' wurde bereits früh in fiktionalen Erzähltexten reflektiert. Als Thematik taucht die Großstadt ungefähr zeitgleich mit den Urbanisierungsschüben des 19. Jahrhunderts in der Dichtung auf, etwa bei Autoren wie Alain-René Lesage, Victor Hugo, Charles Dickens, Emile Zola bis hin zu Rainer Maria Rilke. Als diegetisch[1] relevante Größe macht sich die Großstadt indes erst vergleichsweise spät bemerkbar. Den Wendepunkt setzt Volker Klotz bei Andrej Belyjs Roman ‚Petersburg' (1916/22) an, in dem er eine „widersprüchliche Erzählhaltung" konstatiert, welche eine stets „unwissende Nahsicht" erzeuge. Zur Erklärung führt Klotz an, dass die Stadt nunmehr selbst zur Romanheldin werde und als solche den narrativen Duktus bestimme: „Das heißt, Petersburg prägt, was geschieht und wie es geschieht. Sein Charakter begründet die Vergeblichkeitsthematik wie auch die totale Widersprüchlichkeit der Abläufe und ihrer Erscheinungsform."[2] Diese Beobachtung gilt gleichermaßen für die Großstadtromane der Folgezeit, von denen vor allem James Joyces ‚Ulysses' (erste Buchausgabe 1922), John Dos Passos' ‚Manhattan Transfer' (1925) sowie im deutschen Sprachraum Alfred Döblins ‚Berlin Alexanderplatz' (1929) modellbildend wirkten.

Ludwig Meidner: Potsdamer Platz, 1913

[1] **diegetisch:** die erzählte Welt betreffend

[2] Zitate aus: Volker Klotz: Die erzählte Stadt. Ein Sujet als Herausforderung des Romans von Lesage bis Döblin. München 1969, S. 260 f.

1 Geben Sie die Aussagen des Textes in eigenen Worten wieder.

2 Im Text wird, Volker Klotz folgend, die These vertreten, dass die Großstadt zu Beginn des 20. Jahrhunderts selbst „zur Romanheldin" (Z. 27) wird. Nehmen Sie Stellung zu dieser These und begründen Sie Ihren Standpunkt unter Einbeziehung von Zitaten aus „...liner Roma...".

Die Stadt als Moloch und Spiegel sozialer Gegensätze

Ausgewählte Textpassagen des Romans aspektorientiert analysieren

1 ***Lernarrangement***

Bilden Sie Lerntandems und analysieren Sie gemeinsam mit Ihrem Lernpartner bzw. Ihrer Lernpartnerin die untenstehenden Textpassagen.

a) Welche typischen Großstadtthemen werden hier angesprochen? Notieren Sie Ihre Ergebnisse in die Kästen über den Abschnitten.

b) Wählen Sie jeweils den Auszug, der Sie am meisten interessiert.
- Ordnen Sie den Auszug in den Gesamttext ein und beschreiben Sie kurz die Situation.
- Markieren und nennen Sie Schlüsselbegriffe und Signalwörter.
- Deuten Sie diesen Romanauszug unter Einbeziehung der sprachlichen Mittel und ihrer Wirkung.

c) Tragen Sie im Plenum die Ergebnisse zusammen und vergleichen Sie diese.

a

Dass um diese Stunde vor der Passage ein Spalier von Zeitungsweibern betet: Abendzeitung, Ambdeitun.. Maria.. benedeit.. Amd.. eit.., so was entgeht Elfchen. Sie rennt vorwärts, streckenweise in einer Art hinkenden Galopps, nicht mehr Dame, kaum noch Mensch; schneidet eine Diagonale durch die Kurse der Fahrzeuge und Fußgänger, durch witzige Zänkereien, wunde Melodien, groteske Ansprachen von Händlern und Bettlern. Kopfschüttelnd, andauernd wiederholt. „Nur 5 Gramm Kartoffeln und ich wäre glücklich!" – Alle Bettler heucheln. Aber einem davon schenkt Elfchen eine geborstene Zigarre von Heinz. – Wer nur arbeiten wollte, Arbeit ist genug da. Das Wort ist unter friedfertigen Bürgern aktuell; es beruhigt das Gewissen und legitimiert auskömmlich eine politische Tendenz. Nur Nörgler oder Idealisten suchen mehr aus dem Satz herauszusophoristorieren. (Textausgabe, S. 45 f.)

b

Schauläden rufen an. Hier Hummer, Langusten, Ananas, Gänsebrüste, Blumenkohl, Trauben, indische Vasen mit Ingwer und große französische Birnen. So gefällig aneinandergehäuft, dass sattgespeiste Künstler es dankbar anstaunen, es aufsuchen wie eine Sezession. – Elfchens böse Blicke versengen sich an den Wucherpreisen. – Pompöse Blumenarrangements locken Ohs und Ahs heraus. Aber sie sind lange nicht so geschmackvoll wie in Bayern. – Man weiß, wie sparsam Elfchen einkauft. Sie ersteht ein Paar Schnürsenkel für eine Mark und spottbillige Schuhwichse und viele lieblichgelbe Keks für wenig schmutziges Papiergeld. Die Keks für Henkelchen. Man wird gemütlich einig schwatzen, ohne auf Widerspruch zu stoßen. Über Augsburg; wie ganz anders, unvergleichlich besser man in Augsburg lebte. – Vor geschminkten auffallend behängten Frauenzimmern lacht Elfchen herausfordernd laut.
[...] Zu Hause wird Elfchen entdecken, dass die Wichse nichts taugt, dass die Schuhbänder wie Zwirn reißen. [...] Alles ist Lug und Trug in Berlin. [...] Und die Wagschalen beim Kaufmann verstecken sich hinter Kisten, und die Wurst macht sich mit Wasser und der Kaffee macht sich mit Nägeln gewichtig. (Textausgabe, S. 46 f.)

c

Am Zoo ist eine Stelle. Da führt die dunkelqualmende Stadtbahn über den menschensaugenden Viadukt. Fährt mitten in ein fünfstöckiges Mietshaus hinein, hindurch und an einer düsteren, fensterlosen Häuserwand entlang, die riesig und seltsam gegen den Himmel absticht, der eigentlich zwielichtgrau und von sturmflüchtigen Regenwolken bedeckt sein muss. Damit das Bild heiße: „Großstadtelend!" (Textausgabe, S. 52)

d

Blasewitz redet jovial auf Edith ein, über schwach gesalzenen Kaviar, französische Küsse und Poularden von Le Lans. Edith raucht seine Ägypten, aber antwortet nicht, und niemand außer ihm sprich mit ihr. Aber wäre Edith nicht zugegen, jedermann würde das ansehnliche, treuherzige und trinkfeste Mädchen vermissen. „Wo steckt heute Noktavian?" – In der Lüderitzbucht; er knüpft Beziehungen an. – In den Strom Fürstenbergauslese münden Bäche erklügelter Schnapsmischungen. „Was soll werden, wenn die Quelle Fürstenberg einmal versiegt?" Vielleicht kommt es mit dem Staatsbankrott. – Jedermann, auch Noktavian, der bei Aufbruch erst eintrifft, will die Zeche bezahlen; Gustav, weil er weiß, dass letzten Endes doch Kehlbaum oder Blasewitz das erledigen werden; Deeters, den armen Kunstmaler, hat sein Stipendium aus Kopenhagen mit dänischem Gelde herübergeschickt, und die Valuta machte ihn auf dem Grenzfaden zum reichen Manne. – Man torkelt weiter, im Berliner Größenwahn neigen sich verschrobene Stirnen, grüßen Hüte, die einmal in München (oder war es Paris?) ebenso flüchtig und geheimniseinig zuwinkten. Man gerät nach Polizeistunde in verbotene Bars, die nur eingeweihten Gentlemännern sich nach Geheimsignal auftun, und wo tanzende Nacktissen, siedende Musik einem unvermerkt teuren schlechten Sekt einflößen. Denn das geknechtete Berlin schlemmt und tanzt, wie man in Paris tanzte vor dem Geköpftwerden. Die Bürger schmunzeln sich morgens über Pulte hinweg zu: „Die Mark ist wieder gesunken; wir treiben rapid dem Abgrund zu! Schönes Wetter!" (Textausgabe, S. 48)

e

Die Untergrundbahn reißt den Dreibund mit sich fort. Dächer unter ihnen, Keller über ihnen. Stelle dir vor, wie bei einer Entgleisung Hirn verspritzt. – Auf einem Umsteigeperron sehen sie sich das Miterlebte von außen an. Wie die eckige Gliederschlange herangleitet, stoppt, steht, Türen aufschlägt und wimmelnde Vielheit entlädt. So rieseln Korinthen aus gespaltenem Fass. – Gefällt uns das Meer, gefällt uns die Woge. Des wird man nicht müde: In die Massen zu staunen. Hätte es Nuscha vordem nicht verstanden, dort, derzeit mochte sie es lernen. Und nicht die tausend Menschen mit Auswüchsen und Einwüchsen füllen Berlin, sondern die Millionen, die durch alle Siebe fallen. – Sie wundert sich nicht, das rätselhafte Bauernkind. Sie nimmt auf, passt sich unheimlich rasch an. Einmal stieg auch in Gustaven ein Misstrauen auf. Sie wusste, was eine Nutte bedeutet. Wovon nahm sie diesen üblen Fachausdruck der Dirnen? – Stadt ist Fels. Würmer nagten Löcher und Gänge hinein. Aber an aufgerissenen Baustellen, an den Wunden der Stadt und in den Oasen der Straße, den Raseninseln, wo Wallwurz und Löwenzahn wuchern, dort offenbart es sich, dass unter dem Stein noch Erde, feuchte Erde dünstet. Kalt und starr blickt die Stadt an einem vorbei. Aber liegt ein blutiger Leichnam quer über die Schienen oder bei eines Schaffners Witz über einen Lehrjungen, der mit einem roten Farbtopf hinpurzelt ... gelegentlich spürt man, dass unterm Asphalt das Herz der Großstadt schlägt. Leute wie Heinz und Elfchen, zart besaitete, würden allerdings weitergehen: Ein Leichnam: Komm weiter! Ich kann so was nicht ansehen. (TA, S. 57)

f

Frau Grätke hat eben sein Bett geglättet, das genau ein Viertel des Zimmers einnimmt, da bricht Besuch herein. Gussi Feridell, Rostock, Warnemünde, einst tägliche, jetzt auswärtige Freundin, eine Kunstgewerblerin, die nicht mehr leidet, seit ihre drolligen Kaffeewärmer reißenden Absatz finden. Sie stellt ihre Berliner Freundin vor, ein Fräulein Anna von Camphusen. Auf der Durchreise begriffen, wird Gussi fünf Tage bei Camphusens wohnen. – Wollen gnädiges Fräulein bitte dort auf den weichen Stuhl ... Der weiche Stuhl ist Herrn Gasteins Salon. Gussi erhält den hölzernen, dreiachtelbeinigen, und Gustav selbst will auf dem Bibliotheks- und Speisesaal, nämlich einer großen Palminkiste Platz nehmen. Aber es gelingt nicht. Erst müssen die Damen noch für eine Minute das Zimmer verlassen, damit er den Tisch umdrehen kann. – Feridell spricht noch wie die Luftbläschen in dem Aquarium am Zoo. Wie es ihm ginge? ... Gut? ... Na, na! ... Ob er fleißig schaffe ... Sie hat mit Anna Einkäufe besorgt ... Berlin ist gar nicht wiederzuerkennen ... Um 12 Uhr wird Mutter Camphusen beide mit eigener Equipage abholen. Auch Gustav soll mitfahren. Er ist zu Tisch zu Fabrikbesitzers geladen. – Ob er noch immer keine Frau gefunden habe. – Er scherzt verlegen. (Textausgabe, S. 58)

g

Es gibt viele Wohnungen in Berlin, die jahraus, jahrein niemals Tageslicht, geschweige denn Sonne haben. Und wenn ihre Bewohner sich sonntags mit einem Buch in den Tiergarten setzen, dann haben sie Rivieragefühle. – Er lässt sie aus dem Parterrefenster in den Hof blicken, den er so lieb hat, obwohl es eigentlich nur ein steinerner, verrußter Kamin ist. Aber aus dem Nachbarhofe ragen zwei Kastanienäste herüber, der eine über Fensterhöhe; der spielt, wenn ein Lüftchen weht, mit tausend grünen Fingern auf unsichtbaren Klavieren. Den unteren Ast schützt eine Planke vorm Wind. Seine gespreizten, geschichteten Blätter nehmen sich aus wie ein Teppichmuster, das in die dritte Dimension spukt. Manchmal nachmittags stellen sich fremde, große Frauen in den Hof und singen ganz laut, ohne sich zu genieren, das Lied: „Das Band zerrissen und du bist frei", dann wirft man Geldstücke in Papier gewickelt in den Hof hinunter. – All das scheint Fräulein von Camphusen gar nicht zu rühren. (Textausgabe, S. 59)

h

Alle äußeren Sorgen zerfielen mit eins, wenn sie seine Frau würde, in Ruhe könnte er schreiben und Gutes tun und sie glücklich machen. – Wieder fällt ihm der Lampenschirm ein und eine kluge, nebenbei (sehr, sehr nebenbei) auch wohlhabende Frau, die alles versteht, der man alles sagen kann. – Am Freitag wird Gustav die Anna und die Gussi spazieren führen. Wird es auch mit ihr so werden, wie es mit den andern war? Dass sie in einer weichen Stunde dann seufzt: „Könnte ich dir doch etwas sein!" Und dann vollzieht sich allmählich kältend, stetig, das Durchschauen. Sie hat nie einen eigenen Gedanken, nie eine Überraschung. Oder ist sie nur Weib. Oder unordentlich. – Das Durchschauen möglichst hinauszuschieben, darauf käme es vielleicht an. Jenes reizvolle Fremdsein genießen wie wunderstarre, kalte Sternennacht. (Textausgabe, S. 61)

2 Finden Sie weitere Textstellen, die Ihnen im Hinblick auf das von Ihnen formulierte Thema aussagekräftig erscheinen und vervollständigen Sie die Liste der Themen oder Motive (vgl. EB, S. 158, Aufgabe 2)

3 Fassen Sie die Darstellung der Großstadt im Roman „... liner Roma ..." in einem Informationstext zusammen (ca. 400–500 Wörter). Arbeiten Sie mit Textbelegen.

4 a) Setzen Sie sich im Plenum damit auseinander, welche Empfindungen die Darstellung der Großstadt in „...liner Roma..." in Ihnen hervorruft.

b) Tauschen Sie sich darüber aus, ob sich diese Empfindungen mit Ihren Wahrnehmungen von Berlin oder anderen Großstädten decken.

E

„...liner Roma..." – ohne Anfang und Ende

Das Fragment als Strukturprinzip identifizieren und die Montagetechnik am Text nachweisen

Wir sind auch Boot gefahren. Und dabei habe ich das einzige tiefere Erlebnis gehabt. Nicht mit der Bäuerin. Die war albern, unecht. Aber Gänse beknabberten ein Paket, das auf dem Flüsschen trieb. Als ich die nasse Hülle neugierig aufzupfte, enthielt sie Druckbogen einer Kolportageschrift, immer wieder nur die Seiten 22 bis 29, und zwischen den mittelsten, ganz trocken gebliebenen, hing ein abgerissenes Stück vom Titelblatt, darauf noch zu lesen war: liner Roma. – Da habe ich nachgesonnen, wie das Paket in das Flüsschen geriet, und das schien mir nun ein Geheimnis. Ein Geheimnis auf dem Lande, wo man sonst alles übersieht und um jedermanns Treiben weiß. Und was bedeutet liner Roma? Da fehlt was vorn und was hinten. Ich hab' mir's ergänzt ‚Berliner Romane'. Berliner Romane haben meist keinen ordentlichen Anfang und kein ordentliches Ende. (Textausgabe, S. 62)

1 Ordnen Sie die Textpassage aus dem Roman „...liner Roma..." inhaltlich ein.

2 Setzen Sie die Aussage „Berliner Romane haben meist keinen ordentlichen Anfang und kein ordentliches Ende" (Z. 10 f.) in Beziehung zum Gesamttext und nehmen Sie Stellung zu der Frage, ob bzw. inwiefern diese Aussage als programmatisch für den gesamten Roman gelten kann. Ziehen Sie dazu u. a. das erste Kapitel und das letzte Kapitel heran.

Miezko, lasest du mein Manuskript? – Ja, manches verstehe ich nicht. – Muss man denn, kann man alles verstehen? – Nein, aber warum verschüttest du die Schönheiten? – Trüffeln stecken immer tief im Dreck. – Aber Stävle, ich bin doch kein Trüffelschweinchen! – Nein, ich schreibe doch auch kein Dreckchen. Es sind Fetzen, aus Zeit und Ort herausgerissen, nicht die gute alte Zeit, nicht Gulitzsch an der Wipper .... Das Band zerrissen und du bist ...
(Textausgabe, S. 73)

1 Leiten Sie aus dieser Textpassage ein „literarisches Programm" her. Beziehen Sie sich dabei auf weitere Textstellen, die die fragmentarische Erzählweise des Romans „...liner Roma..." belegen.

2 Die Formulierung „Das Band zerrissen und du bist (frei)" kommt im Roman „...liner Roma..." dreimal vor (Textausgabe, S. 52, Z. 34 f., S. 60, Z. 1 und S. 73, Z. 13–18). Deuten Sie diese Aussage mit Bezug auf den Roman.

3 Lesen Sie im Grundband I auf Seite 203 den Informationskasten zum „Montageprinzip". Erläutern Sie, inwiefern „...liner Roma..." typische Merkmale dieser Erzähltechnik aufweist, und weisen Sie dies mithilfe des Textes nach.

Frantisek Kupka (1871–1957): Plant Diagonaux, 1925

E

Der Erzählweise auf der Spur

Erzählsituationen des Romans beispielhaft herausarbeiten

Für die erzähltechnische Analyse eines epischen Textes ist es unerlässlich, mit einem klaren Begriffsverständnis die einzelnen Analyseschritte durchzuführen, um abschließend zu einer sachadäquaten Beurteilung gelangen zu können. Der folgende Text stellt eine Systematisierung des komplexen Erzählmodells von Jürgen H. Petersen dar und folgt durchgängig dessen Begrifflichkeiten. Die entscheidenden Kategorien des Erzählmodells sind im Folgenden besonders hervorgehoben.

Jürgen H. Petersen: (1937–2017), dt. Germanist und Literaturwissenschaftler, Professor für Neuere Literaturwissenschaft an der Universität Osnabrück

Sascha Spolders

Modell des Erzählens nach Petersen (2016)

Das Erzählsystem eines epischen Textes ist immer ein fiktionales Konstrukt, in dem ein bestimmtes und spezifisches Verhältnis zwischen Erzähler, Erzähltem und dem Leser vorliegt. Im Rahmen einer **Erzählsituation** – dieser Begriff wird hier als übergeordnete Kategorie verwendet – vermittelt ein zu bestimmender Erzähler einen fiktiven Inhalt auf eine spezifische Art und Weise. Die Frage einer Erzählanalyse ist dann immer: Warum vermittelt ausgerechnet diese Form des Erzählers diesen Inhalt auf genau diese Art und Weise? Mit anderen Worten: Welche Funktion erzielt die spezifische Erzählgestaltung?

Nach Petersen können dann verschiedene Kategorien unterschieden werden, eine der zentralen Ebenen ist dabei die Erzählform.

Die **Erzählform** bezeichnet die Frage, ob und inwieweit der Erzähler personalisiert auftritt. Während der Ich-Erzähler eine Personalisierung erfährt, also auch Bestandteil der eigentlichen Handlung der Erzählung ist (er oder sie ist selber eine Figur), hat der Er-/Sie-Erzähler keine Personalisierung. Er kann die Handlung überschauen, näher oder distanzierter zu den Figuren sein, die Handlung evtl. kommentieren, er ist aber nicht Teil der eigentlichen Handlung. Ein Erzähler der Er-/Sie-Form bleibt selber in diesem Sinne unsichtbar und ist „nur" ausführendes Medium der Erzählung.

Im Zusammenhang mit der Erzählform ist dann immer das **Erzählverhalten** zu analysieren, also die Frage, wie sich der Erzähler dem Erzählten gegenüber verhält: auktorial, personal oder neutral. Das auktoriale Erzählverhalten (gerne auch allwissender Erzähler genannt) gibt dem Erzähler die Möglichkeit der eigenen Sichtweise. Er kann in das Geschehen eingreifen, die Gesamthandlung überschauen und durchaus auch lenken, werten, kommentieren und hat Einblick in die Innenwelt aller Figuren. Damit tritt der auktoriale Erzähler, bspw. durch Kommentare oder direkte Leseransprache, in das Bewusstsein des Lesers. In der Er-/Sie-Form erhält er im Gegensatz zu einem Ich-Erzähler zwar keine Personalität, aber er ist als Erzählinstanz präsent. Dies ist oft der Grund für die analytisch fehlerhafte Gleichsetzung des auktorialen Erzählers mit dem Autor. Das personale Erzählverhalten hingegen ist perspektivisch eingeschränkt, das heißt, der Erzähler berichtet aus der Perspektive einer oder mehrerer Figuren (multiperspektivisch-personales Erzählen), bleibt aber auf die Perspektiven beschränkt. Der Erzähler weiß also nur das, was auch die Figur weiß. Bei der Ich-Form sind Erzähler und erzählte Figur dann identisch. Wenn Kommentierungen durch den personalen Erzähler stattfinden, dann sind diese auf die Perspektive der jeweiligen erzählten Figur beschränkt, der personale Erzähler hat dementsprechend oftmals eine große Nähe zu seiner erzählten Figur (s. Erzählerstandort und -perspektive). Der neutrale Erzähler tritt extrem hinter das Erzählte zurück, kommentiert und wertet nicht und bleibt meistens distanziert zum Erzählten. Die Handlung selber tritt in den Vordergrund anstelle der Erzählsituation, somit ist das szenische Erzählen, also die starke Dialoglastigkeit ähnlich der Dramatik, eine typische Darstellungsform des neutralen Erzählers.

E

Eng mit dem Erzählverhalten verbunden ist die Frage der **Erzählperspektive**, die wiederum ergänzt wird durch den **Erzählerstandort**. Bei der Erzählperspektive geht es um den Abstand bzw. die Nähe, die der Erzähler zum Erzählten respektive zu den Figuren einnimmt. Es kann aus der Außensicht (meist die Perspektive des neutralen Erzählers) oder der Innensicht (dominante Perspektive der personalen Erzählung) erzählt werden. Der auktoriale Erzähler kann beide Perspektiven im ständigen Wechsel einnehmen. In diesem Kontext bezeichnet der **Erzählerstandort** das räumlich-zeitliche Verhältnis des Erzählers zum Erzählten. Zu fragen ist also, ob der Erzähler retrospektiv berichtet oder bspw. als erlebendes Ich direkter Bestandteil der Handlung ist. Typischer Standort des auktorialen Erzählers ist der olympische Standort, der Erzähler hat den absoluten Überblick über alle Geschehnisse, vorherige, gleichzeitige und folgende, und überblickt aus der Vogelperspektive alle Ereignisse, während der personale meist eine deutliche Nähe zum erzählten Geschehen aufweist.

Aus dem Zusammenspiel der vorherigen Kategorien ergibt sich zumeist die **Erzählhaltung**. Der Erzähler kann unterschiedliche Einstellungen zum Erzählten einnehmen, er kann dieses skeptisch, ablehnend, ironisierend, affirmativ, kritisch, schwankend, pathetisch oder auch neutral etc. erzählen. Für die Erzählhaltung ist es besonders entscheidend, die vorherigen Kategorien in die Analyse mit einzubeziehen, um zu einer begründeten Beurteilung zu gelangen.

Abschließend bleiben noch die unterschiedlichen **Darbietungsformen**, also die Frage, wer in welcher Erzählsituation auf welche Art und Weise spricht. Generell ist zwischen Erzähler- und Figurenrede zu unterscheiden. Zur Erzählerrede gehören der Erzählerbericht und -kommentar sowie die indirekte Rede. Zur Figurenrede gehören die direkte Rede, also der Dialog, und der innere Monolog, der allein die Gedankenwelt der Figur darstellt. Die erlebte Rede ist ein besonderer Fall, im klassischen Sinne ist sie Erzählerrede. Allerdings weist die erlebte Rede eine extreme Nähe zur erzählten Figur auf, sodass Erzähler und Figur sich augenscheinlich miteinander verbinden (meist in der 3. Pers. Sg., Indikativ Präteritum wiedergegeben), obwohl also weiterhin der Erzähler spricht, hat der Rezipient den Eindruck, die Figur würde selber sprechen. Der Bewusstseinsstrom ist dann ein Mittel moderner Erzählung, bei dem Syntax und Kohärenz oft aufgelöst werden, und er kann sowohl Bestandteil von Figuren- als auch von Erzählerrede sein.

1 Lesen Sie nochmals die Kapitel 2 und 12 des Romans „...liner Roma...“.

2 ***Lernarrangement***
Bilden Sie Kleingruppen.
a) Die eine Hälfte der Kleingruppen bearbeitet die Aufgabe A, die andere Hälfte bearbeitet Aufgabe B. Halten Sie Ihre Ergebnisse in der Tabelle auf Seite 169 fest.
   - Aufgabe A: Untersuchen Sie Kapitel 2 anhand der Kategorien aus Petersens Erzählmodell.
   - Aufgabe B: Untersuchen Sie Kapitel 12 anhand der Kategorien aus Petersens Erzählmodell.
b) Führen Sie die Ergebnisse der Kleingruppen in einem Dokument zusammen und tauschen Sie sich über Gemeinsamkeiten und Unterschiede aus.

3 Formulieren Sie Thesen über die jeweilige Wirkung der herausgearbeiteten Erzählweise.

Erzählsituation

	Textbelege	Bezeichnung	Wirkung
Erzählform			
Erzählverhalten			
Erzählperspektive			
Erzählerstandort			
Erzählerhaltung			
Darbietungsform(en)			

Den Begriff des unzuverlässigen Erzählens auf den Roman „...liner Roma..." anwenden

1 Vergegenwärtigen Sie sich noch einmal die Aussagen des Textauszugs aus der Abhandlung „Einführung in die Erzähltheorie" von M. Martínez und M. Scheffel zum sogenannten „unzuverlässigen Erzähler" (EB, S. 114 ff.), indem Sie die folgenden Sätze vervollständigen:

Theoretisch unzuverlässiges Erzählen liegt vor, wenn ____________________

____

____

____

____

E

Von **mimetisch teilweise unzuverlässigem** Erzählen kann man sprechen, wenn ____________

____

____

____

____

Von **mimetisch unentscheidbarem Erzählen** ist auszugehen, wenn ____________

____

____

____

____

2 Beurteilen Sie,
a) ob in „...liner Roma..." von einem „unzuverlässigen Erzähler" gesprochen werden kann, und wenn ja,
b) welche Art des unzuverlässigen Erzählens hier vorliegt. Begründen Sie Ihre Entscheidung.

3 Lesen Sie nochmals das Kapitel 12 bis Seite 73, Z. 27. Analysieren Sie diesen Teil des Kapitels unter dem Aspekt des unzuverlässigen Erzählens.

„Es waren mancherlei Besucher bei mir, um ihre Sehnsucht nach München auszuschütten." – Nach München jener Zeit. Jetzt lebt es sich stärker, gesünder und schneller in Berlin. Hier tröstet die Vielheit der Erscheinungen und Erlebnisse ... „Ja, Stävle, ich habe auch wieder Romane erlebt, seit du ..." – Man entgeht ihnen nicht. Wir erleben sie, hören sie, lesen sie aus Zeitungen, Büchern, und selbst noch in der einsamsten Zelle auf den Oktavbogen, die wir vom augenspießenden Draht abreißen. Und sie kreuzen sich und verwirren sich wie die Bindfäden in Elfchens Schubfach. – „Kehlbaum hat hier eine halbe Flasche Cordial Medoc über Berlin verschimpft, das keine Kultur habe." – Nein, wenig. Es ist Fremde, unübersehbare, unerschöpfliche offene See, also Weg nicht Platz. Nur nicht als Wrack dort liegen bleiben, wo es verebbt oder zerschellt. Zuweilen landen, sich träge wonnig erholen, aber dann wieder hinaus. Hindernisse überwinden, ums Leben kämpfen, alle Sinne stets wach und gespannt, denn Strudel und Strömungen locken und drohen. Hinaus, um in der massigen Einsamkeit zu leiden. Woge um Woge, Moment um Moment. (Gustav küsst die Hände seiner Freundin.) Du verstehst mich. Man muss Berlin visionär genießen. – (Sie streichelt sein Haar.) – „Ja, es ist Meer. Manche reisen herbei, um sich darin zu baden oder auch nur zu waschen. Andern gelüstet nach abenteuerlichen Fahrten. Manche müssen untergehn." – Prosit Miezko! Wenn der Frühling die städtischen Anlagen beehrt, dann stehl' ich mir einen Zweig, daran zarte gelbe Wollwürstchen hängen, die duften wie: Alles wird einmal wieder gut. – Und die Sonne weckt paradiesische Seligkeiten aus kahlen Kalkwänden. – Miezko will antworten. Da poltert die Tür schreckhaft, und auf der Schwelle steht ein eleganter N...[1], der einen Muff und eine Handgranate ... (Textausgabe, S. 73 f.)

[1] Im Originaltext steht hier das N-Wort, auf dessen Abdruck zur Vermeidung rassistischer Sprache verzichtet wird.

1 Deuten Sie das Romanende im Hinblick auf seine Funktion für den Gesamttext.

2 Suchen Sie nach weiteren Textpassagen im Roman, die Ihrer Meinung nach unzuverlässig erzählt sind. Erläutern Sie diese in ihrer Wirkung.

E

Intermediale Bezüge des Romans entschlüsseln

Stefanie Stockhorst

Intermediale[1] Erzählstrategien im urbanen Kontext. Mediale Grenzüberschreitungen in Großstadtromanen der Weimarer Republik (Auszug, 2009)*

Intermediale Bezugnahmen: Nennung, Thematisierung, Imitation
Als offensichtlichste und häufigste Form der intermedialen Bezugnahme im Großstadtroman der Weimarer Zeit begegnet in auffälliger Häufung die explizite Referenz auf andere Medien. Die Texte erwähnen Kinofilme und Tanzmusik, Radio, Illustrierte, Zeitungen, Inserate, Werbeslogans, Nachrichtenmeldungen, Plakate, Verordnungen, Statistiken, Telefonate, Briefe und Telegramme. Konkreter bezieht sich etwa Joachim Ringelnatz in „...liner Roma..." (1924) auf ein „für Kinder illustriertes Reallexikon", einen „Kinofilm ‚Zur Dirne um ein Diadem'", „zwei Aktstudien" und „einen großen Öldruck", oder auch auf die synästhetisch „siedende Musik" in den Lokalen. [...]
Auf einer anderen Ebene der intermedialen Bezugnahme spielt der Film [...] eine fundamentale Rolle im Großstadtroman, werden doch dessen charakteristische Ausdrucksmittel wie Montage, Schnitt und Überblendung sowie vor allem auch der spezifische Blick auf die Welt durch das Kameraobjektiv vielfach imitiert. [...]
Bereits Ringelnatz, dessen ‚...liner Roma...' schon im März 1921 im Manuskript vorlag, ersetzt traditionelle Erzählschemata durch einen kameraartigen Darbietungsmodus. Gerade noch identifizierbar ist ein Protagonist, der Berliner Romanautor Gustav Gastein, während keine durchgängige Erzählperspektive vorliegt, da ein ständiger, meist unvermittelter Wechsel von Innen- und Außensicht sowie von Figuren- und Erzählerrede stattfindet. Auch besitzt der Roman weder eine stringente Handlung noch Anfang und Ende, sondern weist vielmehr einen aus verschiedenen Einstellungen zusammengeschnittenen Duktus auf [...]. Bei Ringelnatz erscheinen die Identitäten der dargestellten Personen nicht trennscharf, denn sie werden zwar namentlich genannt und wie in einer filmischen Momentaufnahme beobachtet, verschwinden aber sofort wieder aus dem Blickwinkel des Lesers. Indem Ringelnatz das an sich kontinuierliche Großstadtgeschehen in verschiedenen Einstellungen mit teils schnittartigen Szenenwechseln fragmentiert, teils in Totalansichten und teils in Nahaufnahmen polyperspektivisch darbietet, setzt er die filmische Technik der Szenenauflösung narrativ um. Des Weiteren finden sich in „...liner Roma..." auch regelrechte Ineinanderblendungen, etwa in einer Passage am Ende des Textes. Gustav unterhält sich mit seiner Geliebten Wiga, die ganz beiläufig erwähnt: „Übrigens, Gustav, ich bin verheiratet. Willst du morgen bei uns essen? Notiere unsere Telefonnummer ... –". Auf den Gedankenstrich folgt unvermittelt ein neuer Absatz: „Es ist eine andere, eine kleine, kluge Frau, die Rotweingläser auf den sauberen Tisch stellt. Und selbst nie sentimental, doch gut, treu, zieht sie Kösters rührsame Spieluhr auf. – Miezko, lasest du mein Manuskript?" – Hier werden zwei Frauenbilder quasi-filmisch übereinandergelegt, denn der Text lässt offen, ob sich die narrative Blickführung nach wie vor auf Wiga – nunmehr in eine Gastgeberin verwandelt – richtet, ob Miezko vielleicht ihr Kosename ist, oder ob es sich bei Miezko um eine ganz andere Person handelt."
(*verändert: Die Fußnoten und die Kapitelziffer im Text wurden weggelassen.*)

[1] **intermedial:** zwischen verschiedenen Medien; die Grenzen zwischen Medien überschreitend

1 Fassen Sie den Textauszug in eigenen Worten zusammen und nennen Sie die intermedialen Bezüge, die die Autorin in „...liner Roma..." nachweist.

2 Benennen Sie weitere Textstellen, in denen sich Bezüge zu filmischem Erzählen finden, und erläutern Sie diese.

E

Großstadtlyrik

Weitere Gedichte zum Thema Großstadt kennenlernen

1 Setzen Sie sich mit weiteren Gedichten zum Thema Großstadt auseinander:
   a) Vergleichen Sie die Titel der Gedichte auf den Seiten 172 und 173. Welche Erwartungen lösen sie aus?
   b) Beschreiben Sie die Atmosphäre, die die Gedichte jeweils transportieren.

2 Wählen Sie zwei Gedichte aus.
   a) Analysieren und interpretieren Sie eines der Gedichte.
   b) Vergleichen Sie beide Gedichte im Hinblick auf die inhaltliche und sprachliche Darstellung der Großstadt.
   c) Stellen Sie sich Ihre Ergebnisse gegenseitig im Plenum vor.

3 Diskutieren Sie im Plenum die folgende Frage: Eignet sich Lyrik besonders gut dazu, Großstadterfahrungen auszudrücken?

Rainer Maria Rilke

Denn, Herr, die großen Städte sind (1903)

Denn, Herr, die großen Städte sind
verlorene und aufgelöste;
wie Flucht vor Flammen ist die größte, –
und ihre kleine Zeit verrinnt.

Da leben Menschen, leben schlecht und schwer,
in tiefen Zimmern, bange von Gebärde,
geängsteter denn eine Erstlingsherde;
und draußen wacht und atmet deine Erde,
sie aber sind und wissen es nicht mehr.

Da wachsen Kinder auf an Fensterstufen,
die immer in demselben Schatten sind,
und wissen nicht, dass draußen Blumen rufen
zu einem Tag voll Weite, Glück und Wind, –
und müssen Kind sein und sind traurig Kind.

Da blühen Jungfraun auf zum Unbekannten
und sehnen sich nach ihrer Kindheit Ruh;
das aber ist nicht da, wofür sie brannten,
und zitternd schließen sie sich wieder zu.
Und haben in verhüllten Hinterzimmern
Die Tage der enttäuschten Mutterschaft,
der langen Nächte willenloses Wimmern
und kalte Jahre ohne Kampf und Kraft.
Und ganz im Dunkel stehn die Sterbebetten,
und langsam sehnen sie sich dazu hin;
und sterben lange, sterben wie in Ketten
und gehen aus wie eine Bettlerin.

Rainer Maria Rilke (1875-1926)

Kurt Tucholsky

Augen in der Großstadt (1930)

Wenn du zur Arbeit gehst
am frühen Morgen,
wenn du am Bahnhof stehst
mit deinen Sorgen:
da zeigt die Stadt
dir asphaltglatt
im Menschentrichter
Millionen Gesichter:
Zwei fremde Augen, ein kurzer Blick,
die Braue, Pupillen, die Lider –
Was war das? vielleicht dein Lebensglück ...
vorbei, verweht, nie wieder.

Du gehst dein Leben lang
auf tausend Straßen;
du siehst auf deinem Gang,
die dich vergaßen.
Ein Auge winkt,
die Seele klingt;
du hasts gefunden,
nur für Sekunden...
Zwei fremde Augen, ein kurzer Blick,
die Braue, Pupillen, die Lider;
Was war das? kein Mensch dreht die Zeit zurück ...
Vorbei, verweht, nie wieder.

Kurt Tucholsky (1890-1935)

Du mußt auf deinem Gang
durch Städte wandern;
siehst einen Pulsschlag lang
den fremden Andern.
Es kann ein Feind sein,
es kann ein Freund sein,
es kann im Kampfe dein
Genosse sein.
Es sieht hinüber
und zieht vorüber ...
Zwei fremde Augen, ein kurzer Blick,
die Braue, Pupillen, die Lider.
Was war das?
Von der großen Menschheit ein Stück!
Vorbei, verweht, nie wieder.

Ingeborg Bachmann

Reklame (1956)

Wohin aber gehen wir
ohne sorge sei ohne sorge
wenn es dunkel und wenn es kalt wird
sei ohne sorge
aber
mit musik
was sollen wir tun
heiter und mit musik
und denken
heiter
angesichts eines Endes
mit musik
Und wohin tragen wir
am besten
unsre Fragen und den Schauer aller Jahre
in die Traumwäscherei ohne sorge sei ohne sorge
was aber geschieht
am besten
wenn Totenstille

eintritt

Ingeborg Bachmann (1926-1973)

E

Expressionismus – Dadaismus – Neue Sachlichkeit

Sich über verschiedene literarische Strömungen der Moderne informieren

Benedikt Jeßing

Expressionismus (2008)

[...] Der Expressionismus setzte etwa ein halbes Jahrzehnt vor dem Ersten Weltkrieg ein, überdauerte diesen aber und entwickelte im und nach dem Krieg spezifische Reaktionsformen auf die Kriegswirklichkeit. Er war allerdings entscheidend geprägt von der Großstadterfahrung und ihren kommunikativen und sozialpsychologischen Bedingungen, von moderner Medienwelt und der gesteigerten Erfahrung der Ich- und Welt-Zertrümmerung.

Mit dem Begriff des Expressionismus wird eine literarische Bewegung nach der Jahrhundertwende, insbesondere im zweiten Jahrzehnt des 20. Jahrhundert, bezeichnet, die – wie wenige „Epochen"-Phänomene – diesen Begriff zur Ausflaggung ihres Selbstverständnisses in Manifesten und programmatischen Traktaten und theoretischen Selbsterklärungen exponiert hatte. Der Expressionismus stand in Opposition zu den antimodernistischen Strömungen der Jahrhundertwende, wandte sich allerdings auch von der Décadence-Dichtung ab. Die Strömung selbst war inhomogen, vereinigte Welthaltungen wie Technikbegeisterung und Zivilisationskritik, futuristischen Erlösungsglauben und Entfremdungsangst, Pathos der Verkündigung wie stilistische Reduktion, Orientierung an traditionellen lyrischen Formen und freie Rhythmik und Strophenform. Damit reagierte der Expressionismus in spezifischer Weise auf das Großstadtleben und die Beschleunigung der Technik- und Medienentwicklung. [...]

Programmatisch ist die pathetische wie provokante Ausrufung eines neuen Menschen in Herwarth Waldens Zeitschrift *Der Sturm* (1910–32) sowie in Franz Pfemferts *Die Aktion* (seit 1911). Gegen die moderne Zivilisation, aber auch gegen die Philisterexistenz der bürgerlichen Gesellschaft werden rauschhafte, ekstatische Momente ins Feld geführt; Johannes R. Becher und Franz Werfel sind die Protagonisten einer pathetischen „O Mensch"-Lyrik, die ihre Botschaft von einem neuen Menschen herausschreien: „Motivisch ist dies eine Lyrik, die Jugend, Aufbruch, Wandlung, den ‚Neuen Menschen', den Bruder, das Volk und den verkündenden Dichter, den Menschen, die Brüderlichkeit, das Wir, die Gemeinschaft, das Weltall und Gott besingt, sich schließlich des Krieges erinnert und emphatisch die Revolution feiert" (Fahnders). [...]

Dem entgegen steht eine zweite expressionistische lyrische Richtung, die die Lebensbedingungen und Erfahrungszusammenhänge der Großstadt in einer neuartigen Sprache auszudrücken versucht: Ein mannigfaltiges, zerstreutes wie zerstreuendes Nebeneinander von gleichzeitigen Eindrücken soll simultan, in parataktischer Reihung wiedergegeben werden. Der Herausgeber der bedeutendsten und für das Selbstverständnis und die Rezeption der Expressionisten wirkungsmächtigsten Anthologie expressionistischer Lyrik, der Menschheitsdämmerung (1919/20) von Kurt Pinthus, hat als Muster dieses Stils das Gedicht „Weltende" von Jakob van Hoddis an den Beginn der Sammlung gesetzt. Technische Verfahren der Medien- und Industrieproduktion, Schnitt und Montage, die Auflösung größerer Zusammenhänge, Visionen von Weltuntergang, Raum und Apokalypse (Georg Trakl, Georg Heym), die schockierende Welt der Gerichtspathologie in Gottfried Benns Zyklus „Morgue" (1912) vertauscht Menschliches mit Tierischem, Belebtes und Unbelebtes oder Dinge in den Bilderwelten miteinander – und erzeugt sezierend neue Bilder. [...]

Der Expressionismus als literarische Programmatik löst sich zu Beginn der 1920er-Jahre auf: Die zum großen Teil zu Beginn der Strömung jungen Schriftsteller entwickeln sich, wenn sie nicht früh sterben (Heym, Trakl), unter dem Eindruck der politischen Veränderungen in sehr unterschiedliche Richtungen – Johannes R. Becher etwa zum Sozialismus, Gottfried Benn eher in die Richtung des Nationalsozialismus.

Lutz Walther

Dadaismus (2014)

Am 5. Februar 1916 gründete der Poet und Philosoph Hugo Ball (1886–1927) in einer Züricher Bar das „Cabaret Voltaire“ eine Mischung aus Nachtclub und Kunstsalon. Junge Dichter und Künstler wurden eingeladen, ihre Werke vorzutragen, Bilder aufzuhängen oder selbst zu musizieren. Schon gegen Ende des Monats war klar, dass sich hier eine neue künstlerische Bewegung mit antibürgerlicher Grundhaltung formiert hatte. Der Name „Dada“ entstand angeblich beim zufälligen Blättern durch ein deutsch-französisches Wörterbuch: „Dada“, der erste verbale Ausdruck eines Kleinkindes, sollte einen Neubeginn ausdrücken, die Einfachheit darstellen und den Anfang aller Kunst symbolisieren.

Obwohl das „Cabaret Voltaire“ nur sechs Monate bestand, breitete sich die dadaistische Idee schnell international aus. Gegen Ende des Ersten Weltkriegs entstanden in Frankreich, Deutschland und den Vereinigten Staaten Dada-Galerien, wurden Dada-Zeitschriften gegründet und Dada-Manifeste geschrieben. Hans Arp und Max Ernst veranstalteten in Köln dadaistische Versammlungen. Richard Huelsenbeck (1892-1974) und Raoul Hausmann gründeten einen Dada-Club in Berlin, zu dessen Mitgliedern Künstler wie George Grosz, Hannah Höch (1869–1978) und John Heartfield gehörten. Ebenfalls in Berlin fand 1920 die Erste Internationale Dada-Messe statt.

Die Dadaisten hatten kein formuliertes Programm. Arp nannte mit Hinweis auf die „Schlächtereien des Weltkrieges“ das Ziel, die verlogenen und scheinheiligen Werte und Ideale der bürgerlichen Gesellschaft zu enttarnen und zu zerstören. „Dada ist der Ekel vor der albernen verstandesmäßigen Erklärung der Welt“, so Arp. Ebenso sagten die Dadaisten den etablierten Kunstformen den Kampf an. Durch eine ironische Synthese von Primitivem, Banalem und moderner Technik versuchten sie die Sinnlosigkeit von Logik, Intellekt und bürgerlicher Kultur zu verdeutlichen. Lärmmusik, Simultanvorträge, Zufallsgedichte, Fotomontagen und Collagen aus Zeitungsausschnitten, Fotos und Alltagsgegenständen gehörten zu ihren Ausdrucksmitteln.

1 ***Lernarrangement***

a) Teilen Sie den Kurs in zwei Gruppen, A und B.
   - Gruppe A: Arbeiten Sie mithilfe des Textes von Benedikt Jeßing zentrale Merkmale der literarischen Strömung des Expressionismus heraus.
   - Gruppe B: Arbeiten Sie mithilfe des Textes von Lutz Walther zentrale Merkmale der literarischen Strömung des Dadaismus heraus.

b) Übertragen Sie Ihre Gruppenergebnisse in die entsprechende Spalte einer Tabelle nach folgendem Muster:

	Expressionismus	Dadaismus	Neue Sachlichkeit
Merkmale	– –	– –	– –

c) Führen Sie Ihre Ergebnisse zusammen, indem Sie eine für alle verfügbare digitale Version der Tabelle erstellen.

d) Erläutern Sie Ihre Gruppenergebnisse im Plenum.

e) Vervollständigen Sie gemeinsam die tabellarische Übersicht, indem Sie die Merkmale der Neuen Sachlichkeit auf der Grundlage Ihrer literaturgeschichtlichen Kenntnisse ergänzen.

2 Diskutieren Sie im Plenum, welche dieser Merkmale der Roman „...liner Roma...“ erfüllt, und beurteilen Sie, welcher literarischen Strömung er am ehesten zugeordnet werden kann.

Großstadterfahrungen bei Ringelnatz und Keun

Die Romane „Das kunstseidene Mädchen" und „...liner Roma..." vergleichen

1 Analysieren Sie die Beschreibung der Großstadt in den Romanen „Das kunstseidene Mädchen" und „...liner Roma...", z. B. im Hinblick auf Lichtverhältnisse, Geräusche und Fortbewegung.

2 Vergleichen Sie, wie die beiden Hauptfiguren der Romane „Das kunstseidene Mädchen" und „...liner Roma..." dargestellt werden, nach folgenden Gesichtspunkten:

- sozialer Status
- Lebensunterhalt
- Blick auf das jeweils andere Geschlecht
- Einstellung zum Leben in der Großstadt

Sie können für Ihren Vergleich noch weitere Gesichtspunkte heranziehen.

3 Vergleichen Sie die beiden folgenden Textpassagen hinsichtlich Erzählform, Erzählperspektive und Erzählerstandort.

Und [ich] bin heute allein Taxi gefahren wie reiche Leute – so zurückgelehnt und den Blick meines Auges zum Fenster raus – immer an Ecken Zigarrengeschäfte – und Kinos – der Kongress tanzt – Lilian Harvey, die ist blond – Brotläden – und Nummern von Häusern mit Licht und ohne – und Schienen – gelbe Straßenbahnen glitten an mir vorbei, die Leute drin wussten, ich bin ein Glanz – ich sitze ganz hinten im Polster und gucke nicht, wie das hopst auf der Uhr – ich verbiete meinen Ohren, den Knack zu hören – blaue Lichter, rote Lichter, viele Millionen Lichter – Schaufenster – Kleider – aber keine Modelle – andere Autos fahren manchmal schneller – Bettladen – ein grünes Bett, das kein Bett ist, sondern moderner, dreht sich ringsum immer wieder – in einem großen Glas wirbeln Federn – Leute gehen zu Fuß – das moderne Bett dreht sich – dreht sich.
(Textausgabe Keun: „Das kunstseidene Mädchen", S. 76)

Berlin, Potsdamer Platz in den 1920er-Jahren

Die Leute an der Haltestelle messen einander mit kalt kalkulierenden Blicken, wie internationale Ringkämpfer am Start. Und wartend präparieren sie Tricks, die man noch soeben durchgehen lässt. Warten vergiftet. Eine rumpelnde Bahn nach der anderen wächst heran, schrumpft davon, die 46, 107, nochmals die 107, zum Donnerwetter! dreimal hintereinander die 107. Dann die richtige. Spitz strömt das Häuflein Nervöser in das Perrontor, wie Wasser in eine Gosse, siebt sich durch die Aussteigenden hinein, klemmt sich, presst. Frau Purmann, von würdelosen Paketen umpuffert, rudert im dicksten Strudel mit Gesten einer Ertrinkenden, aber genau betrachtet: offensiv.
(Textausgabe Ringelnatz: „...liner Roma...", S. 45)

4 Erläutern Sie, ob bzw. inwiefern es sich bei diesen Passagen um den sogenannten „Kinostil" (vgl. den Auszug aus Döblin: „An Romanautoren und ihre Kritiker", EB, S. 117, Z. 1) handelt.

5 a) Gestalten Sie den ersten Absatz eines Romans über das heutige Berlin.
b) Stellen Sie sich Ihre Romananfänge gegenseitig vor und begründen Sie die Wahl der erzählerischen Mittel.
c) Diskutieren Sie, inwiefern Ihre Produktionen von den Berlindarstellungen in den beiden Romanen „Das kunstseidene Mädchen" und „...liner Roma..." abweichen.

Textquellen

Bachmann, Ingeborg: Reklame. In: Dies.: Werke. Band 1: Gedichte. © 1978 Piper Verlag GmbH, München. *S. 173*

Bantel, Otto: Novelle. Grundbegriffe der Literatur. Frankfurt a. M.: Hirschgraben 1970, S. 69. *S. 61*

Barner, Wilfried / Grimm, Gunter E.: Die bürgerliche Familie im 18. Jahrhundert. In: Lessing: Epoche – Werk – Wirkung. München: Beck 1987, S. 169. *S. 42 f.*

Becker, Sabina: Neue Sachlichkeit im Roman. In: Neue Sachlichkeit im Roman. Neue Interpretationen zum Roman der Weimarer Republik. Hrsg. v. Sabina Becker und Christoph Weiss. Stuttgart: Metzler 1995, S. 7–26. *S. 126 f.*

Beil, Ulrich Johannes:
- „Über das Marionettentheater". In: Kleist Handbuch. Leben – Werk – Wirkung. Hrsg. v. Ingo Breuer. Stuttgart/Weimar: Metzler 2013, S. 152 f. *S. 83*
- ‚Kenosis' der Idealistischen Ästhetik. Kleists ‚Über das Marionettentheater' als Schiller-réécriture. In: Kleist Jahrbuch 2006. Hrsg. v. Günter Blamberger, Ingo Breuer, Sabine Doering und Klaus Müller-Salget. Stuttgart/Weimar: Metzler 2006, S. 75–99. *S. 97 f.*

Blamberger, Günter: Du sollst dir kein Bildnis machen. Rede zur Eröffnung der Kleist-Ausstellung am 22.05.2011 im Kleist-Museum in Frankfurt (Oder). In: Kleist-Jahrbuch 2011. Hrsg. v. Günter Blamberger, Ingo Breuer und Klaus Müller-Salget. Stuttgart: Metzler 2011, S. 43–46, hier: S. 45. *S. 72*

Blamberger, Günter: Heinrich von Kleist. Biographie. Frankfurt a. M.: Fischer 2011. S. 12–14. *S. 10*; S. 263 f. *S. 25*; S. 483. *S. 53*; S. 353. *S. 85*

Blamberger, Günter: „NUR WAS NICHT AUFHÖRT, WEH ZU THUN, BLEIBT IM GEDÄCHTNISS". Über das Unzeitgemäße an Kleist. Rede zur Eröffnung der Kleist-Ausstellung am 20. Mai 2011 im Ephraim-Palais (Stiftung Stadtmuseum Berlin). In: Kleist-Jahrbuch 2011. München: Beck 2011, S. 39–41. *S. 50 f.*

Boldt, Paul: Auf der Terrasse des Café Josty. In: Ders.: Junge Pferde! Junge Pferde! Leipzig: Kurt Wolff Verlag 1914. *S. 139*

Böllinger, Birgit: Irmgard Keun: Das kunstseidene Mädchen. Birgit Böllinger, 30.03.2015. URL: https://birgit-boellinger.com/2015/03/30/irmgard-keun-das-kunstseidene-maedchen/ (letzter Abruf: 18.03.2024). *S. 149 f.*

Böttinger, Karl August [i. O. ohne Verfasser]: ohne Titel [Rezension zur Erzählung „Die Marquise von O..."], Der Freimüthige, 04.03.1808. In: Heinrich von Kleist: Die Marquise von O... Erläuterungen und Dokumente. Stuttgart: Reclam 2004, S. 55–57. *S. 74*

Deutsches Theater Berlin (o. V.): Programmheft zur Aufführung von „Der zerbrochne Krug". URL: https://www.deutschestheater.de/programm/produktionen/der-zerbrochne-krug (letzter Abruf: 18.03.2024). *S. 53*

Diers, Michael: Vor aller Augen. Studien zu Kunst, Bild und Politik. Paderborn: Wilhelm Fink 2016. S. 112 – 116. *S. 35–37*

Doering, Sabine: Die Marquise von O... In: Kleist Handbuch. Leben – Werk – Wirkung. Hrsg. v. Ingo Breuer. Stuttgart/Weimar: Metzler 2013, S. 108. *S. 57*

Döblin, Alfred:
- An Romanautoren und ihre Kritiker. In: Ders.: Schriften zu Ästhetik, Poetik und Literatur. Frankfurt am Main: S. Fischer 2013, S. 118–121. *S. 117*
- Literatur und Rundfunk. In: Ders.: Schriften zur Ästhetik, Politik und Literatur. Freiburg: Walter Verlag 1989, S. 251–261. *S. 143*

Dürr, Anke: Und plötzlich war sie schwanger. SPIEGEL.de, 15.02.2012. URL: https://www.spiegel.de/kultur/gesellschaft/castorfs-marquise-von-o-und-ploetzlich-war-sie-schwanger-a-815256.html#fotostrecke-2dc3ed33-0001-0002-0000-000000078645 (letzter Abruf: 18.12.2023) *S. 76 f.*

Egle, Gert: analytischer Aufbau eines Theaterstücks (verändert). Zit. nach: Handlungsverlauf im analytischen Drama. teachSam – Lehren und Lernen online, Konstanz. URL: https://www.teachsam.de/deutsch/d_literatur/d_gat/d_drama/drama_5_2_1.htm (letzter Abruf: 19.03.2024). *S. 18*

Egle, Gert: synthetischer Aufbau eines Theaterstücks (verändert). Zit. nach: Handlungsverlauf im Zieldrama. teachSam – Lehren und Lernen online, Konstanz. URL: https://teachsam.de/deutsch/d_literatur/d_gat/d_drama/drama_5_3_1.htm (letzter Abruf: 19.03.2024). *S. 18*

Esslin, Martin: Was ist ein Drama? Eine Einführung. München: Piper 1978. *S. 22*

Fleig, Anne: Das Gefühl des Vertrauens in Kleists Dramen „Die Familie Schroffenstein“, „Der zerbrochne Krug“ und „Amphitryon“. In: Kleist Jahrbuch 2008/09. Hrsg. v. Günter Blamberger, Ingo Breuer, Sabine Doering, Klaus Müller-Salget. Heinrich-von-Kleist-Gesellschaft, Berlin. Stuttgart; Weimar: Verlag J. B. Metzler 2009, S. 138–143. *S. 39*

Fontane, Theodor: „[...] das erste Kapitel ...“ [Zitat]. Aus einem Brief an den Redakteur Gustav Karpeles von Westermanns Monatshefte, 18.08.1880. Zit. n.: Roland Berbig: Theodor Fontane Chronik digital. Auf der Grundlage der „Theodor Fontane Chronik“ (5 Bde., Berlin: De Gruyter 2010). Hrsg. v. Theodor-Fontane-Archiv. Potsdam 2021 ff. *S. 103*

Frevert, Ute: Urbane Gefühle. Deutsches Historisches Museum, Berlin, 19.06.2019. URL: https://www.dhm.de/lemo/kapitel/weimarer-republik/alltagsleben/urbane-gefuehle.html (letzter Abruf: 04.03.2024). *S. 140–142*

Fromm, Erich: Arbeiter und Angestellte am Vorabend des Dritten Reiches. In: Die Erste Republik. Dokumente zur Geschichte des Weimarer Staates. Hrsg. v. Peter Longerich. München: Piper Verlag 1992, S. 220 f. *S. 146*

Günther, Herbert: Diese Zeit war wie geschaffen... [Zitat]. In: Ders.: Ringelnatz. 8. Auflage. Reinbek bei Hamburg: Rowohlt 2001, S. 93. *S. 156*

Hermand, Jost / Trommler, Frank: Die Kultur der Weimarer Republik. München: Nymphenburger Verlagsbuchhandlung 1978, S. 80 f. *S. 148 f.*

Herzog, Susanne: Weimarer Republik: Alltagsleben: Die Neue Frau. Deutsches Historisches Museum, Berlin, 14.09.2014. URL: https://www.dhm.de/lemo/kapitel/weimarer-republik/alltagsleben/die-neue-frau.html (letzter Abruf: 04.03.2024). *S. 145 f.*

Hohoff, Curt: Heinrich von Kleist in Selbstzeugnissen und Bilddokumenten. Hamburg: Rowohlt 1986, S. 7–10. *S. 51 f.*

Jacobsohn, Siegfried: Kleists Lustspiel zeigt das volle Leben. In: Die Schaubühne, Berlin, 9.10.1913. *S. 44 f.*

Jeßing, Benedikt: Expressionismus und Dadaismus. In: Ders.: Neuere deutsche Literaturgeschichte. Eine Einführung. Tübingen 2008, S. 201–207. © 2008 Narr Francke Attempto Verlag GmbH + Co. KG. *S. 174*

Kaiser, Gerhard: Krise der Familie. Eine Perspektive auf Lessings „Emilia Galotti“ und Schillers „Kabale und Liebe“. Recherches Germanisques 1984, S. 7–22; S. 7 f., Fondation des Presses Universitaires de Strasbourg. *S. 64*

Kaléko, Mascha: Großstadtliebe. In: Das lyrische Stenogrammheft. Reinbek bei Hamburg: Rowohlt Taschenbuch Verlag 1978. *S. 123*

Kästner, Erich:
- Besuch vom Lande. Zit. nach: Potsdamer Platz. Drehscheibe der Welt. Hrsg. v. Günther Bellmann. Berlin: Ullstein Buchverlag 1997, S. 19 f. *S. 139*
- Sachliche Romanze. In: Lärm im Spiegel. Gedichte. Zürich: Atrium Verlag 1963. *S. 124*
- Der Gang vor die Hunde. Originalmanuskript des Romans „Fabian“ (1931). Hrsg. v. Sven Hanuschek. Zürich: Atrium Verlag 2017, S. 7–10. *S. 124 ff.*; S. 233 ff. *S. 128 f.*

Kehlmann, Daniel: Die Sehnsucht, kein Selbst zu sein (Rede zur Verleihung des Kleistpreises). In: Kleist-Jahrbuch 2007. Hrsg. v. Günter Blamberger, Gabriele Brandstetter, Ingo Breuer, Sabine Doering u. Klaus Müller-Salget. Heinrich-von-Kleist-Gesellschaft, Berlin. Stuttgart; Weimar: Verlag J. B. Metzler 2007, S. 21 f. *S. 54*

Keun, Irmgard: Das kunstseidene Mädchen. Hrsg. v. Thomas Kopfermann. Mit Materialien, ausgewählt von Jörg Ulrich Meyer-Bothling. Leipzig / Stuttgart / Düsseldorf: Klett Verlag 1992/2004, © Claassen Verlag, München,
- S. 3–5. *S. 101 f.*
- S. 75 f. *S. 113*
- S. 102 f. *S. 116*
- S. 76. *S. 176*

Kleist, Heinrich von:
- Betrachtungen über den Wettlauf. Berliner Abendblätter, 9.10.1810. In: Ders.: Über das Marionettentheater. Studienausgabe. Hrsg. v. Gabriele Kapp. Stuttgart: Reclam 2013, S. 34 f. *S. 84*
- Brief an Christian Ernst Martini. In: Ders.: Sämtliche Werke und Briefe. Band 4. Hrsg. v. Ilse-Marie Barth u. a. Frankfurt am Main: Suhrkamp 1991 ff., S. 27. *S. 33*
- Brief an Wilhelmine von Zenge. Zit. nach URL: https://www.projekt-gutenberg.org/kleist/briefe/chap003.html (letzter Abruf: 19.03.2024). *S. 34*
- Der zerbrochne Krug. In: Ders.: Der zerbrochne Krug / Die Marquise von O... / Über das Marionettentheater. Hrsg. und kommentiert von Hans-Georg Schede. Paderborn: Westermann Bildungsmedien Verlag 2024. S. 3–149, hier: S. 5. *S. 29*
- Die Marquise von O... In: Ders.: Der zerbrochne Krug / Die Marquise von O... / Über das Marionettentheater. Hrsg. und kommentiert von Hans-Georg Schede. Paderborn: Westermann Bildungsmedien Verlag 2024. S. 153–201, hier: S. 153. *S. 56*; S. 154 f. *S. 62 f.*; S. 175 f. u. S. 177. *S. 67*; S. 178 f. *S. 68*; S. 200 f. *S. 71*; S. 161. *S. 72*
- „Die Zeit scheint ...“ [Zitat]. Aus einem Brief an Otto August Rühle von Lilienstern, 1805. Zit. nach URL:

http://www.kleistdaten.de/index.php?title=Brief_1805-11-00 (letzter Abruf: 09.04.2024). *S. 9*
- Über das Marionettentheater. In: Ders.: Der zerbrochne Krug / Die Marquise von O... / Über das Marionettentheater. Hrsg. und kommentiert von Hans-Georg Schede. Paderborn: Westermann Bildungsmedien Verlag 2024, S. 211–219, hier: S. 214, 214 f., 215 u. 216. *S. 87*
- Über die allmähliche Verfertigung der Gedanken beim Reden (1811). (= Brief an Otto August Rühle von Lilienstern). Zit. n. URL: https://www.projekt-gutenberg.org/kleist/gedanken/gedanken.html (letzter Abruf: 04.03.2024). *S. 91 f.*
- Vorrede zur handschriftlichen Fassung des „zerbrochnen Krugs". In: Ders.: Der zerbrochne Krug / Die Marquise von O... / Über das Marionettentheater. Schroedel Lektüren: Sonderausgabe für Niedersachsen 2026. Hrsg. und kommentiert von Hans-Georg Schede. Paderborn: Westermann Bildungsmedien Verlag 2024, S. 87 f. [verändert: Die in eckigen Klammern von H.-G. Schede hinzugesetzten Worterklärungen wurden weggelassen.] *S. 13*

Klinger, Cornelia: 1800 – Eine Epochenschwelle im Geschlechterverhältnis? In: Revolution und Emanzipation. Hrsg. v. Katharina Rennhak und Virginia Richter. Köln: Böhlau 2004. S. 17–32. *S. 66*

Köhler, Andrea: Mit schmerzhaft gebundenen Schwingen. Neue Zürcher Zeitung, 19.11.2011. URL: https://www.nzz.ch/mit_schmerzhaft_gebundenen_schwingen-ld.696904 (letzter Abruf: 15.12.2023). *S. 73*

Köhler, Michael: Interview mit der Regisseurin Laura Linnenbaum über die Inszenierung von „Der zerbrochne Krug" in Düsseldorf. In: Deutschlandradio, Köln, 23.04.2019. URL: https://www.deutschlandfunk.de/reihe-gerechtigkeitsfragen-im-theater-kleists-der-100.html (letzter Abruf: 19.03.2024). *S. 54*

Krause, Frank: Literarischer Expressionismus. Paderborn: Wilhelm Fink Verlag 2008, S. 18 f. *S. 120*

Krünitz, Johann G.: Oekonomische Enzyclopädie oder: Allgemeines System der Staats-Stadt-Haus- und Landwirtschaft. 22. Teil. Pauli Berlin 1781, S. 417 f. *S. 64 f.*

Kümmel, Peter: *Über* Das kunstseidene Mädchen. In: Irmgard Keun: Das kunstseidene Mädchen. Lizenzausgabe des Zeitverlag Gerd Buerius GmbH & Co. KG, Hamburg, für die „ZEIT-Bibliothek der Goldenen Zwanziger", 2018, S. 137. *S. 155*

Lessing, Gotthold Ephraim: Briefwechsel über das Trauerspiel. Brief an Nicolai vom November 1756. Berliner Ausgabe 2014. Hrsg. v. Michael Holzinger, S. 9 f. *S. 24*

Maier, Elisabeth: Zita Gustav Wende inszeniert den Klassiker aus der Perspektive der Kinder: Kleists „Marquise von O..." in Stuttgart. Esslinger Zeitung, 27.10.2019. URL: https://www.esslinger-zeitung.de/inhalt.zita-gustav-wende-inszeniert-den-klassiker-aus-der-perspektive-der-kinder-kleists-marquise-von-o-in-stuttgart.e521aced-90a1-425d-8ce9-6932b76ce9d9.html (letzter Abruf: 01.03.2024). *S. 78 f.*

Martínez, Matías / Scheffel, Michael: Einführung in die Erzähltheorie. 8. Aufl. München: Verlag C. H. Beck 2009, S. 100 f. *S. 144 ff.*

März, Roland: Christian Schad: Sonja (Max Herrmann-Neisse im Hintergrund), 1928. Freunde der Nationalgalerie e.V., Berlin. URL: https://freunde-der-nationalgalerie.de/erwerbung/christian-schad/ (letzter Abruf: 01.03.2024). *S. 144*

Michalzik, Peter: Kleist. Dichter, Krieger, Seelensucher. Biographie. Berlin: Ullstein 2011, S. 7 f. *S. 10 f.*

Migner, Karl: Die Heldenfigur inmitten einer ... [Zitat]. Theorie des modernen Romans. Stuttgart: Kräner 1970. *S. 161*

Müller, Adam Heinrich: Brief an Friedrich von Gentz vom 14. 03.1808. In: Heinrich von Kleists Lebensspuren. Dokumente und Berichte der Zeitgenossen. Hrsg. v. Helmut Sembdner. München: Carl Hanser Verlag 1996, S. 234. *S. 74 f.*

Müller-Salget, Klaus: Heinrich von Kleist. Stuttgart: Reclam 2011, S. 183. *S. 73*

Nietzsche, Friedrich: „[...] nur was nicht aufhört ..." [Zitat]. Ders.: Sämtliche Werke. Kritische Studienausgabe in 15 Bänden, Hrsg. von G. Colli und M. Montinari, München, 1980, hier Bd. 5, S. 295. *S. 9*

o. V.: Die neue Frau. In: Südwestdeutsche Illustrierte Wochenzeitung. Nr. 43. Oktober 1993, Südwest Presse Ulm, S. 16. *S. 145 f.*

Philipp, Elena: Handfeste Privilegienverwahrlosung. In: Nachtkritik Kulturnetz gemeinnützige GmbH, Berlin. URL: https://www.nachtkritik.de/nachtkritiken/deutschland/berlin-brandenburg/berlin/deutsches-theater-berlin/der-zerbrochene-krug-deutsches-theater-berlin-psychologisch-praezise-und-diskursstark-aktualisiert-anne-lenk-keists-klassiker (letzter Abruf: 19.03.2024). *S. 46 f.*

Pinthus, Kurt: Die Überfülle des Erlebens. In: Expressionismus. Hrsg. v. Silvio Vietta und Hans-Georg Kemper. München: Wilhelm Fink Verlag 1990, S. 11 ff. *S. 130 f.*

Piper, Ernst: Gefährdete Stabilität 1924–1929. Bundeszentrale für politische Bildung, 07.05.2021. URL: https://www.bpb.de/shop/zeitschriften/izpb/weimarer-republik-346/332895/gefaehrdete-stabilitaet-1924-1929/ (letzter Abruf: 04.03.2024). *S. 121; S. 131 f.; S. 142 f.*

Reinhardt-Becker, Elke:
- Komödie. In: Einladung zur Literaturwissenschaft: Ein Vertiefungsprogamm zum Selbststudium. Universtität Duisburg 2009. URL: http://www.einladung-zur-literaturwissenschaft.de/index976f.html?option=com_content&view=article&id=363%3A7-2-komoedie&catid=42%3Akapitel-7&Itemid=55 (letzter Abruf: 19.03.2024). *S. 23*
- Tragödie. In: Einladung zur Literaturwissenschaft: Ein Vertiefungsprogamm zum Selbststudium. Universtität Duisburg 2009. URL: http://www.einladung-zur-literaturwissenschaft.de/index659a.html?option=comcontent&view=article&id=364%3A7-2-tragoedie&catid=42%3Akapitel-7&Itemid=55 (letzter Abruf: 19.03.2024). *S. 23 f.*

Rilke, Rainer Maria: Denn, Herr, die großen Städte sind. In: Großstadtlyrik. Hrsg. v. Ellen Lissek-Schütz. Paderborn: Schöningh 1989, S. 21 f. *S. 172*

Ringelnatz, Joachim: ...liner Roma... . In: Ders.: Nervosipopel / ...liner Roma.... Hrsg. v. Karl-Maria Guth. Berlin: Hofenberg 2014, S. 44 – 74,
- S. 52. *S. 156*
- S. 45 f., S. 46 f. *S. 163*
- S. 52. *S. 163 f.*
- S. 48, S. 57. *S. 164*
- S. 58. *S. 164 f.*
- S. 59, S. 61. *S. 165*
- S. 62, S. 73. *S. 166*
- S. 73 f. *S. 170*
- S. 45. *S. 176*

Roesch, Phyllis: Kleist und Schiller – Das verlorene Paradies. (Diss.) Berlin 2020, S. 203. *S. 93*

Schäfer, Frank: Schreiben wie Filme. In: taz, 14.01.2006. URL: https://taz.de/Schreiben-wie-Filme/!489659/ (letzter Abruf: 04.03.2024). *S. 152 f.*

Schede, Hans-Georg: Heinrich von Kleist. Der zerbrochne Krug. Interpretation. München: Stark 2018, S. 48 f. *S. 16*

Scheele, Meta: Der Götze Materie. In: Berliner Börsen-Zeitung, 21.08.1932. *S. 152*

Schiller, Friedrich: Über Anmut und Würde. Zit. nach URL: https://www.projekt-gutenberg.org/schiller/anmutwde/anmutwd2.html (letzter Abruf: 21.03.2024). *S. 86*

Schneider, Hans-Peter: Justizkritik im „Zerbrochnen Krug". In: Kleist-Jahrbuch 1988/89. Hrsg. v. Hans Joachim Kreutzer. Heinrich-von-Kleist-Gesellschaft, Berlin. Berlin: Erich Schmidt Verlag 1988, S. 311 – 313. *S. 39*

Schneider, Helmut J.: Die „Krug-Szene". In: Kleist-Handbuch. Leben – Werk – Wirkung. Sonderausgabe. Hrsg. v. Ingo Breuer. Stuttgart: Metzler 2013, S. 37–40, hier S. 37 f. *S. 27 f.*

Schmidt, Jochen: Heinrich von Kleist. Dramen und Erzählungen in ihrer Epoche. Darmstadt: Wissenschaftliche Buchgesellschaft 2013, S. 73 f. *S. 37 f.*; S. 200–203. *S. 80 f.*

Schweinoch, Oliver / Scriba, Arnulf: Weimarer Republik: Industrie und Wirtschaft: Die Weltwirtschaftskrise. Deutsches Historisches Museum, Berlin 02.09.2014. URL: https://www.dhm.de/lemo/kapitel/weimarer-republik/industrie/wirtschaftskrise (letzter Abruf: 04.03.2024). *S. 137 f.*

Scriba, Arnulf:
- Weimarer Republik: Kunst und Kultur. Deutsches Historisches Museum, Berlin 02.09.2014. URL: https://www.dhm.de/lemo/kapitel/weimarer-republik/kunst-und-kultur.html (letzter Abruf: 04.03.2024). *S. 132–134; S. 135*
- Weimarer Republik: Alltagsleben. Deutsches Historisches Museum, Berlin 01.09.2014. URL: https://www.dhm.de/lemo/kapitel/weimarer-republik/alltagsleben.html (letzter Abruf: 04.03.2024). *S. 147 f.*

Sophokles: König Ödipus. In: Reclam XL Text und Kontext: Sophokles: König Ödipus. Übersetzt v. Kurt Steinmann. Hrsg. v. Mario Leis. Stuttgart: Reclam 2023. *S. 19–21*

Sørensen, Bengt Algot: Deutsche Romantik. In: Geschichte der deutschen Literatur. 1. Vom Mittelalter bis zur Romantik. 2. Auflage. München: C. H. Beck 2003, S. 290 – 310. *S. 49 f.*

Stadelmaier, Gerhardt: Der Teufel und der leere Gott. In: Frankfurter Allgemeine Zeitung, 15.09.2008. © Alle Rechte vorbehalten. Frankfurter Allgemeine Zeitung GmbH, Frankfurt. Zur Verfügung gestellt vom Frankfurter Allgemeine Archiv. URL: https://www.faz.net/aktuell/feuilleton/buehne-und-konzert/der-zerbrochene-krug-der-teufel-und-der-leere-gott-1699751.html (letzter Abruf: 19.03.2024). *S. 45 f.*

Stegemann, Wolf: Blick in die Geschichte: Große Arbeitslosigkeit 1930/31 – Nach Zechenschließung „Baldur" die höchste Quote. Tiefste Not in Holsterhausen und Hervest-Dorsten. In: Dorsten transparent, 17.07.205. Hrsg. v. Dr. Helmut Frenzel u. Wolf Stegemann. URL: http://

www.dorsten-transparent.de/2015/07/blick-in-die-geschichte-grose-arbeitslosigkeit-193031-nach-zechenschliesung-baldur-die-hochste-quote-tiefste-not-in-holsterhausen-und-hervest-dorsten/ (letzter Abruf: 04.03.2024) *S. 136 f.*

Stockhorst, Stefanie: Intermediale Erzählstrategien im urbanen Kontext. Mediale Grenzüberschreitungen in Großstadtromanen der Weimarer Republik. In: Literatur intermedial. Paradigmenbildung zwischen 1918 und 1968. Hrsg. v. Wolf Gerhard Schmidt und Thorsten Valk, Berlin / New York: De Gruyter 2009, S. 115–138,
- S. 115 f. *S. 162*
- S. 122 f. *S. 171*

Strauss, Arnold: Alle haben schreckliche Angst ... [Zitat]. Prof. Dr. Luise F. Pusch, Boston. In: Joey Horsley: Irmgard Keun: Biografie. URL: https://www.fembio.org/biographie.php/frau/biographie/irmgard-keun/ (letzter Abruf: 04.03.2024). *S. 151*

Troß, Erich: Die neue Sachlichkeit. Frankfurter Zeitung vom 11.9.1925. Zit. nach: Sabina Becker: Neue Sachlichkeit. Bd. 2. Köln / Weimar / Wien: Böhlau 2000, S. 27 f. *S. 122*

Tucholsky, Kurt: Augen in der Großstadt. In: Ders.: Lerne lachen ohne zu weinen. Berlin: Rowohlt 1932, S. 383 f. Erstdruck unter dem Pseudonym Theobald Tiger, Arbeiter Illustrierte Zeitung, 1930. Nr. 11. S. 217. *S. 173*

Vahsen, Mechthilde: Wie alles begann – Frauen um 1800. In: Bundeszentrale für politische Bildung, Bonn, 08.09.2008. URL: https://www.bpb.de/themen/gender-diversitaet/frauenbewegung/35252/wie-alles-begann-frauen-um-1800/ (letzter Abruf: 19.03.2024). *S. 42*

Vierhaus, Rudolf: Heinrich von Kleist und die Krise des Preußischen Staates um 1800. In: Kleist-Jahrbuch 1980. Berlin: Erich Schmidt 1982, S. 14–21. *S. 31–33*

Vietta, Silvio: Der europäische Roman der Moderne. München: Wilhelm Fink Verlag 2007, S. 27 f. *S. 144*

Wagenknecht, Christian: Nachwort. In: Heinrich von Kleist: Die Marquise von O. Das Erdbeben von Chile. Stuttgart: Reclam 2004, S. 83. *S. 76*

Walther, Lutz: Erster Weltkrieg: Kunst und Kultur: Dada. Deutsches Historisches Museum, Berlin, 14.09.2014. URL: https://www.dhm.de/lemo/kapitel/erster-weltkrieg/kunst-und-kultur/dada.html (letzter Abruf: 07.03.2024). *S. 175*

Warsitz, Sarah: Die Situation um 1800: Die „natürliche Hausfrau". IGBCE, Hannover. URL: https://igbce.de/igbce/die-situation-um-1800-die-natuerliche-hausfrau--28768 (letzter Abruf: 18.12.2023). *S. 65*

Weissinger, Friedrich: Ein typisches Abbild unserer Zeit. In: Literarische Welt, 29.07. 1932. *S. 151*

Wenz, Gunther: Die Sünde Adams. Zum Fall des Dorfrichters in Heinrich von Kleist Lustspiel „der zerbrochne Krug". München: Bayerische Akademie der Wissenschaft München 2016, S. 9 – 11. *S. 35*

Wolf, Christa: Kein Ort. Nirgends. Darmstadt/Neuwied: Luchterhand 1979, S. 62–65. *S. 11 f.*

Wunderlich, Dieter: Irmgard Keun: Das kunstseidene Mädchen. Dieter Wunderlich, München, 2009. URL: https://www.dieterwunderlich.de/Keun_kunstseidene_maedchen.htm. (letzter Abruf: 04.03.2024). *S. 152 f.*

Zeitung für die elegante Welt (o. V.): Die Kritik der Uraufführung. In: Heinrich von Kleists Lebensspuren. Dokumente und Berichte der Zeitgenossen. Hrsg. v. Helmut Sembdner. Erw. Neuausg. Frankfurt am Main: Insel Verlag 1977. *S. 44*

Alle Texte wurden behutsam der heute gültigen Schreibung angepasst. Ausnahmen bilden Texte, die aus urheberrechtlichen Gründen nicht in reformierter Schreibung abgedruckt werden dürfen.

Stichwörter

Bildquellen

| akg-images GmbH, Berlin: 8.4, 9.1, 9.2, 10.1, 33.1, 34.1, 48.1, 49.1, 66.1, 98.2, 124.1, 131.1, 158.1, 172.1, 173.1, 176.1; Album 57.1; arkivi 139.1; E. Lessing 90.1; George Grosz: Konstruktion (ohne Titel), 1920 / © Estate of George Grosz, Princeton, N.J. / © VG Bild-Kunst, Bonn 2024 158.2; Heritage Images / Fine Art Images 98.1; Lessing, Erich 35.1; Lessing, Erich / Otto Dix: Streichholzhändler, 1920 / © VG Bild-Kunst, Bonn 2024 158.3; Otto Dix: Drei Dirnen auf der Straße, 1925 / © VG Bild-Kunst, Bonn 2024 98.3; Otto Dix: Großstadt (Triptychon) / © VG Bild-Kunst, Bonn 2024 130.1; Otto Dix: Porträt des Rechtsanwalts Hugo Simons, 1929 / © VG Bild-Kunst, Bonn 2024 133.2; Sammlung Evelin Förster 139.2; Vatikanische Museen 19.1; © Christian-Schad-Stiftung Aschaffenburg / VG Bild-Kunst, Bonn 2024 (Christian Schad: Sonja) 144.1; © VG Bild-Kunst, Bonn 2024 (André Masson: "Le poète Kleist" (Der Dichter Kleist) 54.1. |Alamy Stock Photo, Abingdon/Oxfordshire: Historic Images 156.1; imageBROKER.com GmbH & Co. KG/our-planet.berlin 147.1; Painting 85.1; Photo 12/Ann Ronan Picture Library / © VG Bild-Kunst, Bonn 2024 166.1; public domain sourced / access rights from BTEU/AUSMUM / 84.1; Quagga Medi 90.3; SuperStock 87.1, 89.1. |Alamy Stock Photo (RMB), Abingdon/Oxfordshire: Penta Springs Limited 26.1. |Anhaltisches Theater Dessau, Dessau-Roßlau: © Claudia Heysel / Darsteller: Oliver Seidel, Andreas Hammer, Boris Malré 41.2; © Claudia Heysel / DarstellerInnen: Dirk S. Greis, Oliver Seidel, Illi Oehlmann 27.2; © Claudia Heysel / DarstellerInnen: Dirk S. Greis, Oliver Seidel, Mirjana Milosavljevic, Stephan Korves 41.1; © Claudia Heysel / DarstellerInnen: Mirjana Milosavljevic, Stephan Korves, Oliver Seidel, Andreas Hammer, Boris Malré 15.1. |Aurin, Thomas, Berlin: 77.1. |Bildbühne - c/o Marcus Lieberenz, Berlin: 21.1. |bpk-Bildagentur, Berlin: 8.3, 32.1, 65.1, 74.1, 117.1, 136.2; Bildarchiv Hamburger Kunsthalle / Foto: Christoph Irrgang 90.2; Deutsches Historisches Museum / Sebastian Ahlers / George Grosz: Hunger, (Berlin, 1924) / © Estate of George Grosz, Princeton, N.J. / © VG Bild-Kunst, Bonn 2024 137.1; Josef Donderer 141.1; Kunstbibliothek, SMB / Knud Petersen / George Grosz: Dämmerung, (Berlin 1922) / © Estate of George Grosz, Princeton, N.J. / © VG Bild-Kunst, Bonn 2024 133.1. |Bridgeman Images, Berlin: 24.1, 43.1. |Büchergilde Gutenberg Verlagsgesellschaft mbH, Frankfurt/Main: 101.1. |C.D., Hamburg: 26.2. |ddp images GmbH, Hamburg: dapd 157.1; Gottschalk, Michael 37.1. |Declair, Arno, Berlin: 53.1; Deutsches Theater Berlin 46.1. |Deutsches Literaturarchiv Marbach, Marbach am Necker: 123.1. |Focht, Britta, Lüneburg: 111.1. |Grünschloß, Felix, Karlsruhe: 105.1. |Heise, Dorothea, Göttingen: © www.dorothea-heise.de 151.1. |Imago Editorial, Berlin: Brigani-Art 45.1; Gemini Collection 119.1. |Jüdisches Museum der Stadt Frankfurt am Main, Frankfurt/M.: Ludwig Meidner-Archiv / Potsdamer Platz, 1913 162.1. |Kartographie Michael Hermes, Hardegsen Hevensen: 136.1. |Klein, Björn, Stuttgart: 78.1. |Kleist, Sigurd von, Hildesheim: 10.2. |Kleist-Museum, Frankfurt/Oder: Inv.-Nr. III/325, © Stiftung Kleist-Museum 8.1. |Landesbühne Niedersachsen Nord GmbH, Wilhelmshaven: © Martin Becker 110.1. |LES FILMS DU LOSANGE, Paris: 62.1, 67.1, 69.1, 69.2, 70.1, 70.2, 71.1; Regie: Eric Rohmer 61.1. |Lupa Film GmbH, Berlin: DCM 125.1. |Noormann, Mark, München: Regie Silvia Armbruster / Stefan Morgenstern Bühnen&Kostümbild 56.1. |Picture Press Bild- und Textagentur GmbH, Hamburg: aus: Geo Epoche 101/2020. Das Goldene Zeitalter der Niederlande 1566-1715, S. 21. 27.1. |Picture-Alliance GmbH, Frankfurt a.M.: akg-images 99.2, 148.1, 155.1; akg-images/ Rodemann 122.1; Das kunstseidene Mädchen, Giulietta Masina als Doris 105.3; dpa 146.1; dpa/dpaweb / Otto Dix: Die Journalistin Sylvia von Harden, (1926) / © VG Bild-Kunst, Bonn 2024 121.1; Everett Collection 102.1; IMAGNO/Austrian Archives 173.2; Sammlung Richter 106.1. |Schede, Hans-Georg, Freiburg: 44.1; Illustration: Adolph Menzel 30.1; Radierung von Jean Jacques le Veau 13.1. |Shutterstock.com, New York: Everett Collection 143.1. |Shutterstock.com (RM), New York: Moviestore 142.1. |Stadtarchiv Bamberg, Bamberg: Jürgen Schraudner 82.1. |stock.adobe.com, Dublin: Kollidas, Georgios 86.1; Medir 23.1; moonrun 3.1. |Süddeutsche Zeitung - Photo, München: Scherl 99.1, 113.1, 153.1. |teachSam, Konstanz: By Gert Egle - www.teachsam.de - lizenziert unter CC-BY-SA 4.0 International license 18.1, 18.2. |Theater tri-bühne, Stuttgart: Stefan Kirchknopf 105.2. |Then, Sandra, Bonn: 16.1. |ullstein bild, Berlin: 81.1, 138.1; Binder 101.2; Imagno 44.2; Schiffer-Fuchs 11.1; ullstein bild 149.1. |Walter-Ballhause-Archiv, Plauen: 99.3, 137.2. |Zelinger, Thomas, Heppenheim: 14.1. |© The Trustees of the British Museum, London: 8.2.